Franziska Franke
Sherlock Holmes an der Saar

Von der Autorin bisher bei KBV erschienen:

Sherlock Holmes und die Büste der Primavera
Sherlock Holmes und der Club des Höllenfeuers
Sherlock Holmes und die Katakomben von Paris
Sherlock Holmes und der Fluch des grünen Diamanten
Sherlock Holmes und das Ungeheuer von Ulmen
Sherlock Holmes und der Ritter von Malta
Sherlock Holmes und das Geheimnis der Pyramide
Sherlock Holmes und die schwarze Kobra
Sherlock Holmes und die Spur des Yeti
Sherlock Holmes und der Mönch von Mainz
Sherlock Holmes und das Orakel der Runen

Franziska Franke wurde in Leipzig geboren, hat nach ihrer Schulzeit, die sie in Essen, Schwetzingen und Wiesbaden verbrachte, an den Universitäten von Mainz und Frankfurt Kunstgeschichte, Klassische Archäologie und Kunstpädagogik studiert. Sie wohnt heute in Mainz, wo sie freiberuflich in der Erwachsenenbildung tätig ist. In ihrer *Sherlock-Holmes-Reihe* löst der Meisterdetektiv zahlreiche Kriminalfälle im Anschluss an sein rätselhaftes Verschwinden in den Reichenbachfällen. Dabei begleitet ihn der englische Buchhändler David Tristram.

Franziska Franke

Sherlock Holmes
an der Saar

Originalausgabe
© 2024 KBV Verlags- und Mediengesellschaft mbH, Hillesheim
www.kbv-verlag.de
E-Mail: info@kbv-verlag.de
Telefon: 0 65 93 - 998 96-0
Umschlaggestaltung: Ralf Kramp
Lektorat: Volker Maria Neumann, Köln
Druck: CPI books, Ebner & Spiegel GmbH, Ulm
Printed in Germany
ISBN 978-3-95441-676-9

Vorwort des Herausgebers

Als ich vor mehr als zehn Jahren unter dem Titel »Sherlock Holmes und die Büste der Primavera« den ersten Band der Manuskripte herausgab, die auf dem Dachboden der Florentiner Casa Tristram-Boldoni gefunden worden waren, hätte ich es mir nicht träumen lassen, dass ich in diesem Jahr das Vergnügen haben würde, den nunmehr zwölften Band der Reihe vorzulegen. Der Verfasser ist auch dieses Mal der ehemalige englische Buchhändler David Tristram, der in Florenz in die damals berühmte Bildhauerwerkstatt Boldoni eingeheiratet hatte. Er begegnete dem Meisterdetektiv zu der Zeit, als alle Welt glaubte, dass Sherlock Holmes im Kampf gegen Professor Moriarty, den »Napoleon des Verbrechens«, den Reichenbachfall hinabgestürzt sei. In Wahrheit konnte Holmes sich aber retten und hat in den folgenden Jahren als angeblich norwegischer Forscher Sven Sigerson die Welt bereist. Schon zu Beginn dieser Odyssee assistierte ihm David Tristram bei einer Reihe von Kriminalfällen und wurde sein zeitweiliger Biograph.

Leider wird jedoch seine ohnehin schon schwer lesbare Handschrift von Band zu Band immer nachlässiger.

Es war daher wieder eine mühsame und zeitraubende Arbeit, den Text zu erfassen, was aber der damit betrauten Anglistikstudentin vortrefflich gelungen ist. Nur vor den durch Stockflecken im Papier völlig unleserlichen Jahreszahlen musste sie kapitulieren.

Erst drei Jahre nach der ersten Begegnung mit David Tristram kehrte Sherlock Holmes ins heimatliche London zurück. Ohne Mister Tristrams Berichte wüssten wir nicht, welche Abenteuer der englische Meisterdetektiv in den davorliegenden dunklen Jahren seines Exils erlebt hat.

Florenz, den 24. Januar 2024
Giovanni Battista Scalzi, Anwalt und Notar

1. Das Paket

Nach Lösung unseres Falls[1] beschloss Holmes, einen Abstecher nach Sankt Johann[2] in den Preußischen Rheinlanden zu machen, um einen dort lebenden Gelehrten zu besuchen, mit dem er seit einiger Zeit korrespondierte. Dieser hieß Theodor Leidinger, war Lehrer für Geschichte und alte Sprachen an einem Gymnasium und hatte sich durch zahlreiche Publikationen zur Altertumskunde und zur Kunst des Mittelalters einen guten Namen in Wissenschaftskreisen gemacht. Nebenher handelte er mit Kunst und Antiquitäten. Wahrscheinlich fragte mich Holmes nur höflichkeitshalber, ob ich ihn begleiten wolle, und ich wiederum schloss mich nur an, weil mein Schwager Andrea Boldoni mich darum gebeten hatte. Er hielt den Kontakt für nützlich für die von ihm geleitete Bildhauerwerkstatt. Ich fragte

---

1 Natürlich wüssten wir zu gern, auf welchen Fall David Tristram anspielt. Möglicherweise auf einen der anderen beiden in Deutschland angesiedelten Fälle, die wir unter den Titeln »Sherlock Holmes und das Ungeheuer von Ulmen« und »Sherlock Holmes und der Mönch von Mainz« veröffentlicht haben?

2 Die Stadt Sankt Johann und zwei weitere Gemeinden schlossen sich 1909 zur Großstadt Saarbrücken zusammen.

lieber nicht nach, was genau er sich davon versprach, da er doch angeblich unschuldig daran war, dass die Marmorskulpturen seines verstorbenen Vaters immer wieder als echte Renaissance-Skulpturen ihren Besitzer wechselten. Aber immerhin waren meine Deutschkenntnisse mittlerweile ganz manierlich, zumindest wenn ich mit keinem allzu ausgeprägten Dialekt konfrontiert wurde.

Unser Gastgeber entpuppte sich als reizender Herr mittleren Alters mit einer äußerst charmanten, wohl etwas jüngeren Gattin. Ich hätte es nicht über das Herz gebracht, ihm die in historischem Stil gehaltenen Werke meines Schwiegervaters unterzujubeln. Außerdem war er viel zu versiert, um auf sie hereinzufallen.

Trotz herrlichen Wetters saßen wir den ganzen Tag im Salon, wo unser Gastgeber und Holmes über mittelalterliche Handschriften fachsimpelten. Ein Thema, zu dem ich rein gar nichts beitragen konnte. Zum Glück hatte ich darauf bestanden, in einem Hotel abzusteigen, weshalb ich mich nicht verpflichtet fühlte, einen weiteren Tag zu bleiben. Aber es kam ganz anders.

Gegen zwei Uhr nachmittags geleitete das Hausmädchen einen weiteren, offenbar unerwarteten Besucher in den Salon. Er war etwa im gleichen Alter wie unser Gastgeber und hatte eine Figur, die ein höflicher Mensch als stattlich bezeichnete. Man musste kein Meisterdetektiv sein, um ihn an seiner Tasche als Arzt zu identifizieren.

»Schön, dass du Zeit für mich hast, Theodor ...«, begann er, stockte aber, als er erkannte, dass der Hausherr nicht allein war.

»Mister Sven Sigerson und Mister David Tristram, mein alter Klassenkamerad Doktor Richard Schmitt«, machte dieser uns bekannt. Falls er über den Besuch seines Freundes erstaunt war, so ließ er es sich nicht anmerken.

»Mir ist etwas Seltsames passiert«, platzte es aus dem Neuankömmling heraus, bevor er genauso abrupt wieder verstummte.

»Mister Sigerson und sein Assistent sind Experten für seltsame Dinge«, munterte der Hausherr seinen neuen Gast auf.

Dieser seufzte übertrieben und blickte uns dann skeptisch an. Aber schließlich siegte sein Mitteilungsdrang über seine offenbar ausgeprägte Reserviertheit gegenüber Fremden. »Gestern erhielt ich überraschend ein Paket. Leider stand kein Absender darauf. Darin war das da!« Er öffnete seine Arzttasche, griff vorsichtig hinein und zog den letzten Gegenstand heraus, den ich erwartet hatte, nämlich einen uralt aussehenden, goldenen Becher, und stellte ihn auf den Tisch.

»Solche Post lässt man sich doch gefallen«, bemerkte ich belustigt.

»Das Ding ist ein Vermögen wert, allein schon der Materialwert«, entfuhr es dem Hausherrn, und er nahm das Gefäß so vorsichtig in die Hand, als wäre es zerbrechlich. Dann hob er den Kelch hoch, als wollte er die Eucharistie damit feiern, und betrachtete die Unterseite. »Ein spätantiker Trinkbecher und zweifelsohne aus reinem Gold«, murmelte er bewundernd. »Wer verschickt denn so etwas an einen Arzt und dann noch ohne Begleitschreiben?«

Auf Englisch heißen Taschendiebe *pickpockets*. Vielleicht gibt es ja auch *givepockets* dachte ich amüsiert, sprach es aber nicht laut aus.

»Das frage ich mich auch«, mischte Holmes sich vehement ein. Er saß hochaufgerichtet in seinem Sessel und war ganz in seinem Element. »Ich hoffe, Sie haben den Karton und das Packpapier mitgebracht.«

Der Arzt zuckte entschuldigend mit den Achseln. »Das habe ich leider alles weggeworfen. Es hatte stark geregnet, und das Papier war völlig durchgeweicht.«

Holmes blickte den Arzt an, als ob eine derartige Vernichtung von Beweismitteln ein Kapitalverbrechen wäre.

»Erstaunlich, dass der Briefträger die Adresse überhaupt …« Doktor Schmitt stockte, Holmes' graue Augen leuchteten auf und der Arzt leckte sich nervös über die Unterlippe. »Sie meinen, dass das Paket mir fälschlich ausgehändigt wurde?«, fragte unser Gesprächspartner verblüfft.

»Ihr Nachname entspricht ja dem englischen Smith und ist wahrscheinlich in Deutschland sehr verbreitet. Gibt es in Ihrem Heimatort noch andere Schmitts?«, erkundigte sich Holmes.

»Ja, leider. Ich habe schon überlegt, meinen Geburtsort anzuhängen und mich Schmitt-Orscholz zu nennen. Aber zum Glück gibt es im Ort nur einen Richard Schmitt.«

»Wirklich schade, dass ich mir kein Bild von der Handschrift machen kann, mit der die Adresse geschrieben wurde«, bedauerte Holmes mit finsterer Miene. »Aber wir sollten nichts von vornherein ausschließen, auch wenn es auf den ersten Blick unwahrscheinlich wirkt. Vielleicht sind Sie ja doch der richtige Adressat dieser bemerkenswerten Sendung. Sind Sie wirklich ganz sicher, niemand zu kennen, der Ihnen diese Antiquität gesandt haben könnte?«

»Vielleicht ein Patient, den Sie aus Mitleid unentgeltlich behandelt haben und der in Amerika als Goldgräber zu Reichtum gekommen ist«, schlug ich vor, bevor mir bewusst wurde, dass man in Amerika keine römischen Trinkgefäße finden konnte.

»Ich habe nie jemanden gratis behandelt«, entfuhr es unserem Gesprächspartner in einem Tonfall, als ob das eine ehrenrührige Unterstellung wäre. »Ich betreibe auch keine Pfandleihe und bin nicht besonders an Altertümern interessiert. Theodor und ich sind Schulfreunde, was nicht heißt, dass ich seine Liebhabereien teile. Wenn sich kein rechtmäßiger Besitzer bei mir meldet, habe ich vor, das Ding zu verkaufen.«

»Haben Sie das Gefäß bereits jemandem zum Verkauf angeboten?«, erkundigte sich Holmes alarmiert.

»Nein, ich bin gleich hierhergefahren.«

»Du hast es aber doch sicher deiner Gemahlin gezeigt?«, fragte der Hausherr erstaunt.

»Ihr am allerwenigsten. Ich traue ihr glatt zu, gleich zur Polizei zu gehen. Die würde mir dann wahrscheinlich das gute Stück wegnehmen. Wenn aber niemand Anspruch darauf erhebt, möchte ich es veräußern.«

Wahrscheinlich hatte er den Karton und das Packpapier weggeworfen, damit ihm seine Frau nicht auf die Schliche kam.

»Das ist gut«, sagte Holmes und ließ damit offen, ob er die Verschwiegenheit oder die Habgier des Arztes meinte. »Als Erstes sollten wir in den Museen der Umgebung nachfragen, ob sie ein derartiges Objekt vermissen. Wo haben Sie noch einmal gesagt, dass Sie wohnen?«, kam er dann zur Sache.

Der mörderische Blick, den Doktor Schmitt ihm zuwarf, ließ mich befürchten, dass er Holmes verbot, den rechtmäßigen Besitzer seines Schatzes zu suchen. Aber der Arzt beherrschte sich gerade noch.

»Das habe ich bisher noch nicht gesagt. Aber es ist auch kein Geheimnis. Ich wohne in Mettlach.«

»Wo ist denn das?«, fragte ich.

»Kennen Sie nicht die berühmten Mettlacher Platten?«, fragte der Arzt zurück, was ich verneinte.

»Aber wieso haben Sie gesagt, *wir* sollten nachfragen?«, wandte sich dann unser Gesprächsteilnehmer perplex an Holmes. »Und außerdem: Was kümmert Sie eigentlich mein Paket?«

»Der Fall entbehrt nicht eines gewissen Interesses. Daher nehme ich ihn an, auch deshalb, weil wahrscheinlich mehr dahintersteckt, als es zunächst den Eindruck erweckt. Womöglich schweben Sie sogar in großer Gefahr«, sagte Holmes und erklärte dann unserem unfreiwilligen neuen Klienten, was ein beratender Ermittler war und dass wir diesem Berufsstand angehörten. Holmes hätte mit vollem Fug und Recht sagen können, dass er dieses Metier aus der Taufe gehoben hatte.

»Dafür wäre ich Ihnen sehr verbunden. Sie haben übrigens völlig recht. Die Sache ist schon etwas beunruhigend, nicht dass ich in einen Raub hineingezogen werde. Als Arzt muss ich schon auf meinen guten Ruf achten«, entgegnete Doktor Schmitt, dem Holmes offenbar Angst eingejagt hatte. »Ich kann Sie aber nicht bezahlen«, fügte er dann hastig hinzu, bevor dieser ihm seinen üblichen Honorarsatz nennen konnte.

Ich bezweifelte jedoch, dass er uns wirklich nicht bezahlen konnte. Wahrscheinlich war er schlicht zu geizig dafür. Allein seine äußerst qualitätvolle Kleidung strafte seine Worte Lügen.

»Wir werden uns schon einigen. Außerdem betrachte ich es als Urlaub. Ich wollte schon immer in der Saar angeln. Sie soll ja sehr fischreich sein«, entgegnete Holmes gut gelaunt.

Ich fragte mich, woher er wusste, dass Mettlach an der Saar lag, obwohl seine Kenntnisse in Gebieten, die für seine Ermittlungen irrelevant waren, oft erschreckend lückenhaft waren. Bei jedem anderen hätte ich vermutet, dass es ein Schuss ins Blaue war. Aber Holmes vermutete nie etwas.

»Gibt es in Mettlach ein gutes Hotel?«, erkundigte ich mich.

»Mettlach ist ziemlich überschaubar«, entgegnete der Arzt belustigt. »Der Ort ist noch nicht einmal im großen Brockhaus aufgelistet. Er besteht fast nur aus Fabriken und den Unterkünften der Menschen, die durch die keramischen Werke ihren Lebensunterhalt finden.«

Der Hausherr lehnte sich in seinem Sessel zurück, verschränkte die Arme vor der Brust und runzelte die Stirn.

Doktor Schmitt hingegen räusperte sich pompös. »Natürlich gibt es auch die eine oder andere Gastwirtschaft. Wahrscheinlich kann man dort auch übernachten, aber das ist natürlich nichts für zwei Gentlemen wie Sie. Sie können aber gern während Ihrer Ermittlungen bei mir wohnen. In meinem Haus gibt es mehrere Gästezimmer«, bot er uns an. »Aber ich möchte Sie schon im Vorhinein warnen: Erwarten Sie keinen Luxus. Ich bin ein Freund des einfachen Lebens. Als ich nach Mettlach zog, hätte ich am liebsten eine Wohnung gemietet, das erspart viel Arbeit. Aber als Arzt muss ich leider standesgemäß auftreten, und inzwischen habe ich ja auch Familie.«

»Sie sind wegen der vielen Mitarbeiter der Fabriken nach Mettlach gezogen, die ja sicher ab und zu einen Arzt benötigen?«, fragte ich, doch der Arzt kam nicht dazu, meine Frage zu beantworten, da unser Gastgeber sich vehement einschaltete.

»Bald wird es an der Saar nur noch Fabriken, Hochöfen, Zechen und Abraumhalden geben, von der Quelle bis zur Mündung, der Fluss selbst wird begradigt, kanalisiert und zum Antrieb von Mühlen degradiert. Wenn man so weitergräbt, kommt es über kurz oder lang zu Grubensenkungen, und ganze Straßenzüge werden im Abgrund versinken. Es ist bezeichnend, dass das aufwendigste Gebäude des Zentrums von Sankt Johann nicht eine Kirche ist, sondern die Hauptniederlassung der Bergbaudirektion«, polterte er unerwartet heftig los. Bisher hatte ich ihn für ausgeglichen und distinguiert gehalten.

»Das ist der Fortschritt«, entgegnete Doktor Schmitt in einem leicht gereizten Tonfall, der vermuten ließ, dass die beiden ehemaligen Schulkameraden schon wiederholt derartige Auseinandersetzungen geführt hatten. »Die Menschen müssen schließlich irgendwo arbeiten, und weil es jetzt so viele neue Arbeitsplätze gibt, wirbt man Bauern aus dem Hunsrück, der Eifel und der Pfalz an – und die brauchen natürlich Wohnungen.«

»Wenn Sie sich hier wohlfühlten, dann würden sie nicht ständig streiken«, entgegnete der Hausherr erbost. »Das waren alles hübsche Dörfer und Städtchen, bevor der sogenannte Fortschritt in Gestalt der bergmännischen Industrie daherkam und sie verschandelt hat. Unvorstellbar, dass das benachbarte Völklingen seine Einwohnerzahl in dreißig Jahren vervierfacht hat!«

»Manche Leute werden einfach nie erwachsen!«, konterte der Arzt achselzuckend. »Du kannst noch so viel dagegen wettern, aber die Zeiten ändern sich und die Menschen mit ihnen!«

Außerdem konnte nicht jeder ein Gymnasiallehrer sein, ergänzte ich im Geiste und überlegte, ob Holmes mit seiner Leidenschaft für Chemie auf der Seite des Fortschritts oder der Tradition stand. Aber er hielt sich wohlweislich aus der Diskussion heraus.

Der Gastgeber hingegen schnaubte verächtlich.

»Und mit diesem Fortschritt kommen Alkoholismus, Sittenverfall, Gottlosigkeit und Verbrechen«, schwadronierte sein ehemaliger Klassenkamerad weiter.

»Verbrechen hat es schon immer gegeben«, wandte Holmes ein und beendete damit die Kontroverse. »Zurück zu unserem goldenen Becher. Herr Leidinger, Sie können mir doch bestimmt sagen, welchem Museum der Region ein derart wertvolles Stück abhandengekommen sein könnte?«

Zum Glück lenkte das den Altertumsfreund von seinem Lieblingsthema ab. »Da kommt eigentlich nur das neue Altertumsmuseum in Trier infrage, aber eine solche Kostbarkeit gehört eigentlich nach Berlin.«

»Wenn es Ihnen nichts ausmacht, würde ich gern so bald wie möglich nach Mettlach aufbrechen«, verkündete Holmes voller Elan.

»Ich wollte noch heute Abend zurückfahren«, entgegnete Doktor Schmitt und zog seine Uhr aus der Westentasche. »Wir müssten eigentlich den Zug um sieben Uhr noch bekommen.«

»Das passt mir gut, dann kann ich vorher noch schnell zum Telegrafen-Amt gehen«, entgegnete Holmes, erhob sich von seinem Sessel und verabschiedete sich.

Ich schloss mich an, um nicht zwischen die Fronten der gewiss wieder aufflammenden Grundsatzdebatte zu geraten.

Im Telegrafen-Amt schickte Holmes ein Kabel nach Trier, in dem er im dortigen Museum nachfragte, ob man einen römischen Goldbecher vermisse. Aber wie Herr Leidinger vermutet hatte, erhielt er bereits am nächsten Morgen den Bescheid, dass man bedauerlicherweise eine derartige Kostbarkeit nie besessen habe.

2. Mettlach

Die Bahnfahrt von St. Johann nach Mettlach führte uns an den von Herrn Leidinger so vehement verdammten Fördertürmen, Hochöfen, Abraumhalden und Lagerhallen vorbei. Steinkohlerauch und Ruß verdunkelten mancherorts die Luft und legten sich als dünner Film auf Dächer, Straßen und Bäume. Wahrscheinlich erleuchtete nachts die Glut des Koks das Tal. Ab und zu ging es auch an der Saar entlang durch eine idyllische Landschaft. Den Fluss säumten zahlreiche Mühlen für Getreide und Papier. Je weiter wir uns von St. Johann und Völklingen entfernten, umso weniger Industrieanlagen gab es.

»Ich wollte Ihnen diese Frage nicht in Anwesenheit von Doktor Leidinger stellen, aber besitzen Sie andere gute Freunde?«, fragte Holmes den Arzt, kurz bevor wir unser Ziel erreichten. Bisher hatte der Meisterdetektiv neugierig aus dem Fenster geschaut, aber kein Wort gesagt.

»Nein, leider nicht, zu den anderen Klassenkameraden ist der Kontakt inzwischen abgebrochen, und die Kommilitonen aus Heidelberg sind in alle Himmelsrichtungen verstreut«, entgegnete Doktor Schmitt. »Aber warum interessiert Sie das eigentlich?«

»Ich überlege immer noch, wer Ihnen diesen Becher geschickt haben könnte«, entgegnete Holmes.

»Ich habe mir ja selbst schon das Hirn zermartert, aber mir ist niemand eingefallen«, antwortete Doktor Schmitt und betupfte sich die Stirn mit einem Taschentuch, obwohl es im Abteil eher kühl war.

Es begann bereits zu dämmern, als wir Mettlach erreichten. Wir stiegen aus und verschwanden sogleich in einer dicken Dampfwolke. Als der Zug weitergefahren und der Dampf sich aufgelöst hatte, bemerkte ich, dass an diesem Abend offenbar nur zwei andere Männer den Zug verlassen hatten. Deshalb hätte ich nicht enttäuscht sein sollen, dass es keine Gepäckträger gab. Leider war ich aber mit der größten Selbstverständlichkeit davon ausgegangen, dass sich jemand um mein nicht gerade leichtes Gepäck kümmern würde. Irritiert schaute ich mich um, leider vergeblich, was einen Gepäckträger betraf. Wie unser Klient richtig charakterisiert hatte, wurde das Ortsbild bestimmt durch riesige Fabrikanlagen, die, wie ich vermutete, zu den keramischen Werken von *Villeroy & Boch* gehörten.

Innerlich fluchend hob ich meinen schweren Koffer auf den Bahnsteig, wo mich Holmes vorwurfsvoll blickend erwartete.

»Es ist nicht weit zu meinem Haus«, sagte unser neuer Klient und riss mich damit aus meinen finsteren Gedanken.

Wir überquerten die Gleise und passierten eine langgestreckte Fabrik. Schließlich gelangten wir zur Saar, die gemächlich durch ihr schmales Bett floss. Das rechte Flussufer war unbebaut. Ich erkannte dort nur ein einziges, allerdings villenartiges Gebäude inmitten des saftigen Grüns. Wir folgten der links entlang der Saar führenden Straße, wo hingegen ein mindestens 360 Fuß langes, schlossähnliches Gebäude aus rotem Sandstein in den Abendhimmel ragte. Hinter diesem Palast erhob sich seltsamerweise ein hoher Schornstein.

»Was ist denn das?«, fragte ich, blieb stehen, stellte meinen schweren Koffer ab und deutete auf den gewaltigen Bau.

Eine derart herrschaftliche Gebäudegruppe hatte ich in diesem kleinen Ort wirklich nicht erwartet.

»Das ist die Steingutmanufaktur der Firma *Villeroy & Boch*. Hier werden die Mettlacher Platten hergestellt«, erklärte unser neuer Klient.

»Das Gebäude sieht aber nicht wie eine Fabrik, sondern eher wie ein Schloss aus«, bemerkte ich noch immer irritiert.

»Die Manufaktur ist in einer ehemaligen Benediktiner-Abtei untergebracht, die aber während der Französischen Revolution aufgelöst und dann von Jean-François Boch gekauft wurde«, klärte mich unser Klient auf, der offenbar doch an Geschichte interessiert war, zumindest sofern sie seinen Wohnort betraf.

»Allein der Schornstein weist ja schon auf ihre heutige Funktion als Produktionsstätte hin«, erwiderte Holmes und deutete mir mit einem ungeduldigen Kopfnicken an, dass er weiterzugehen wünschte.

Jenseits der Industrieanlage befand sich der eigentliche Ort, der sich malerisch den Hang hochzog, nur überragt von einer Kirche. Ich sollte noch erfahren, dass man an der Saar sehr katholisch war.

Zum Glück war der Weg zu Doktor Schmitts Haus tatsächlich nicht weit, obwohl es etwas abseits des historischen Ortszentrums lag. Bald folgten wir einem steilen Pfad, an dessen Ende ich im spärlichen Restlicht des Abends ein Steinhaus mit Giebel und grauem Schieferdach bemerkte.

»Da vorne ist unser Haus! Meine Frau wird sich schon wundern, wo ich bleibe, denn ich habe meinen Freund spontan besucht. Ich werde Sie als Urlauber und Angler vorstellen, wie schon Mister Sigerson vorgeschlagen hat«, sagte Doktor Schmitt, als wir auf das zweistöckige Gebäude zuschritten.

»Ich zahle aber allenfalls für die Kost, nicht jedoch für die Unterbringung. Schließlich sind wir hierhergefahren, um für Sie zu ermitteln«, betonte ich erbost.

»Selbstverständlich«, sagte Doktor Schmitt automatisch und wandte sich dann an Holmes: »Aber noch eine ganz andere Frage. Es macht Ihnen doch bestimmt nichts aus, meinem Sohn ab und zu etwas Englischunterricht zu geben?«

Deshalb also das großzügige Angebot, uns zu beherbergen! Er brauchte einen Privatlehrer. Ich öffnete schon den Mund zum Protest, aber Holmes war schneller.

»Ich werde versuchen, das Rätsel Ihrer unverhofften Postsendung zu klären, wozu ich aber viel Muße brauche. Daher habe ich vor, in Ruhe in der Saar zu fischen. Außerdem möchte ich Sie nochmals daran erinnern, dass ich Norweger bin. Englisch ist nicht meine Muttersprache«, erklärte er kategorisch.

Inzwischen hatten wir das Haus erreicht, neben dessen Eingang ein Messingschild hing, auf dem mit riesigen Buchstaben der Name des Arztes und die Öffnungszeiten der Praxis standen.

»Aber Mister Tristram ist ein echter Brite«, fügte Holmes hinzu. »Außerdem hat er selbst einen kleinen Sohn, während ich überhaupt nicht mit Kindern umgehen kann. Mister Tristram ist bestimmt ein besserer Englischlehrer.«

Ich wurde offenbar wieder einmal nicht gefragt, bevor man mir einen Arbeitsauftrag gab. Fast kam ich mir vor wie zu Hause bei den Boldonis.

»Hauptsache, jemand redet ab und zu auf Englisch mit dem Jungen«, sagte Doktor Schmitt und holte einen Schlüssel aus der Hosentasche.

Inzwischen war es so dunkel, dass es ihm erst im dritten Anlauf gelang, den Schlüssel in das Schloss der grau lackierten Tür zu stecken. Er drehte ihn herum und zog die Tür auf, die sich mit einem leisen Quietschen öffnete.

Als wir eintraten, stand bereits die Hausherrin in der Diele und erwartete ihren Gatten mit – wahrscheinlich gewohnheitsmäßig – vorwurfsvoller Miene. Offenbar hielt sie nur unser Anblick davon ab, ihren Gemahl mit Vorhaltungen zu überschütten. Sie war kräftig, aber nicht dick und hatte das hellbraune Haar zu einer aufwendigen Frisur hochgesteckt. Alles an ihr, von dieser Haartracht über den feinen Stoff ihres geblümten Kleides mit weißen Spitzenbesatz bis zu den blank polierten, schwarzen Schuhen, zeugte von der Herkunft aus einer guten Familie. Ohne ihren grimmigen Gesichtsausdruck wäre sie durchaus hübsch gewesen.

»Guten Abend, Liebling!«, begrüßte Doktor Schmitt seine bessere Hälfte. »Das sind Herr Sven Sigerson aus

Norwegen und Herr David Tristram, zwei Freunde meines alten Klassenkameraden Theodor Leidinger. Sie reisen gerade durch die preußische Rheinprovinz und werden für ein paar Tage in unseren Gästezimmern übernachten. »– Meine Gattin Klara«, machte er uns dann bekannt.

»Mister Tristram schreibt einen Bericht über unsere Reisen, den er später bei einem angesehenen englischen Verlag veröffentlichen möchte. Das wird Ihrem zukünftigen Beherbergungsbetrieb bestimmt zugutekommen«, verkündete Holmes mit einem Nicken in meine Richtung, nachdem uns die Hausherrin ohne große Begeisterung begrüßt hatte.

»Wir haben keinesfalls vor, kommerziell Zimmer zu vermieten«, betonte der Hausherr vehement.

»Doch, das haben wir vor«, wurde er von seiner Gemahlin eines Besseren belehrt. »Es gibt ja im ganzen Ort kaum anständige Quartiere, wenn man nicht gerade von der Fabrikantenfamilie eingeladen wird. Außerdem kann ich eine Aufbesserung der Haushaltskasse gut gebrauchen.«

»Woher haben Sie das gewusst?«, fragte Doktor Schmitt, ohne auf die Pläne seiner Frau einzugehen. Wahrscheinlich würde sich das Ehepaar darüber streiten, sobald die beiden unter sich waren.

»Das habe ich daran gesehen, dass die Dachfenster erst vor Kurzem erneuert wurden – und zwar mit derart teuren Rahmen, wie man sie sich nicht für den Verwandtenbesuch anschafft, der nur alle paar Monate kommt«, erklärte Holmes in dem leicht herablassenden Tonfall, in dem man die törichte Frage eines Kindes beantwortet.

»Daher könnten wir tatsächlich etwas Werbung gut gebrauchen«, verkündete die Hausherrin, bevor sie dazu überging, ihren Gatten zu tadeln. »Du kommst zu spät! Warum hast du mir nicht gesagt, dass du diesen Theodor besuchst? Die Kinder sind längst im Bett. Johanna ist heute Morgen vom Apfelbaum gefallen, hat sich aber wohl nichts gebrochen, Veronika hat einen Sandkuchen gegessen, und Alexander hat schon wieder behauptet, keine Hausaufgaben zu haben, was aber natürlich wieder gelogen war. Ich habe den Eindruck, er interessiert sich nur noch für seine Indianer-Romane. Du solltest mal ein ernstes Wort mit ihm reden!«

Ich war wirklich froh, dass Frau Leidinger uns Butterbrote und Lyoner Wurst mit auf den Weg gegeben hatte, die wir bereits im Zug vertilgt hatten. Klara Schmitt machte nämlich keine Anstalten, ihrem Gatten und uns ein Abendmahl anzubieten.

Doktor Schmitt schüttelte bedächtig den Kopf. »Das ist in seinem Alter normal. Johanna werde ich morgen gründlich untersuchen, nicht dass sie sich doch verletzt hat«, sagte er dann und schaute seine Frau kopfschüttelnd an. »Theodor wird immer seltsamer. Er lehnt inzwischen jeglichen Fortschritt ab und schimpft unentwegt auf die Moderne. Wenn es nach ihm ginge, würden wir noch im Mittelalter leben und den Boden mit dem Holzpflug bearbeiten«, sagte er zu seiner Gattin, was diese aber nur mäßig zu interessieren schien.

»Sei froh, dass ich schon für die zukünftigen Gäste zusätzliche Schlüssel habe anfertigen lassen«, sagte sie und deutete auf einen kleinen Schlüsselkasten neben dem Eingang.

Dann verschwand sie brummelnd in dem Raum zur Rechten und schloss so lautstark die Tür hinter sich, wie sie es gerade noch mit ihrer guten Erziehung vereinbaren konnte.

»Ich zeige Ihnen Ihre Zimmer. Sie wissen ja jetzt, wo Sie einen Hausschlüssel finden«, sagte der Arzt nach einer Schrecksekunde. »Im Parterre befinden sich Küche, Esszimmer und natürlich meine Praxisräume. Im ersten Geschoss sind der Salon, mein Büro, die Bibliothek und unsere Schlafzimmer«, erklärte er und ging voran.

Wir nahmen unser Gepäck und folgten ihm eine breite Holztreppe mit rotem Läufer hinauf.

Die Räume, die ich an diesem Abend zu sehen bekam, waren alle recht spartanisch eingerichtet – und das in einer Epoche, in der die meisten Domizile mit Möbeln in verschiedenen historischen Stilen, Topfpflanzen, Nippes und dunklen Samtvorhängen überreich dekoriert waren.

Am oberen Treppenabsatz riss der Hausherr eine frisch gestrichene Tür auf, hinter der sich das Badezimmer befand. »Das sind die Mettlacher Platten«, sagte er und deutete auf den Boden, der mit hübschen, farbigen Kacheln gestaltet war. Wie ich später erfuhr, waren sie das Geschenk eines dankbaren Firmenmitarbeiters, den der Arzt von der Gicht kuriert hatte.

Wir stiegen eine weitere Treppe hinauf. Sie führte zu einem langen Gang im Dachstuhl mit kleinen Kammern, die Holmes bereits von außen ausgiebig begutachtet hatte. Die Räume waren zwar winzig, aber auch nicht karger ausgestattet als der Wohnbereich der Familie, ein weiterer Hinweis darauf, dass sie vermietet werden sollten.

»Ich habe nicht die geringste Lust, einem frechen Jungen, der nur an Indianer-Romanen interessiert ist, unentgeltlich Unterricht zu geben! Wie konnten Sie mir das antun?«, machte ich meiner Empörung Luft, als wir wieder unter uns waren.

»Das ist eine gute Gelegenheit, um über den kleinen Alexander herauszufinden, was man im Ort so redet«, sagte Holmes, während er seine unvermeidliche Pfeife aus der Innentasche seines Sakkos kramte. »Sie sollten sich dabei möglichst auf Englisch unterhalten, damit seine Mutter und die Schwestern nicht merken, dass Sie den Jungen ausfragen. Als Sie vorhin etwas zu mir auf Englisch sagten, war der Hausherrin deutlich anzumerken, dass sie unserer Muttersprache nicht mächtig ist.«

Zu meiner Schande entsann ich mich nicht, etwas auf Englisch gesagt zu haben. Aber wenn Holmes es sagte, stimmte es wohl.

»Anderenfalls könnte die Dame auch selbst ihre offenbar schlecht erzogenen Kinder unterrichten«, fügte ich boshaft hinzu.

»Dazu fehlt ihr die Geduld. Leider hält ihr Gatte eine Gouvernante für überflüssig, obwohl er sich das leisten könnte«, sagte Holmes. »Sonst würden die Kinder nicht vom Baum fallen und Sandkuchen essen.«

Nachdem wir unsere Koffer ausgepackt hatten, war es draußen so stockfinster, dass man kaum die eigene Hand vor Augen sehen konnte. Trotzdem machten wir einen kleinen Spaziergang in den Ortskern, wo es zum

Glück Gaslaternen gab. Neben der langgestreckten Barockanlage, die ich zuvor bestaunt hatte, befand sich ein kleiner, aber äußerst gepflegter englischer Landschaftsgarten, in dem ein zierlicher, gusseiserner Brunnen meine Aufmerksamkeit erregte. Auf der Umfassung aus rotem Stein erhoben sich zwei runde Becken übereinander, bekrönt von der Figur eines Ritters. Dahinter befand sich ein von Efeu überranktes, hochaltertümliches Gebäude auf achteckigem Grundriss mit einem zierlichen Treppenturm, wohl ein Mausoleum oder eine alte Kapelle, die aber schon lange nicht mehr als Gotteshaus diente.

»Dieses alte Gemäuer könnte bestimmt viele interessante Geschichten erzählen«, sagte Holmes fasziniert.

Seit ich in Italien lebte, konnte ich mich nicht mehr für Ruinen unter grauem Himmel erwärmen. Ich fand sie nicht malerisch, wie manche Zeitgenossen, sondern schlicht trostlos. »Das ist ein unheilvoller Ort«, schauderte es mich. »Ich spüre das Verhängnis geradezu durch die Mauerschlitze und Fenster kriechen.«

»Sie lesen zu viele schlechte Romane. Dabei schreibt das Leben die seltsamsten Geschichten, wie sie kein Schriftsteller ersonnen hätte. Wer hätte zum Beispiel gedacht, dass man einem banausischen und geizigen Arzt im preußischen Rheinland einen römischen Goldbecher anonym zusendet, den dieser vor seiner Gattin versteckt?«, wurde ich von Holmes getadelt. »Auch zeigt es sich immer wieder: Nicht nur in den zu Unrecht so schlecht beleumundeten Großstädten, sondern gerade in einsamen Landstrichen werden die schrecklichsten Verbrechen begangen.«

Bis jetzt zum Glück noch nicht, dachte ich, hielt mich aber lieber zurück, denn Holmes pflegte mit seinen Vorhersagen immer recht zu behalten.

Nach unserer Rückkehr zog dieser sich auf sein Zimmer zurück, und bald durchschnitt der schluchzende Klang seiner Geige die abendliche Stille. Wahrscheinlich bereute Doktor Schmitt mittlerweile, uns bei sich aufgenommen zu haben. Aber das sollte sich bald ändern.

3. Der Käferexperte

Am nächsten Morgen stand ich erst auf, als ich sicher war, dass alle drei Kinder zur Schule gegangen waren. Aber zu meinem Erstaunen traf ich Doktor Schmitt in der geräumigen Küche unserer Wirtsfamilie an, wo er sein Frühstück gerade beendet hatte. Ich hatte nicht bedacht, dass seine Praxis erst um zehn Uhr öffnete. Kaum hatte ich ihm einen guten Morgen gewünscht und mich am Frühstückstisch niedergelassen, drang die etwas schrille Stimme der Hausherrin an mein Ohr, offenbar aus der Diele.

»Guten Morgen, Mister Sigerson! Ich hoffe, Sie haben gut geschlafen«, begrüßte sie Holmes, der offenbar gerade leise die Treppe herunterkam und wohl vorhatte, sich unauffällig zu verdrücken. »Ich muss Ihnen wirklich ein Kompliment machen! Ihr Geigenspiel gestern Abend war ganz wunderbar. Ich spiele selbst ein wenig Klavier, meine Älteste singt ganz allerliebst, der Kleinen erteile ich Flötenunterricht, und Alexander bekommt seit zwei Jahren Geigenunterricht. Er scheint aber leider nicht meine Musikalität geerbt zu haben, sondern ist eher nach meinem Gatten geraten.« Sie hatte sehr schnell gesprochen und musste jetzt Luft holen.

»Wir geben ab und zu im Haus kleine Soiréen, und es wäre mir eine besondere Ehre, wenn Sie an der nächsten teilnehmen. Sie wird ganz Ludwig van Beethoven gewidmet sein.«

Bei der Vorstellung, wie Holmes bei dieser gewiss recht dilettantischen Veranstaltung mitwirkte, hätte ich fast laut aufgelacht. Ich konnte mich gerade noch beherrschen, verschluckte mich aber dabei an meinem Marmeladenbrot.

»Das ist zu viel der Ehre! Dazu spiele ich bei Weitem nicht gut genug«, behauptete Holmes höflich, ließ sich in die geräumige Küche komplimentieren und nahm mir gegenüber Platz, während Doktor Schmitt den Raum verließ.

Wenn ich Glück hatte, blieb ich nach diesem haarsträubenden Vorschlag von weiteren nächtlichen Geigensoli verschont. Außerdem hoffte ich, dass wir von nun an etwas zuvorkommender von der Hausherrin behandelt werden würden, die sich bisher auf die allernotwendigsten Höflichkeitsformen beschränkt hatte.

Holmes nahm sich aus dem Brotkorb auf dem Tisch eine Scheibe Roggenbrot, bestrich sie aber nicht mit Butter, sondern biss lustlos ein Stück ab und trank dazu eine halbe Tasse ungesüßten Kaffee. Er schaute eine Weile geistesabwesend auf das weiße Tischtuch, erhob sich dann von der Tafel und stieg die Treppe hoch zum Büro des Arztes. Neugierig folgte ich ihm. In der hintersten Ecke des spärlich möblierten Raumes saß der Hausherr vor seinem mit Akten bedeckten Schreibtisch und las die Morgenzeitung.

»Ihre Gattin teilte mir gestern Abend freundlicherweise mit, dass Sie eine Angelrute besitzen«, sprach Holmes den Arzt an.

»Ja, das habe ich«, bestätigte dieser. »Ich kann sie Ihnen gerne ausleihen. Mir ist das Angeln sowieso zu langweilig. Überhaupt ist das Leben hier zu still und ruhig für einen Mann wie mich.«

Diese Einschätzung des Angelsports teilte ich voll und ganz, weshalb ich mich Holmes auch nicht anschloss. Die Klage über fehlende Abwechslung sollte sich jedoch allzu bald als hinfällig erweisen.

Ohne Hast faltete Doktor Schmitt seine Zeitung zusammen, erhob sich so schwerfällig wie die meisten korpulenten Männer und geleitete uns die Treppe hinunter bis in die Diele, wo er einen hohen, aber schmalen Wandschrank aus dunklem Holz öffnete. Vorsichtig holte er eine leicht verstaubte Angelrute heraus und überreichte sie Holmes so feierlich, als ob es die Fackel mit dem Olympischen Feuer wäre.

»Passen Sie auf, dass Sie nicht von einem Fisch ins Wasser gezogen werden«, sagte der Arzt und musterte mit skeptischer Miene die hagere Figur des Meisterdetektivs. »In der Saar schwimmen riesige Welse herum, so groß wie ein ausgewachsener Mann und fast einen Zentner schwer. Auch Hechte von weit über einem Meter wurden bereits gesichtet.«

»Das halte ich für Anglerlatein oder zumindest für stark übertrieben«, entgegnete Holmes kopfschüttelnd und bedankte sich für die Angelrute.

»Um eins gibt es Mittagessen«, rief die Hausherrin dem Meisterdetektiv nach, der bereits die Haustür er-

reicht hatte und nun mit so schnellen Schritten davoneilte, dass er den Hinweis wohl nicht mitbekam.

Ich hingegen machte einen gemütlichen Spaziergang,
um die Zeit zum Mittagessen zu überbrücken. Bald ge-
langte ich zu einer neuen, aus einem geraden Steg mit
Stahlaufbauten bestehenden Brücke über die Saar, wo
mir zu meinem Erstaunen ein Mann in den Weg trat
und eine Mautgebühr verlangte. Fast wäre ich wieder
umgekehrt, zahlte aber dann doch. Der Abstecher auf
das andere Flussufer lohnte sich, denn die ehemalige
Abtei spiegelte sich imposant im Wasser. Das war mit
Abstand die schönste Fabrik, die ich jemals gesehen
hatte, und da ich aus Birmingham stamme, hatte ich
schon sehr viele Fabriken gesehen.

Endlich war es halb eins, aber Holmes war noch nicht
zurückgekehrt, und er fehlte auch an der Mittagstafel.
Wenn er einen Fall bearbeitete, verzichtete er oft auf
Nahrungsaufnahme, da er sich keine Zeit für derart banale Dinge nehmen wollte.

Wer hingegen in diesem Augenblick eintraf, war
Alexander Schmitt, mein zukünftiger Sprachschüler,
denn in Deutschland wurden die Schüler nur vormit-
tags unterrichtet. Er war etwa zwölf Jahre alt, aber wie
in vornehmen Familien üblich schon wie ein Erwachsener gekleidet. Sein aschblondes Haar wurde von
dem akkuratesten Scheitel geteilt, den ich je gesehen
hatte, und auch sonst machte er einen sehr braven Eindruck. Aber das waren bekanntlich die Schlimmsten.
Die finstere Miene des Knaben verriet, dass er über
den zusätzlichen Unterricht genauso wenig erbaut war
wie ich.

Nach dem Mahl stellte ich fest, dass der Junge bereits Grundlagen des Englischen besaß, wen auch immer sein Vater genötigt haben mochte, sie ihm zu vermitteln. Doch der Junge machte viele Fehler und verfiel immer wieder in ein deutsch-englisches Kauderwelsch. Wenn ich ihn richtig verstand, wusste er von keiner weiteren anonymen Sendung eines antiken Gegenstandes. Zumindest hatte keiner seiner Kameraden in der Schule einen derartigen Vorfall erwähnt.

So verging der erste Tag in Mettlach, ohne dass irgendetwas Nennenswertes geschah. Holmes hingegen hatte bis Sonnenuntergang mit seiner Angel an der Saar gesessen, brachte aber zum Bedauern der Hausherrin keinen Fisch mit, noch nicht einmal einen ganz kleinen, geschweige denn einen Riesenwels.

Ich begann schon heimlich meinen Rückzug zu planen. Je mehr ich darüber nachdachte, umso mehr bezweifelte ich, dass ein falsch zugestelltes Paket unweigerlich ein Kapitalverbrechen nach sich ziehen musste. Schließlich hatte es keine Bombe enthalten, sondern nur einen archäologischen Fund, wenn auch einen sehr wertvollen.

Am folgenden Tag beehrte uns Holmes mit seiner Anwesenheit am Mittagstisch, was die Hausherrin sichtlich erfreute.

»Werden wir morgen endlich Forelle Müllerin Art essen? Das ist mein absolutes Lieblingsessen«, fragte sie, als der aus einem Vanillepudding bestehende Nachtisch serviert wurde.

»Forellen fängt man in klaren Bächen. In der Saar ist eher mit Welsen und Zandern zu rechnen«, belehrte der Arzt seine bessere Hälfte.

Holmes wollte ebenfalls etwas sagen, kam aber nicht dazu, denn im gleichen Augenblick zog jemand so vehement am Klingelzug, dass alle Anwesenden zusammenfuhren.

»Liebling, erwartest du Besuch?«, flötete die Hausherrin eine Oktave höher als sonst.

Doktor Schmitt schüttelte den Kopf und wandte sich dann an das unscheinbare Hausmädchen, das uns bediente. »Erna, mache bitte die Tür auf und führe den Besucher herein. Es könnte sich um einen medizinischen Notfall handeln«, trug er ihr auf.

Kurze Zeit später kehrte Erna mit einem sommersprossigen Jungen von etwa zehn Jahren zurück. Er trug eine mehrfach geflickte, aber saubere Hose und hielt eine Stoffmütze in der Hand, die so alt war, dass er sie bestimmt von einem älteren Bruder geerbt hatte. »Herr Backes hat im Wald einen Toten gefunden«, stammelte er, seine Mütze verlegen in der Hand drehend.

Einen Augenblick lang fragte ich mich, wie es sich im Ort herumgesprochen hatte, dass wir private Ermittler waren und bei Doktor Schmitt wohnten. Dann begriff ich, dass der Junge den Arzt zu dem Toten rief.

»Das musste ja so kommen«, sagte Holmes so leise, dass nur ich es hören konnte.

Doktor Schmitt spülte hastig den letzten Bissen mit einem Schluck Wasser herunter und erhob sich dann von der Tafel.

»Der Beruf meines Gatten bringt es mit sich, dass er sich um diesen unangenehmen Vorfall kümmern muss. Aber Sie müssen sich doch Ihren Urlaub nicht vermiesen lassen. Machen Sie lieber einen Ausflug zur Saarschleife!«, schlug Frau Doktor Schmitt vor, als sie sah, dass auch wir aufgestanden waren.

»Das vermiest mir bestimmt nicht den Urlaub«, beteuerte Holmes, was noch untertrieben war. Selbst wenn er tatsächlich nur seine Ferien an der Saar hätte verbringen wollen, hätte ihn der Fund einer Leiche bestimmt nicht behelligt. Zwar war er weit davon entfernt zu wünschen, dass ein Mörder frei im Ort herumlief und womöglich schon nach einem weiteren Opfer Ausschau hielt oder andere ruchlose Taten plante. Doch wo es nun einmal geschehen war, war sein ruheloser Geist für jede Beschäftigung dankbar. Das Einerlei des vergangenen Tages zwischen erfolglosem Angeln, Mahlzeiten und – was meine Wenigkeit betraf – Spazierengehen auf immer denselben Wegen war endlich beendet.

Doktor Schmitt hatte seine Arzttasche aus seiner Praxis geholt, schlüpfte in seinen Mantel und setzte seinen Hut auf. Dann drückte er seiner Frau einen Kuss auf die Wange und folgte dem sommersprossigen Jungen, der verlegen in der Diele gewartet hatte, noch immer die Mütze in der Hand drehend.

»Sie sollten wirklich besser zur Saarschleife fahren«, rief uns die Hausherrin nach, als wir uns anschlossen.

»Ein andermal«, entgegnete ich und wünschte ihr einen schönen Tag.

Als wir durch den Ort gingen, schauten uns die wenigen Passanten hinterher. Kein Wunder, denn unser kleiner Zug musste einen merkwürdigen Eindruck machen. Der kleine, schmächtige Junge eilte leichtfüßig voran, der dicke Doktor Schmitt stapfte ihm schwerfällig hinterher, gefolgt vom langen, dünnen Holmes, der seine Ungeduld nur mühsam zügelte. Ich bildete das Schlusslicht, weder so hochgewachsen wie Holmes noch so korpulent wie der Arzt.

Doktor Schmitt begann leise zu pfeifen, und ich meinte Rossini wiederzuerkennen. Mir hingegen lief auf dem Weg zum Wald ein allzu vertrautes Frösteln den Rücken hinunter. Obwohl ich während meiner Tätigkeit als Ermittler schon allzu oft Menschen gesehen hatte, die eines unnatürlichen Todes gestorben waren, konnte ich mich einfach nicht an diesen grausigen Anblick gewöhnen. Wenn ich Glück hatte, handelte es sich um ein historisches Grab aus der Römerzeit oder sogar noch älter. Schließlich war die Region seit Urzeiten besiedelt. In diesem Fall wäre nur noch ein Skelett erhalten. Allerdings wären wir dann um den langersehnten Fall gebracht, der uns von der Langeweile erlöste, auch wenn er wahrscheinlich nichts mit dem Goldbecher zu tun hatte.

Nach wenigen Minuten ließen wir den Ort hinter uns und folgten einem Waldweg, verließen ihn aber bald und bahnten uns einen Weg durch wild wucherndes Gestrüpp in Richtung eines immer lauter werdenden Stimmengewirrs. Es hatte in der Nacht stark geregnet. Der Boden war so durchnässt und schlammig, dass die Füße schmatzende Geräusche verursachten und an den Sohlen Lehm haften blieb. Schließlich erreichten wir einen Trampelpfad, der zu einer kleinen Lichtung führte, die zwar ganz nah am Ort, aber doch hinter hohen Bäumen versteckt lag. Was mochte dieser Herr Backes nur abseits der Wege mitten im Wald zu schaffen gehabt haben?

Auf der Lichtung erwartete uns ein älterer Gendarm mit aufrechter Haltung, gut sitzender Uniform und strenger Miene, offenbar ein ehemaliger preußischer Soldat. Er sah aus wie ein pedantischer Buchhalter, der den ganzen Tag Zahlenkolonnen überprüft. Um ihn hatte sich eine überwiegend aus Frauen bestehende Gruppe von Schaulustigen gebildet, die wie Trauernde um eine Senke im Waldboden standen, in der offenbar die Leiche lag, bedeckt mit einer alten, grauen Decke. Etwas abseits stand ein nervöser, blonder Mann in den späten Dreißigern mit Nickelbrille, wohl Herr Backes, der den Toten gefunden hatte. Alles an ihm war schief: die Krawatte, der Hut auf seinem hellen Haar und die Absätze seiner Schuhe.

»Schön, dass Sie endlich da sind, Doktor Schmitt«, grüßte der Gendarm den Arzt mit einem unüberhörbaren Vorwurf in der Stimme und blickte dann finster auf die Schaulustigen, die offenbar mitbekommen hatten, wie der Polizist alarmiert worden war.

»Schneller ging es wirklich nicht«, brummte der Arzt, während sein Blick zu dem nervösen Mann mit der Nickelbrille wanderte, der ganz käsig aussah.

Ganz offenbar war ihm schlecht geworden. Er hatte auch alles Recht dazu. Von unsereins wurde hingegen erwartet, dass er zumindest in der Öffentlichkeit Haltung bewahrte.

»Sie wissen ja, mein Hobby sind die Käfer. Ich lese Abhandlungen über ihre Anatomie, ihre Systematik und die Verbreitung der unterschiedlichen Arten. Ich trage meine Funde auf einer Karte ein und besitze mehrere Schaukästen mit aufgespießten Insekten. Ich suche noch immer nach einem Exemplar des äußerst seltenen Saulcyella Schmidti, weshalb ich systematisch die Umgebung begehe«, sagte Herr Backes entschuldigend. Er redete aus reiner Nervosität so viel, dann stockte er kurz, bevor er endlich zur Sache kam. »Heute habe ich zuerst Blut auf dem Laub gesehen. Ich dachte, es stammt von einem Tier. Dann bin ich stehen geblieben und habe mit einem Zweig im Laub herumgestochert, um zu sehen, welche Insekten sich darunter verbergen. Dabei bin ich dann auf … auf das da gestoßen«, stammelte er und deutete mit zitterndem Zeigefinger auf das Bündel auf dem Boden.

»Lag die Decke auf dem Toten, als sie ihn gefunden haben?«, fragte Holmes, und Herr Backes nickte.

Doktor Schmitt zog die graue Decke weg, und ich atmete erleichtert auf. Die Verwesung hatte noch nicht eingesetzt. Der etwa dreißigjährige Mann lag auf dem Rücken, und seine Augen starrten ins Leere, mir direkt ins Gesicht. Es war wirklich schrecklich, so jung zu sterben!

Ich machte innerlich eine Bestandsaufnahme: Der Tote war blond, hochgewachsen und sah eher unscheinbar aus. Er trug einen billig aussehenden und obendrein schmutzigen Anzug, der aber wohl erst nach seinem Ableben in diesen Zustand gekommen war. Auf den ersten Blick waren keine Verletzungen zu erkennen, doch wusste ich nicht, wie sein Rücken aussah.

»Leider hat er keine Brieftasche bei sich, nicht einmal einen Schlüssel, geschweige denn ein Personaldokument. Von den Umstehenden kennt ihn keiner. Haben Sie ihn zufällig schon einmal gesehen, Doktor Schmitt?«, fragte der Gendarm den Arzt.

»Er war kein Patient von mir, und das will etwas heißen. Ich betreibe meine Praxis seit achtzehn Jahren. Die Hälfte aller Leute, die hier wohnen, kenne ich mit Namen und Geschichte. Den Rest vom Sehen, bis auf ein paar Neuzugezogene vielleicht«, verkündete Doktor Schmitt pompös, ohne den Blick von dem Toten abzuwenden. »Es könnte sein, dass ich diesem Mann schon einmal irgendwo begegnet bin. Aber leider habe ich ein sehr schlechtes Gedächtnis für Gesichter«, fügte er ein paar Sekunden später nachdenklich hinzu.

»Ich kenne ihn jedenfalls nicht. Ich habe ihn ganz bestimmt noch nirgends gesehen«, stammelte Herr Backes, obwohl ihn keiner danach gefragt hatte. »Ich hätte besser nicht in den Wald gehen sollen. Man meint, derartige Dinge passieren nur Leuten in den großen Städten, die irgendwie selbst schuld daran sind.« Er blickte auf seinen grausigen Fund, wie ein Schüler, der etwas ausgefressen hat.

»Niemand macht Ihnen einen Vorwurf«, sagte der Gendarm beschwichtigend. »Im Gegenteil! Gott sei Dank, dass Sie hier nach Käfern gesucht haben. Es hätte sonst wohl Wochen gedauert, bis der Tote gefunden worden wäre, und dann hätte man ihn noch schwerer identifizieren können.«

»Ja, dann wäre er halb verwest gewesen«, präzisierte der Mediziner nüchtern.

»Derjenige, der ihn hierhergebracht hat, hat sich eingebildet, eine narrensichere Lösung gefunden zu haben, um ihn einfach von der Bildfläche verschwinden zu lassen«, sagte Holmes leise auf Englisch zu mir.

»Was meinen Sie, Doktor Schmitt, wie lange ist er Ihrer Meinung nach schon tot?«, fragte der Gendarm.

»Ich bin kein Pathologe, sondern nur ein einfacher Landarzt. Daher kann ich Ihnen nur eine ungefähre Zeitangabe machen«, sagte der Mediziner, ging in die Hocke und drehte den Leichnam um.

Dabei kippte der Kopf des Toten langsam in einem unnatürlichen Winkel zur Seite. Offenbar war sein Genick gebrochen. Nun suchten wir also nicht nur den Absender eines an die falsche Adresse gesandten Gefäßes, sondern einen leibhaftigen Mörder. Diese Wendung hatte ich wirklich nicht erwartet.

»Die Leichenstarre hat schon zu großen Teilen nachgelassen. Er ist also mindestens 24 Stunden tot, wahrscheinlich aber nicht viel länger. Die Todesursache dürfte klar sein: Das Genick ist gebrochen«, verkündete der Arzt. »Ob es ein Unfall oder ein Verbrechen war, vermag ich nicht zu sagen.«

»Wenn es ein Unfall war, ist der Tote dann allein in den Wald gegangen und hat sich selbst in diese Decke eingewickelt?«, fragte ich belustigt, was mir einen tadelnden Blick des Gendarmen einbrachte.

»Mord? Das kann nicht sein! Hier im Ort hat es noch nie einen Mord gegeben!«, betonte eine ältere Frau mit blütenweißer Schürze empört – und die Umstehenden nickten zustimmend.

»Wahrscheinlich hat man den Toten von weit her nach Mettlach gebracht, um uns die Sache anzuhängen. Womöglich kommt er aus Frankreich«, vermutete ihre Nachbarin.

Der Gendarm hingegen zog missbilligend die Stirn in Falten, schüttelte den Kopf und wandte sich dann abrupt an Holmes, der sich tief über den Leichnam gebeugt hatte.

»Treten Sie gefälligst zurück! Hier finden gerade polizeiliche Ermittlungen statt«, sagte der Ordnungshüter in einem barschen Tonfall.

»Mister Sigerson ist privater Ermittler und Mister Tristram sein Assistent. Wir sollten dankbar sein, dass sie zufällig hier ihren Urlaub verbringen«, verkündete Doktor Schmitt umgehend.

Diese Neuigkeit schlug bei den Umstehenden ein wie eine Bombe. Sie steckten die Köpfe tuschelnd zusammen und beäugten uns dabei wie seltene Tiere.

Damit hatte unser Inkognito also ein abruptes Ende gefunden.

Der Gendarm schien wenig beeindruckt zu sein. »Zwei englische Schnüffler in meinem Revier! Das hat mir gerade doch gefehlt«, stellte er fest und verschränkte die Arme vor der Brust.

»Ich bin kein Engländer, sondern Norweger«, wandte Holmes ein.

»Das ist mir völlig gleichgültig. Von mir aus könnten Sie auch aus China kommen. Ich dulde es auf keinen Fall, dass Sie hier die Polizeiarbeit behindern«, fuhr der Gendarm ihn an und musterte abschätzig seine hagere Gestalt vom eleganten Hut bis zum teuren englischen Schuhwerk.

»Das habe ich auch nicht vor. Mich hat ein anderes Rätsel an die Saar geführt, und zwar im Auftrag eines Klienten, der nicht genannt werden möchte«, sagte Holmes beschwichtigend und richtete sich wieder auf.

»Außerdem ist Herr Sigerson ein passionierter Angler. Er hat schon viel von den Riesenwelsen in der Saar gehört und würde gern einen aus dem Fluss ziehen«, ergänzte Doktor Schmitt geflissentlich. Offenbar war ihm mittlerweile klar, dass er einen Fehler begangen hatte.

»Ich habe ihn neulich mit seiner Angelrute an der Saar gesehen«, bestätigte eine adrett aussehende, junge Frau.

»Aber er hat es an der falschen Stelle versucht. Dort hat noch nie ein Fisch angebissen.«

Kein Wunder, dass unsere Gastgeberin vergeblich auf ihre Leib- und Magenspeise warten musste.

»Dann haben Sie ja ein schönes Hobby, mit dem Sie keinen weiteren Schaden anrichten«, sagte der Gendarm mit einem herablassenden Blick. »Stellen Sie also im Ort keine Fragen – und vor allem: Hände weg von dem Toten.«

»Ich arbeite seit Jahren im Dienst der Gerechtigkeit. Ich kann doch wohl nicht untätig zuschauen, wenn hier ein Mord verübt wurde, nur weil ich zufällig fern von zu Hause bin«, sagte Holmes und beugte sich erneut zu dem Leichnam hinunter, vermied es aber, ihn zu berühren.

»Ich weiß es durchaus zu schätzen, dass Sie helfen möchten. Aber ich schaffe es auch ohne Ihre Hilfe«, sagte der Gendarm mit mehr als einem sarkastischen Unterton in der Stimme.

»Das werden wir ja sehen«, murmelte Holmes kaum hörbar.

»Ich kann Sie wahrscheinlich nicht von Ihrem Tun abhalten.« Der Gendarm verkniff sich offenbar mühsam ein Eigenschaftswort. »Sollten Sie dabei tatsächlich etwas Sachdienliches entdecken, was ich stark bezweifle, teilen Sie es mir unverzüglich mit. Und denken Sie daran: Ein Mensch ist eines gewaltsamen Todes gestorben, und der Täter läuft noch immer frei herum. Sie wollen doch bestimmt nicht das Schicksal dieses unglücklichen Mannes teilen.« Er deutete auf den Leichnam. »Überlassen Sie daher in Ihrem eigenen Interesse alle weiteren Schritte einem Fachmann. Dafür bin ich schließlich ausgebildet worden.«

»Ich werde gegen keine Gesetze verstoßen«, behauptete Holmes mit unschuldiger Miene, obwohl er das bei seinen Ermittlungen ständig tat. Dann gab er eine Probe seines Könnens und verkündete in die Runde: »Das Haar ist bereits leicht schütter, aber die Haut ist frisch und glatt. Vielleicht war er jünger, als es zuerst den Anschein hatte. Er scheint in guter körperlicher Verfassung zu sein …«

»Wenn man davon absieht, dass er tot ist«, unterbrach der Gendarm grimmig.

Holmes ging nicht auf die boshafte Bemerkung ein, sondern fuhr ungerührt fort: »Er ist nicht wie ein Arbeiter gekleidet, aber die Schwielen an seinen Fingern zeigen, dass er zumindest ab und zu mit den Händen gearbeitet hat. Wahrscheinlich ist er nicht hier gestorben, denn die Schmutzpartikel an seiner Kleidung stimmen nicht mit dem Lehm des Waldbodens überein. Wissen Sie eigentlich, wie viele Arten von Lehm es gibt?«, fragte er dann den Gendarmen, der Holmes wortlos anschaute, als hätte dieser den Verstand verloren.

»Ich weiß es jedenfalls nicht«, sagte der Arzt, was die Frauen zum Lachen brachte.

»Hunderte, und manche kommen nur an einer bestimmten Stelle vor«, beantwortete Holmes seine eigene Frage. »Vermutlich wurde der Tote bei Tagesbeginn hierhergebracht, als es gerade schon hell genug dafür war, aber noch bevor die Arbeiter ihre Schicht antreten.«

»Davon gehe ich auch aus«, sagte der Arzt, der wohl zu den Menschen gehörte, die immer das letzte Wort behalten möchten.

»Könnte es nicht ein Raubmord gewesen sein? Schließlich hatte er keinen Pfennig mehr bei sich«, fragte ich.

»Er sieht nicht gerade aus, als ob er große Geldsummen mit sich geführt hätte«, widersprach Holmes. »Aber man sollte nichts von Anfang an ausschließen.«

»Aber warum sollte man einen armen Schlucker umbringen?«, bemerkte Dr. Schmitt, eine Antwort, die mir typisch für ihn schien.

»Vielleicht hat der Mörder vermutet, dass es bei ihm etwas zu holen gab. Schließlich kannte er ihn nicht«, schlug ich zaghaft vor.

»Hier gibt es keine Raubmorde. Wir sind schließlich nicht in Berlin, wo harmlose Passanten in stillen Seitenstraßen überfallen werden«, erklärte Herr Backes, der noch immer etwas blass aussah.

»Wie sieht er denn aus, der Käfer mit meinem Namen?«, fragte ihn der Arzt.

»Der Saulcyella Schmidti? Er ist nur einen Millimeter groß und sieht aus wie eine Ameise.«

Bevor ich fragen konnte, warum er dann so viel Aufhebens um den Käfer machte, kamen zwei einfach gekleidete, muskulöse Männer mit einer Bahre und blieben abrupt stehen, als sie den Toten erblickten. Schon das zeigte, dass sie keine Sanitäter waren. Der Gendarm bedeutete ihnen mit einer ungeduldigen Geste, doch endlich mit der Arbeit zu beginnen.

»Kommt jemandem von Ihnen diese Decke bekannt vor?«, fragte Holmes in die Runde, bevor sich die Gruppe auflöste.

»Ja, die sind hier weit verbreitet. Fast jeder hat eine davon«, entgegnete Doktor Schmitt bedauernd.

Die beiden Männer hoben den Leichnam mit sichtbarem Widerwillen auf die Trage. Der jüngere legte die Decke auf den Toten und bedeckte dabei sein Gesicht. Dann trugen die beiden die Bahre in die Stadt. Die Frauen folgten mit gerafften Röcken und Mänteln, um ihre Kleidung nicht zu verschmutzen, und auch der Gendarm und Herr Backes schlossen sich dem Zug an.

»Ich kann meine Praxis unmöglich länger im Stich lassen. Sonst schaffe ich es nicht, alle Patienten im Wartezimmer während der Praxiszeit zu behandeln«, sagte unser Klient entschuldigend, bevor auch er uns verließ.

»Da der Mann erst gestern gestorben ist, hat es keinen Sinn, sich nach Personen zu erkundigen, die als vermisst gemeldet wurden. Aber man sollte in der Fabrik nachfragen, ob einer der Arbeiter nicht zum Dienst erschienen ist. Ich hoffe, dass unser diensteifriger Gendarm das erledigt«, sagte Holmes und zog seine Lupe aus der Jackentasche.

»Ich frage mich, ob es bei Regen einfacher oder schwerer ist, einen Toten in den Wald zu bringen«, überlegte ich.

»Das braucht uns jetzt nicht zu interessieren, denn wir müssen uns keiner Leiche entledigen«, entgegnete Holmes sachlich. »Auf jeden Fall hatten die Täter danach schmutzige Schuhe, aber das dürfte für die meisten Bewohner des Ortes zutreffen.«

»Woher wissen Sie, dass es mehrere Täter waren?«, erkundigte ich mich.

»Anderenfalls würde man auf dem Boden Schleifspuren sehen. Die hätten selbst die vermaledeiten Gaffer nicht vernichtet«, brummte Holmes verdrießlich. »Der erste Eindruck ist immer der Wichtigste«, verkündete er dann, bevor er die Umgebung genauer untersuchte.

Während ich mich auf einem Baumstumpf niederließ, begann Holmes, den Waldboden rund um die Senke durch seine Lupe zu betrachten. Dann folgte er einer für mich nicht sichtbaren Spur durch den Wald, kehrte aber bald zurück und analysierte nochmals die Stelle, an der man den Toten gefunden hatte.

Nach zehnminütiger Untersuchung des Geländes hatte er genug und gab auf. »Die Spuren im Wald sind leider nicht ergiebig, und die einigermaßen deutlichen Fußabdrücke in der Lichtung stammen fast alle von den Schaulustigen. Wenn eine Büffelherde um den Toten herumgetrampelt wäre, hätte sie auch nicht mehr Schaden anrichten können. Unfassbar, wie schnell sich der Fund der Leiche im Ort herumgesprochen hat. Ich konnte unter den neuen Spuren noch einige halb verwischte Abdrücke von festen Arbeitsschuhen erkennen, aber die sind auf dem Land und auch unter den Arbeitern weit verbreitet«, ereiferte sich Holmes und steckte die Lupe zurück in seine Jackentasche.

Insgeheim war ich froh, dass die Spurenvernichtung ihn so in Rage gebracht hatte, denn das machte ihn gesprächig. »In diesem abgelegenen, provinziellen Kaff passiert eben nur selten etwas. Da ist ein Toter im Wald schon eine Attraktion ersten Ranges«, sagte ich mit einem gewissen Mitgefühl für die Einheimischen. »Außerdem scheinen die Leute hier recht mitteilsam zu sein. Der Leichenfund gibt ihnen noch sehr lange Gesprächsstoff.«

»Mitteilsam ist noch harmlos ausgedrückt. Kaum hat man sich zum Angeln niedergelassen, schon gesellt sich jemand zu einem und gibt ungebeten Tipps, wo die Fische beißen«, entgegnete Holmes, strich dann seinen Mantel glatt und wandte sich zum Gehen. »Ein Kaff mag Mettlach sein, etwas abgelegen auch, aber mit dieser großen Fabrik bestimmt nicht provinziell. In einem Ort wie diesem ist alles möglich.«

»Ich kann mir nicht vorstellen, dass ein Zusammenhang zwischen dem Mord an diesem bedauernswerten Unbekannten und dem goldenen Becher besteht, den man Doktor Schmitt mit der Post geschickt hat«, überlegte ich auf dem Rückweg.

»Das ist aber durchaus möglich. In einem kleinen Ort besteht eine gewisse Wahrscheinlichkeit, dass zwei ungewöhnliche Vorfälle etwas miteinander zu tun haben«, entgegnete Holmes, beim Gehen finster auf den schlammigen Boden starrend, der bei jedem Schritt schmatzende Geräusche verursachte. »Hoffentlich wahrt Doktor Schmitt über das Paket besseres Stillschweigen als über unseren Beruf. Sonst schwebt er womöglich in großer Gefahr«, fügte er nach einer Weile erbost hinzu.

Glaubte Holmes das allen Ernstes oder suchte er nur eine Rechtfertigung, um sich entgegen des Verbotes doch in die Mordermittlung einzumischen?

Als ich mit lehmverschmierten Schuhen den Ort erreichte, fragte ich mich verärgert, warum dieser Unglücksmensch von einem Insektenforscher ausgerechnet mitten im Wald und dazu noch im matschigen Boden nach Käfern hatte herumstochern müssen. Etwas von meinem Unmut musste auf meinem Gesicht sichtbar gewesen sein, denn Holmes hob fragend die Augenbrauen.

»Was ist das für ein seltsamer Mensch, der an dieser abgelegenen Stelle Insekten sucht?«, entfuhr es mir empört.

»Wahrscheinlich hatte ihn der Kahlschlag an diesen einsamen Ort gelockt. Das ist ein ganz anderes Biotop als der Wald«, sagte Holmes.

Ich konnte nur hoffen, dass Herrn Backes' Begeisterung für Käfer nicht auf Holmes übergesprungen war. Aber wie ich später herausfinden sollte, interessierte er sich eher für Bienen.

4. Die beiden Arbeiter

Natürlich war der unbekannte Tote im Wald Ortsgespräch, zumal er auch am folgenden Tag noch immer nicht identifiziert worden war. Einen professionellen Fotografen gab es im Ort nicht, aber Holmes hatte einen Porzellanmaler aufgetrieben, der sich den Unglücklichen anschaute und dann ein sehr realistisches Porträt des Verstorbenen zeichnete. Damit sprach Holmes nochmals bei *Villeroy & Boch* vor, aber keiner der Vorarbeiter kannte den Mann. Doch man gab Holmes die Adressen von zwei Arbeitern, die sich zwei Tage zuvor krankgemeldet hatten. Mir war schleierhaft, wie Holmes das erreicht hatte.

Nach dem Mittagessen schlüpfte ich in meine noch immer vom Vortag etwas feuchten festen Schuhe. Dann machten wir uns auf den Weg, um uns nach den beiden Kranken zu erkundigen. Der erste hieß Fritz Altmeier und wohnte in der stadtabgewandten Seite des Bahnhofs hinter der Mosaikfabrik in einer Straße mit unscheinbaren Reihenhäusern, die sich allenfalls durch die Farbe der Gardinen unterschieden. Der winzige Gemüsegarten vor dem Haus war ungepflegt, aber nicht verwildert.

Wir folgten einem niedergetrampelten Weg, der zur Haustür führte, neben der ein rostiger Briefkasten hing, auf dem eine Zeitung vom Vortag lag. Darunter stand auf dem Boden ein Blumentopf mit Erde, aber ohne Pflanze, aus dem Dutzende von Zigarettenkippen ragten. Holmes zog am Klingelzug, und noch bevor der letzte Ton verhallt war, wurde die Tür von einer energisch aussehenden, hageren Frau unbestimmbaren Alters geöffnet, die eine bodenlange, dunkle Schürze trug und einen Besen in der Hand hielt. Offenbar hatte sie unser Kommen bereits durch ein Fenster beobachtet.

»Guten Morgen, Frau Altmeier. Mein Name ist Sven Sigerson, und das ist Herr David Tristram. Wir sind private Ermittler und versuchen herauszufinden, wer der Tote im Wald ist«, stellte Holmes uns vor. »Aber keine Sorge, wir möchten Ihre Zeit nicht allzu sehr beanspruchen. Wir haben nur eine kurze Frage.«

»Zeit? Davon habe ich mehr als genug!«, verkündete unser Gegenüber und musterte uns so skeptisch, als fragte sie sich, ob man wirklich niemand Besseren für diese Aufgabe gefunden hätte.

Sie stand so resolut in der Tür wie ein Wachposten, der strikte Weisung hat, niemanden hereinzulassen. Ich blickte an ihr vorbei in eine dunkle Diele, in der ein schiefes Holzregal an der Wand lehnte, vollbeladen mit durcheinanderliegenden, verrosteten Werkzeugen, defektem Haushaltsgerät, alten Zeitungen, hinter denen Flaschen hervorlugten, und allem möglichen Krempel. Zu diesem Tohuwabohu wollte der Besen in der Hand der Bewohnerin nicht passen.

»Könnten wir vielleicht mit Ihrem Mann sprechen?«, fragte Holmes höflich.

»Der ist vorgestern nicht von der Arbeit zurückgekommen. Ich weiß auch nicht, wo er steckt«, entgegnete sie erbost.

»Ist er schon früher manchmal weggeblieben?«, fragte Holmes.

»Ich wüsste nicht, was Sie das angeht! Sie sind doch bestimmt von der Zeitung!«, sagte Frau Altmeier mit wütend funkelnden Augen und stützte sich auf ihren Besen.

»Nein, das sind wir nicht«, entgegnete Holmes in einem beschwichtigenden Tonfall. »Wie ich eben schon sagte, sind wir beratende Ermittler, und wir versuchen in Zusammenarbeit mit der Polizei ein schweres Verbrechen aufzuklären. Ihrem Mann wird absolut nichts vorgeworfen.«

»Was soll's. Es weiß ja sowieso jeder im Ort, dass der Fritz so alle zwei Monate irgendwo versackt. Meist ist er dann mit diesem Karl zusammen. Der hat einen schlechten Einfluss auf ihn. Aber was soll man machen, der ist halt sein Vetter«, beklagte sich Frau Altmeier. »Ich sage immer: ›Du wirst noch deinen Arbeitsplatz verlieren.‹ Selbst der Herr Pfarrer hat ihm schon ins Gewissen geredet …«

»Sieht Ihr Mann zufällig dieser Zeichnung ähnlich?«, unterbrach Holmes den Redefluss und präsentierte die Zeichnung.

»Ach, Sie kennen ihn ja gar nicht? Warum fragen Sie dann nach ihm?«, entfuhr es Frau Altmeier in dem ihr eigenen Feldwebelton. Langsam begann ich Mitleid mit

Fritz zu empfinden. Man musste es ihm hoch anrechnen, dass er überhaupt immer wieder zu seiner besseren Hälfte zurückkam.

»Wenn Sie mir nur diese eine Frage beantworten, gehen wir wieder und behelligen Sie nicht weiter mit Fragen«, versprach Holmes auf die Zeichnung deutend.

»Nein, der Fritz sieht viel besser aus. Diesen Lackaffen kenne ich nicht. Sie brauchen sich übrigens gar nicht erst die Mühe zu machen, nochmals vorbeizukommen. Mir reicht es! Ich fahre heute mit dem Dreiuhrzug zu meiner Mutter nach Saarlouis«, verkündete unsere Gesprächspartnerin und knallte uns die Tür vor der Nase zu.

»Wir sollten die Frau im Auge behalten«, sagte Holmes, bevor wir uns wieder auf den Weg machten.

Auch ich konnte mich des Verdachtes nicht erwehren, dass Fritz Altmeier sich doch im Haus aufhielt, sei es, dass er seinen Rausch ausschlief, oder sei es, dass seine Frau ihm ein Alibi für die Zeit des Verbrechens verschaffen wollte.

Wir mussten nicht weit zum Heim des nächsten Kandidaten laufen, das sich im selben Viertel befand, ebenfalls in einer Straße mit gleichförmiger Bebauung.

Auf unser Klopfen meldete sich laut kläffend ein offenbar recht großer Hund. Ich habe für Hunde nicht viel übrig, besonders wenn sie jeden Besucher gleich anbellen. Vor meinem inneren Auge stieg unweigerlich das Bild eines bösartigen Wachhundes mit Fangzähnen auf.

Die Tür wurde von einer freundlichen, leicht molligen Frau in den Dreißigern geöffnet. Sie trug eine mit Flecken der unterschiedlichsten Farben übersäte Schürze über einem dunklen Kleid. Unter ihrem weißen Kopftuch schauten blonde, glatte Haare hervor. Alles an ihr strahlte Ruhe und Gelassenheit aus.

Der Hund befand sich zum Glück hinter einer Tür, aber ich hörte ihn kratzen und schwer atmen.

»Mein Name ist Sven Sigerson, und das ...«

»Kommen Sie am besten rein«, unterbrach ihn die Hausherrin. »Ich habe Gebäck im Rohr. Das kann ich nicht allein lassen.«

Hoffentlich mussten wir dieser netten Frau nicht mitteilen, dass ihr Mann ermordet wurde, durchfuhr es mich.

Wir hängten unsere Mäntel an die Haken neben der Tür, legten die Hüte darauf und folgten der Hauherrin in eine geräumige Küche, wo es köstlich nach Selbstgebackenem roch. Auf drei Regalbrettern standen Backformen, Schmaltöpfe, Teller, Krüge und anderes Geschirr, was die Küche gemütlich wirken ließ. Die Mitte des Raumes wurde von einem Tisch eingenommen, der sechs Personen Platz bot. Ich ließ mich auf einem solide aussehenden Holzstuhl nieder, dem eine Polsterung nicht geschadet hätte. Auch die restliche Einrichtung war einfach, aber offenbar verfügte man hier über mehr Geld als im letzten Haushalt. Eine getigerte Katze sprang auf meinen Schoß und rollte sich zusammen. Ob der Hund ihretwegen eingesperrt war? Gedankenverloren kraulte ich sie hinter dem Ohr, und sie begann zu schnurren.

»Eigentlich wollten wir mit Ihrem Gatten Peter Marxen sprechen«, sagte Holmes, der ebenfalls Platz genommen hatte.

»Dem Peter geht es nicht gut. Er kann seit vorgestern nicht zur Arbeit gehen. Nachher kommt der Doktor noch einmal vorbei. Sie müssen daher schon mit mir vorliebnehmen«, sagte seine Frau zu meiner Erleichterung.

»Dann kommen wir doch besser ein andermal vorbei. Aber vielleicht können auch Sie mir weiterhelfen«, sagte Holmes und zog wieder die Zeichnung heraus. »Kennen Sie zufällig diesen Mann?«

»Ich glaube nicht«, sagte sie zögerlich, wandte sich dann von uns ab, zog dicke Küchenhandschuhe an, ging zum Herd und holte eine große, runde Backform mit Marmorkuchen aus der Backröhre. Vorsichtig trug sie den köstlich duftenden Kuchen zur Anrichte, holte eine Kuchenplatte, stürzte ihn aus der Form und schnitt ihn mit einem langen Messer in gleich große Stücke.

»Möchten Sie ein Stück?«, fragte sie mich.

Wahrscheinlich hatte ich gierig dreingeschaut, denn der Marmorkuchen sah wirklich verführerisch aus. »Ja, bitte!«, entgegnete ich freudig, bevor Holmes für uns beide ablehnen konnte.

Momentan machte er keine Anstalten, gleich wieder aufzubrechen, aber das konnte sich bei seiner Ungeduld schnell ändern.

Der jungen Hausfrau gefiel meine begeisterte Reaktion. Sie holte zwei Keramikteller vom untersten Brett des Regals, hob mit der Tortenschaufel je ein Stück Kuchen darauf und stellte die Teller vor uns auf den Tisch.

Vorsichtig packte ich die Katze unter dem Bauch und setzte sie auf den Boden, was sie mit einem leisen Fauchen quittierte. Ich beugte mich hinunter und kraulte sie hinter den Ohren, was sie aber auch nicht besänftigte.

»Was hast du denn hier zu suchen?«, fragte die Hausherrin, packte die Katze am Nacken und setzte sie vor die Tür.

Das Backwerk war so heiß, dass ich mir fast die Finger verbrannte, aber es schmeckte so köstlich, wie es aussah und roch.

»Der Kuchen ist wirklich ganz ausgezeichnet«, lobte ich die Hausfrau, die sich sichtlich über das Kompliment freute.

»Frau Marxen, ich hatte eben den Eindruck, dass Ihnen der Mann nicht ganz unbekannt ist«, sagte Holmes und starrte den Marmorkuchen an wie seinen Todfeind.

»Zeigen Sie mir die Zeichnung doch bitte noch einmal«, sagte die junge Frau.

Holmes überreichte ihr das Bild, und Frau Marxen schaute es lange wortlos an, während Holmes seinen Teller in die Mitte des Tisches schob. Schamlos schnappte ich mir das darauf befindliche Stück Marmorkuchen und verzehrte es ebenfalls.

»Vielleicht habe ich ihn tatsächlich schon irgendwo gesehen, aber ich entsinne mich beim besten Willen nicht mehr daran, wo es war«, sagte unsere Gastgeberin schließlich bedauernd.

»Wenn es Ihnen noch einfallen sollte, teilen Sie es mir doch bitte unverzüglich mit. Ich wohne bei Familie Schmitt«, sagte Holmes und erhob sich.

»Ich weiß, wo Sie wohnen«, sagte Frau Marxen mit der größten Selbstverständlichkeit. »Ich habe heute früh beim Einkaufen gehört, dass beim Doktor zwei Privatdetektive aus England wohnen und dass unser Gendarm darüber gar nicht glücklich ist.«

Holmes schüttelte mit finsterer Miene den Kopf. »Ich habe schon befürchtet, dass wir inzwischen das Stadtgespräch sind«, brummte er. Er stand hinter seinem Stuhl, die Hände auf die Lehne gelegt.

Auch ich erhob mich zum Gehen, nachdem ich mir ein paar Krümel aus den Mundwinkeln gewischt hatte.

Frau Marxen schaute mich lächelnd an. »Ich gebe Ihnen etwas mit. Ich habe viel zu viel gebacken. Der Peter wird ja wahrscheinlich nichts davon essen können, und die Kinder sollen nicht so viel Kuchen essen.«

»Vielen Dank! Das ist sehr nett von Ihnen«, sagte ich erfreut. »Ihr Kuchen ist wirklich ganz vorzüglich.«

Nachdem ich meine in Butterbrotpapier gewickelte Wegzehrung in Empfang genommen hatte, verabschiedeten wir uns und betraten die Diele.

Aus dem Nebenraum drang ein tiefes, bedrohliches Knurren, das unvermittelt in lautes Gebell überging. Es war nicht das Bellen, mit dem ein Hund seinen Halter begrüßt, sondern ein aggressives Anschlagen. Ich hatte den Wachhund ganz vergessen und freute mich, das Haus wieder verlassen zu dürfen.

5. Die Blumen

»Zum Glück ist die gute Frau wohl bisher noch nicht von der Polizei befragt worden. Sonst wäre sie nicht so gesprächig gewesen. Aber leider haben wir nichts für unseren Fall Relevantes erfahren«, sagte Holmes draußen.

»Frau Marxen war überhaupt sehr nett, ganz im Gegensatz zu Frau Altmeier. So gehässig, wie sie ist, kann ich ihren Fritz gut verstehen, dass er seinen Trost im Alkohol sucht und tagelang verschwindet«, entgegnete ich, während wir um eine Ecke bogen.

Wohin wir gingen, wusste ich nicht. Eigentlich war es mir immer wieder ein Vergnügen, Holmes zu assistieren. Nur seine Geheimnistuerei war mir ein Gräuel.

»Frau Altmeiers forsches Auftreten konnte nicht verbergen, dass sie vor irgendetwas Angst hat. Ich wüsste zu gerne, wovor«, sagte Holmes nachdenklich.

»Das ist doch verständlich, da ihr Mann seit zwei Tagen nicht mehr nach Hause gekommen ist«, entgegnete ich. »Dieser Gendarm hat offenbar bisher gar nichts geleistet«, entfuhr es mir nach einer Weile.

»Da tun Sie ihm unrecht«, widersprach Holmes. »Er hat keine Erfahrung mit Mordfällen. Sonst ist er wohl mit dem Schlichten von Schlägereien, dem Einsperren von betrunkenen Zechern und allenfalls mit dem Beschlagnahmen von unverzolltem Alkohol oder Zigaretten aus Frankreich beschäftigt. Aber immerhin hat er sich trotzdem bereits in den Gastwirtschaften der Umgebung umgehört und sich im Schützenverein, im Turnverein und im Gesangsverein erkundigt, ob ein Mitglied fehlt. Diese typisch deutschen Institutionen hatte ich noch gar nicht in Betracht gezogen.«

»Vielleicht war der Tote ein Reisender wie wir, der zufällig in Mettlach gestorben ist«, überlegte ich.

»Das Wort *Reisender* erinnert mich daran, dass wir jetzt zum Bahnhof gehen sollten. Leider kannte ja nicht einmal Doktor Schmitt den Toten, obwohl er selbst betont hat, dass er hier fast jeden kennt. Daher müssen wir uns jetzt leider mit dem Befragen von Menschen begnügen, die den Unbekannten gesehen haben könnten, wenn auch nur flüchtig. Wenn er kein Einheimischer ist, wird er ja wohl mit dem Zug nach Mettlach gekommen sein«, sagte Holmes, und nun kannte ich endlich unser Ziel.

Als wir die Station erreichten, war sie menschenleer, was wahrscheinlich daran lag, dass es früher Nachmittag war. Es gab nur zwei Bahnsteige, einer für Züge in Richtung Trier und der andere für Züge in Richtung St. Johann. Morgens kamen wahrscheinlich aus beiden Richtungen zahlreiche Arbeiter, die abends wieder nach Hause fuhren.

Am Fahrkartenschalter saß ein noch junger, aber schon behäbiger Mann, der eine schmucke Uniform mit blank polierten Knöpfen trug.

»Entschuldigen Sie, dass ich störe. Aber haben Sie zufällig diesen Mann schon einmal gesehen?«, fragte Holmes den Bahnbeamten und zeigte ihm die Zeichnung. »Er könnte vor Kurzem mit dem Zug angekommen sein.«

»Kann schon sein. Lassen Sie mich mal sehen.« Der Mann am Fahrkartenschalter zog umständlich ein ledernes Etui aus der Brusttasche seiner Uniform, entnahm ihm einen Kneifer und setzte ihn sich auf die Nase. »Ich glaube ja. Er ist mit dem Zug aus St. Johann gekommen. Vor wenigen Tagen. Es war mittags, wenn normalerweise niemand ankommt. Ich habe seine Fahrkarten an der Sperre kontrolliert, und er hat mich gefragt, wie oft die Züge nach Saarbrücken fahren.«

»Wie war er gekleidet?«, fragte Holmes.

»Wieso interessiert Sie das eigentlich? Ist er ein Freund oder Verwandter von Ihnen?«, fragte der Bahnbeamte zurück. Er klang eher neugierig als reserviert.

»Wir kennen ihn leider auch nicht. Dieser Mann ist tot im Wald gefunden worden«, sagte Holmes. »Ich bin privater Ermittler und versuche den Fall aufzuklären.

»Ach! Das ist also der unbekannte Tote, von dem alle sprechen?«, fragte unser Gegenüber, der auf einmal hellwach wirkte und sich daraufhin nochmals aufmerksam die Porträtzeichnung ansah.

Holmes bejahte und wiederholte seine Frage.

»Er war groß und schlank«, sagte unser Gesprächspartner, aber wahrscheinlich charakterisierte er die meisten Männer so, da er selbst klein und untersetzt war. »Seine Kleidung war schlicht, aber ordentlich. Er war überhaupt eher unauffällig.«

Was vielleicht der Grund dafür war, dass sich sonst niemand an ihn erinnerte.

»Wissen Sie, woher er gekommen ist?«, fragte Holmes.

»Der Zug hält überall, und da ich nur darauf geachtet habe, dass das Datum stimmte, weiß ich nicht, wo er eingestiegen sein könnte«, entgegnete der Bahnbeamte bedauernd.

»Ist noch jemand ausgestiegen?«, erkundigte sich Holmes.

»Ausnahmsweise sogar mehrere. Die kannte ich alle, und keiner von ihnen hat mit dem Unbekannten gesprochen«, war seine Antwort.

Wir bedankten uns vielmals und gingen wieder, wie ich vermutete, in unser Domizil.

»Werden Sie dem Gendarmen die Aussage des Eisenbahners melden?«, fragte ich unterwegs.

Holmes beantwortete meine Frage nicht, sondern warf mir einen skeptischen Blick zu, als befürchtete er, ich könne den Verstand verloren haben.

Wir hatten das Haus des Arztes fast erreicht, als Holmes in Richtung Wald abbog. In einem recht flotten Tempo steuerte er den Fundort des leider noch immer unbekannten Toten an. Ich musste fast rennen, um mit Holmes Schritt zu halten. Zum Glück hatte es diesmal nicht gerade geregnet, und der Schlamm auf dem Waldweg war wieder getrocknet. Aber das würde sich leider bald ändern, denn ein kühler Wind kam auf, der einen erneuten Regenschauer ankündigte. Je weiter wir in den Wald vordrangen, umso heftiger wurden die Windstöße. Sie ließen unsere Hüte fast davonfliegen, brachten unser Haar in Unordnung und ließen das

Laub des Vorjahres rascheln. Und noch immer roch es nach Regen. Hoffentlich schafften wir es noch vor dem nächsten Schauer zurück in die Siedlung.

Als wir den unglückseligen Ort inmitten des kleinen Kahlschlags erreichten, bemerkte ich etwas Buntes in der Senke. Beim Näherkommen stellte ich erstaunt fest, dass es ein kleiner Strauß Wiesenblumen war. »Bestimmt ist der Mörder an den Ort seines Verbrechens zurückgekehrt«, entfuhr es mir erschrocken. »Jemand anderes hätte diese einsame Stelle bestimmt nicht wiedergefunden!«

»Herr Backes und diesen ganzen Schaulustigen würde das ebenfalls gelingen, und an den Gendarmen möchte ich gar nicht denken«, entgegnete Holmes.

Im gleichen Augenblick vernahm ich das Knacken von Zweigen, und die Vögel hörten auf zu singen. Ihr Konzert war gar nicht in mein Bewusstsein vorgedrungen, bevor es verstummte. Ich lauschte einen Augenblick lang. Wieder knackte ein Zweig, aber diesmal weiter entfernt. Es war wohl nur ein Tier gewesen.

»Höchst aufschlussreich. Das hatte ich wirklich nicht erwartet«, entfuhr es Holmes.

»Was ist aufschlussreich und warum sind WIR eigentlich hierher zurückgekehrt?«, fragte ich über die für Holmes typische, kryptische Äußerung verdrossen.

Doch wieder einmal blieb dieser mir eine Antwort schuldig. »Vielleicht kennt doch jemand den Toten, hat es aber bisher unterlassen, das zuzugeben«, murmelte er. »Es muss nicht unbedingt der Mörder sein.«

»Vielleicht kennt ihn jeder in Mettlach, und die Einheimischen decken den Mörder. Oder sie haben ihn gemeinsam umgebracht«, entgegnete ich. »Einer von ihnen hat danach Gewissensbisse bekommen und daher die Blumen in den Wald gelegt.«

»Was für eine absurde Idee! Sie könnte von einem Schriftsteller stammen«, wies Holmes mich zurecht.

Kopfschüttelnd hob er den Blumenstrauß auf und betrachtete ihn mehrere Sekunden lang eingehend, bevor er ihn an genau die Stelle zurücklegte, wo er gelegen hatte. Mit der Lupe suchte Holmes nun den Boden der Umgebung nach Spuren ab.

»Haben Sie einen Fußabdruck desjenigen gefunden, der dem Toten Blumen gebracht hat?«, fragte ich ungeduldig.

»Die Umstände sind schwierig, der Boden ist zu trocken«, entgegnete Holmes hörbar frustriert.

Aus der Ferne hörte ich Donnergrollen, und die Wolken waren inzwischen schwarz.

»Dann sollten wir schleunigst zurückkehren. Das Wetter schlägt um«, sagte ich und deutete anklagend auf die dunklen Wolken. Wie zur Bestätigung trafen mich die ersten Tropfen.

»Sie haben wohl recht, was das Wetter betrifft. Aber Sie haben sich in der Annahme geirrt, dass Unbeteiligte die Stelle nicht wiederfinden. Wir sind keinesfalls die Einzigen, die hierher zurückgekehrt sind. Bei den vielen undeutlichen Fußabdrücken ist beim besten Willen nicht mehr festzustellen, wer die Blumen gebracht hat«, sagte Holmes und steckte mit einem Ausdruck des Bedauerns im Gesicht seine Lupe ein.

»Vielleicht haben sie gemeinsam den Blumenstrauß im Wald deponiert. Das spricht für die These, dass sie ihn gemeinsam ermordet haben«, schlug ich vor.

»Wohl kaum, denn die sieben bis acht Personen, die am Fundort der Leiche waren, sind innerhalb von mehreren Stunden gekommen«, widersprach Holmes. »Es wird sich wohl wieder einmal um Schaulustige gehandelt haben.«

Ich kam nicht dazu zu erwidern, dass es hier eben wenig Abwechslung gab, denn Holmes eilte bereits mit schnellen Schritten voran und hatte über die Schulter gesprochen.

Ohne dass ein weiteres Wort fiel, kehrten wir in den Ort zurück und schafften es gerade noch, unser Domizil zu erreichen, ohne völlig durchnässt zu werden.

6. Der nächtliche Spaziergang

Als wir die Diele seines Hauses betraten, stieg Doktor Schmitt gerade langsam die Treppe hinab. Sein Binder hing schlaff um den Hals, die oberen Knöpfe seines Gehrocks waren geöffnet, und auch sonst wirkte er leicht derangiert.

»Wir haben Sie heute beim Mittagessen vermisst«, sagte der Arzt, als er in der Diele stand.

»Es ließ sich beim besten Willen nicht einrichten«, entgegnete Holmes, worauf uns der Hausherr in den Salon komplimentierte, der sich im ersten Stock befand.

Es war das erste Mal, dass ich den Repräsentationsraum betrat, der bei manchen Familien nur sonntags betreten wurde. In der Tür blieb ich kurz staunend stehen. Die langen Samtvorhänge waren nicht völlig aufgezogen, aber der Raum hätte auch sonst unter schlechter Beleuchtung gelitten, denn die Nordseite des Hauses bekam nicht viel Sonne ab. Mehrere Lampen mit dunklen Schirmen verschafften nur höchst unzureichend Abhilfe. Das Feuer im Kamin war fast heruntergebrannt, es zeigte aber, dass das Wohnzimmer, im Gegensatz zu den anderen, spartanisch möblierten Räumen, mit Möbeln, Plüsch und Nippes derart vollgestellt war, dass man sich wie in einem Trödelladen fühlte. Es waren solide Möbel, die aber nicht einem bestimmten Stil verpflichtet waren. Vor dem Fenster stand ein Klavier, daneben ein Notenständer. Hier fanden also die »kleinen Abendgesellschaften« statt, von denen wir zum Glück bisher verschont geblieben waren.

Ermüdet vom anstrengenden und obendrein völlig erfolglosen Tagwerk sank ich mit einem leisen Seufzer auf einen der Sessel, deren Brokatbezüge mit Chrysanthemen-Muster schon leicht verblichen waren. Bei dieser Belastung gab das Sitzmöbel immer mehr nach, obwohl ich wirklich nicht übergewichtig bin. Während ich versuchte, eine bequeme Position einzunehmen, trauerte ich fast den unbequemen Holzstühlen von Frau Marxen nach. Holmes erging es ebenso. Seine langen Beine stachen in die Luft, und er schaute verdrießlich drein. Es würde sich wohl nachher als schwierig gestalten, sich einigermaßen elegant aus dem Sitzmöbel zu erheben.

»Sie trinken doch bestimmt vor dem Abendessen ein Gläschen Wein«, sagte der Hausherr und deutete auf drei Gläser, die auf einem niedrigen Sideboard neben einer bereits geöffneten Flasche bereitstanden. Davor lag ein sehr schöner Orientteppich, der aber nicht zu den kleinen Blüten auf der Tapete passte.

»Gern, das ist genau, was ich jetzt brauche«, sagte ich erfreut, und auch Holmes hatte nichts dagegen.

Doktor Schmitt füllte die Gläser mit einem lokalen Weißwein. Er hob sein Glas in unsere Richtung, ohne uns wirklich zuzuprosten, und ich trank einen Schluck Wein, der eine angenehme Überraschung war. Dieser Weißwein war wunderbar aromatisch und nicht so herb wie manche Weine von der Mosel. Nachdem auch Holmes an seinem Getränk genippt und der Hausherr die Hälfte seines Glases heruntergekippt hatte, räusperte sich dieser.

»Was diesen antiken Becher betrifft …«, begann er zögerlich.

»Ich habe ihn nicht aus den Augen verloren«, unterbrach Holmes.

»Ich habe es mir inzwischen noch einmal überlegt …«, begann der Hausherr vorsichtig.

Holmes ließ ihn wieder nicht ausreden. »Ich gehe doch davon aus, dass Sie den goldenen Becher nicht verkaufen, bevor der Mordfall gelöst ist«, betonte er und sah dem Hausherrn scharf in die Augen.

Dr. Schmitt rutschte nach vorn auf die Sesselkante und räusperte sich, bevor er antwortete. »Das habe ich nicht vor. Ich habe ihn gut im Weinkeller versteckt. Das ist meine Domäne. Meiner Gattin ist es dort unten zu dunkel und zu muffig«, sagte er dann mit so gedämpfter Stimme, als säßen wir nicht in seinem Salon, sondern an einem öffentlichen Ort, an dem uns jeder hören konnte. Er räusperte sich nochmals und genehmigte sich dann einen weiteren großen Schluck Wein. »Dabei ist der Becher doch völlig unwichtig, jetzt, wo ein Mensch eines gewaltsamen Todes gestorben ist.«

»Auch darum kümmere ich mich«, entgegnete Holmes zuversichtlich. »Sie haben doch nichts dagegen, wenn ich rauche?« Er wartete die Antwort nicht ab und machte auch keine Anstalten, sich zu entschuldigen, sondern zog sein silbernes Etui heraus. Diese Rücksichtslosigkeit, die sonst gar nicht Holmes' Art war, ließ mich hoffen, dass etwas in ihm arbeitete und er daher seiner Umgebung nicht seine ungeteilte Aufmerksamkeit widmete. Vielleicht hatte er unseren Fall schon fast gelöst. Oder wollte er Dr. Schmitt provozieren? Holmes entnahm dem Etui eine Zigarette, zündete sie an und hielt dem Hausherrn die Schachtel hin.

Nach kurzem Zögern bediente dieser sich, stand auf und holte aus der Küche einen Unterteller, der einen Sprung aufwies. Nur ein Geizkragen kam auf die Idee, einen beschädigten Teller als Aschenbecher zu verwenden.

»Sind Sie ganz sicher, dass Sie den Karton und das Packpapier, in denen sich die unerwartete Sendung befunden hat, nicht doch irgendwo wiederfinden?«, fragte Holmes, als auch die Zigarette unseres Gastgebers brannte.

»Ich habe beides in ganz kleine Stücke zerrissen und dann in den Müll geworfen«, gab dieser schuldbewusst zu und fuhr sich nervös mit den Fingern durchs Haar.

Etwas zu schuldbewusst für meinen Geschmack. Er wirkte wie jemand, der permanent ein schlechtes Gewissen hat. Außerdem erstaunte mich langsam, dass ein an und für sich geiziger Mensch uns so lange unentgeltlich beherbergte.

»Was haben Sie sich inzwischen noch einmal überlegt?«, fragte Holmes.

»Ich sollte Ihnen vielleicht ein Detail mitteilen, das ich bisher verschwiegen habe.« Doktor Schmitt stockte einen Augenblick. »Der Sendung war eine kurze, handschriftliche Notiz beigefügt. Sie bestand aus einem einzigen Satz: *Ein Brief mit einer Erklärung folgt*. Ich wollte diese Nachricht eigentlich aufheben, muss sie aber aus Versehen mit dem Umschlag zerrissen und weggeworfen haben. Und auf den darin angekündigten Brief warte ich noch immer vergebens.«

»Und die Schrift kam Ihnen in keiner Weise bekannt vor?«, fragte Holmes, der wohl ebenfalls bezweifelte, dass die Notiz aus Versehen vernichtet worden war.

»Ich hatte sie definitiv noch nie gesehen. Sie war auch nicht besonders charakteristisch«, beteuerte der Hausherr und wechselte schnell das Thema. »Niemand kennt den Toten«, sagte er kopfschüttelnd.

»Natürlich kennt ihn irgendjemand. Schließlich hatte er Eltern, vielleicht auch Geschwister und sehr wahrscheinlich Arbeitskollegen. Nur haben wir bisher niemand gesprochen, der sich an seinen Namen erinnert. Aber immerhin glauben mehrere Personen, ihm schon einmal begegnet zu sein«, widersprach Holmes vehement und blies einen Rauchkringel in die Luft.

Ich drehte mich so, dass mir der beißende Rauch, der bald den Raum erfüllte, nicht in die Augen kam, und schaute aus dem Fenster. Es war nur ein kurzer Regenschauer gewesen. Nun herrschte wieder schönes, mildes Frühlingwetter. Die Bäume schlugen aus, und das Gras war saftig grün.

»Schließlich sollte in einem so kleinen Ort doch jeder jeden mit Namen kennen«, überlegte ich dann.

»Wenn er aus Mettlach stammen würde, wäre er längst identifiziert worden. Er war ein Fremder«, betonte Doktor Schmitt so vehement, als wollte er sagen, dass Fremde selbst daran schuld seien, wenn sie ermordet wurden. »Auch der Mörder war ganz bestimmt ein Auswärtiger.«

»Und was hatte er mitten im Wald zu tun? Außer diesem exzentrischen Käferforscher verläuft sich doch niemand dorthin«, sagte eine junge, weibliche Stimme.

Sie gehörte Johanna, der älteren Tochter des Hauses, einem etwa elfjährigen, sommersprossigen Mädchen, das aussah, als wüsste es noch nicht, was es mit seinen langen Armen und Beinen anfangen soll. Sie musste eingetreten sein, ohne dass ich es gehört hatte.

»Ich wünschte, du würdest dir ein etwas nützlicheres Hobby zulegen als immer nur diese Hausmusik.« Doktor Schmitt sprach es wie ein Schimpfwort aus.

Das fand ich übertrieben, denn zum Glück wurde in diesem Haushalt nicht sehr oft musiziert. Anfangs hatte ich befürchtet, Tag und Nacht mit dilettantischen Darbietungen belästigt zu werden. Aber ich hörte nur Holmes' Geige spielen.

»Herrn Backes' Begeisterung reicht für den ganzen Ort. Kein Wunder, dass er im Wald die Leiche gefunden hat«, sagte das Mädchen mit eingeschnappter Miene.

»Spiel doch noch etwas mit Alexander«, sagte der Hausherr, um seine Tochter loszuwerden.

»Alle Jungs sind blöd, und Alexander interessiert sich sowieso nur für Indianer«, sagte dessen Schwester und verließ den Raum.

Ich fragte mich, wie ihre Mutter dieses ständige Gezänk aushielt.

»Meine Tochter hat nicht unrecht. Auch ich finde es seltsam, dass ein Ortsfremder bei uns mitten im Wald spazieren geht«, sagte der Hausherr und zündete sich eine neue Zigarette an.

»Entweder der Tote wurde tatsächlich woanders getötet und dann nach Mettlach gebracht, oder er kam selbst hierher, wurde hier ermordet und anschließend in den Wald gebracht. Falls Ersteres zutrifft, warum unter allen Orten an der Saar ausgerechnet nach Mettlach?«, griff Holmes den Faden des Gespräches vor der Unterbrechung auf. Für seine Verhältnisse war er gerade ungewöhnlich gesprächig.

»Um uns Schwierigkeiten zu machen«, war die irrationale Antwort. »Bestimmt wurde das Verbrechen in einer großen Stadt begangen, zum Beispiel in Metz oder in Trier. Bei uns hat es noch nie einen Mord gegeben«, verkündete der Arzt dann im vehementen Tonfall eines Wahlkandidaten auf Stimmenfang, wurde aber sofort wieder melancholisch und sank in seinen Sessel zurück.

Ein paar Minuten lang saßen wir stumm in dem halbdunklen Wohnzimmer, bis Holmes das Schweigen brach. »Morgen können wir uns bei der Polizei in Trier nach vermissten Personen erkundigen«, sagte er auf Englisch zu mir. »Vielleicht ist der Tote allerdings gar nicht vermisst gemeldet worden. Gerade Ehemänner und Dienstboten verschwinden manchmal. Die anderen vermuteten dann Flucht vor ihrer Familie oder vor Schulden und nicht ein Verbrechen.«

Wieder breitete sich Schweigen aus, diesmal dauerte es nicht so lange, da sich wenige Sekunden später die Wohnzimmertür öffnete und eine magere Frau mittleren Alters auf der Schwelle stand, die Köchin der Schmitts. Sie war in ihrer mausgrauen Kleidung so unscheinbar, dass sie fast mit der Umgebung verschmolz. »Es ist angerichtet«, verkündete sie, strich ihre dunkelgraue Schürze glatt und zog sich wieder zurück.

Wir hievten uns aus den tiefen Sesseln, stiegen dann die Treppe hinunter und begaben uns ins Esszimmer. Der kummervolle, strenge Blick, mit dem Frau Doktor Schmitt ihren Gatten beim Eintreten strafte, erinnerte mich an meine Mutter, Gott hab sie selig! Er ließ befürchten, dass sie ahnte, dass dieser etwas vor ihr verbarg. Vielleicht missbilligte sie allerdings auch nur den Wein- und Tabakgenuss vor dem Abendessen.

Entsprechend gedrückt war die Stimmung bei Tisch. Es wurden nur die allernötigsten Höflichkeitsfloskeln ausgetauscht und recht wenig gegessen, was auch an der uns aufgetischten Speise lag. Das Entree, eine klare Bouillon, schmeckte noch sehr gut, aber als der Hauptgang serviert wurde, starrte ich einen Augenblick auf den Teller und versuchte, das Objekt unter der Soße zu identifizieren.

»Es riecht köstlich«, log ich, bevor ich einen Bissen in den Mund schob und feststellte, dass es sich wohl um eine Art Hackbraten handelte, wahrscheinlich eine Resteverwertung der kurz gehaltenen Hausfrau.

Nach den Gesprächen, die ich mit drei der fünf Familienmitglieder geführt hatte, nahm ich nicht an, dass die freudlose Stimmung im Haus ausschließlich durch den Mordfall im Ort verursacht war.

Nachdem endlich auch die leeren Desserttellerchen abgeräumt worden waren, zog Holmes sich in sein Zimmer zurück. Wahrscheinlich widmete er sich chemischen Experimenten, falls er nicht vorhatte, seine Geige und meine Nerven zu malträtieren.

Nach dem Verlassen des Esszimmers zögerte ich daher kurz, ging dann in die Diele, zog mir meinen Mantel über und trat ins Freie, um vor dem Zubettgehen noch ein paar Minuten die kühle Nachtluft einzuatmen und die Gespräche dieses Tages Revue passieren zu lassen. Es war erst halb neun, aber bereits völlig dunkel. Der Wein hatte mich etwas behäbig gemacht, und ohne dass es mir recht bewusst wurde, führten mich meine Schritte über das noch immer regennasse Pflaster zum Häuschen des Ehepaars Altmeier.

Ein alter Mann kam vorbei und musterte mich mit neugierigen Blicken. Wahrscheinlich dachte er, ich hätte mich verlaufen.

Als er um die Ecke gebogen war, blieb ich vor dem Grundstück stehen und lauschte angestrengt in die Nacht, ob ich im Haus eine männliche Stimme vernahm. Aber ich hörte gar nichts, zumindest nicht aus dem von mir observierten Haus. Aus dem Nachbargebäude hingegen drang ein lautes Stimmengewirr. Offenbar fand dort gerade eine größere Familienfeier statt. Aber bei Altmeiers brannte kein Licht hinter den Fenstern. Das Haus schien völlig verlassen zu sein. Vielleicht hatte Frau Altmeier ihren Mann nach Saarlouis mitgenommen. Ich verwarf diesen Gedanken sogleich wieder, denn das hätte unweigerlich der ganze Ort mitbekommen.

Neugierig beäugte ich einen kleinen, windschiefen Geräteschuppen, der am Rande des Gartens stand. Täuschte ich mich oder hörte man dahinter einen keuchenden Atem? Ich spähte vorsichtig ins Nachbargrundstück. Da war niemand, der mich beobachten konnte. Ich nahm meinen ganzen Mut zusammen, ging zu dem Schuppen und drückte die verrostete Klinke herunter. Die Angeln der windschiefen Tür quietschten gespenstisch, doch zum Glück war sie nicht abgeschlossen. Das wäre auch nicht der Mühe wert gewesen, denn der gesamte Innenraum war mit altem Plunder angefüllt.

Plötzlich erschreckte mich das Geklapper von Pferdehufen auf dem Kopfsteinpflaster. Ich schlug die Tür des Schuppens zu und wirbelte herum. Erleichtert atmete ich auf. Es war nur das Fuhrwerk eines Händlers, das um die Ecke bog. Als das Hufgeklapper wieder verklungen war, hörte ich nur noch das Rauschen der Blätter und das Blut, das in meinen Ohren hämmerte. Langsam stiegen erste Zweifel in mir auf, ob dieser Spaziergang wirklich eine gute Idee gewesen war.

Noch immer drang kein Mucks aus dem Inneren des Hauses. Doch ich war weiterhin der felsenfesten Überzeugung, dass sich Fritz Altmeier da drinnen verbarg und dass er uns bei der Aufklärung des Verbrechens helfen konnte. Wenn er nicht sogar unser Mann war. Vorsichtig schaute ich mich nach allen Seiten um, und als ich niemanden in der Gasse sah, schlich ich mit bedächtigen Schritten die Front des Hauses ab. Ich musste beim Gehen aufpassen, dass ich nicht stolperte, denn der Gemüsegarten war von Unkraut überwuchert. Kein Wunder, dass die Herrin dieser Pracht mehr als genug Zeit hatte, da sie einfach den Garten verwildern ließ. Ich schaute durch die beiden ungeputzten Fenster im Erdgeschoss in das dunkle Haus hinein, aber dahinter regte sich nichts.

Als ich mich umdrehte, um wieder auf die Straße zu gelangen, stieß ich fast mit einem dunklen Schemen zusammen. Ehe ich den Mann auch nur erkannt hatte, blickte ich in den Lauf eines Gewehres.

Es gehörte dem Gendarmen, der mich mit einer Miene musterte, die noch finsterer als die Nacht war. Bei seinem Anblick begann ich zu verstehen, wie ein Mörder sich kurz vor der Tat fühlt. Die Polizei, die nie zur Stelle war, wenn man Hilfe benötigte, erschien nur dann mit unziemlicher Geschwindigkeit, wenn man sie wirklich nicht gebrauchen konnte.

»Was haben Sie hier zu schaffen?«, fuhr er mich an, aber zum Glück senkte er sein Gewehr.

»Ich hatte noch eine Frage an Frau Altmeier und wollte daher bei ihr vorbeischauen«, improvisierte ich.

»Es ist auch genau der richtige Zeitpunkt für einen Besuch bei jemandem, den man kaum kennt«, wurde ich angefahren. »Das nennt man Hausfriedensbruch.«

»Ich habe das Haus doch gar nicht betreten«, stammelte ich.

»Aber den Garten! Ob das auch strafbar ist, sollen die Juristen beurteilen. Sie kommen jedenfalls jetzt mit auf mein Revier, damit ich ein Protokoll des Vorfalls aufnehmen kann«, sagte der Gendarm. Der Triumph funkelte in seinen Augen, und mir wurde noch mulmiger zumute, falls das überhaupt möglich war.

»Man darf doch wohl einen kleinen Verdauungsspaziergang machen und dabei spontan bei einer Bekannten vorbeischauen«, wandte ich lahm ein.

Der Gendarm schnaubte verächtlich. »Sie und ein Bekannter der Altmeiers. Das können Sie Ihrer Großmutter erzählen«, brummte er. »Und jetzt kommen Sie mit!«

Es blieb mir also nichts anderes übrig, als seiner Aufforderung Folge zu leisten.

Als wir uns gerade auf den Weg machen wollten, wurde das Fenster des Nachbarhauses, in dem gerade gefeiert wurde, geöffnet. Ein alter Mann lehnte sich heraus und starrte mich feindselig an. Als ich mich zum Gehen wandte, rief er mir etwas nach, das ich nicht verstand, weil er einen ausgeprägten Dialekt sprach.

Die Wache befand sich in einem zweigeschossigen Eckhaus in der Nähe des Markplatzes. Der Amtsraum und zwei Arrestzellen waren im Erdgeschoss untergebracht, während der Gendarm wohl im Obergeschoss wohnte. Aber eigentlich brauchte er gar kein Quartier, da er offenbar niemals schlief.

Das Zimmer, in das ich gebracht wurde, war so winzig, dass kaum ein einfacher Schreibtisch, ein mit Ordnern gefüllter Aktenschrank und zwei Stühle hineinpassten. Alles war hier so sauber, ordentlich und akkurat, als ob ein hoher Besuch sich angekündigt hätte.

Der Gendarm nahm auf dem Stuhl hinter dem Schreibtisch Platz, zog eine Schublade auf und holte ein längliches Lederetui heraus. Diesem entnahm er einen Kneifer, den er aber nicht auf seine Nase setzte, sondern er putzte mit provozierender Langsamkeit die bereits sauber aussehenden Gläser mit einem blütenweißen Taschentuch. Als er endlich mit dem Ergebnis zufrieden war, setzte er den Kneifer auf und schaute mich über die Gläser hinweg streng an. Ich hatte mich inzwischen auf dem Besucherstuhl niedergelassen, obwohl ich nicht dazu aufgefordert worden war.

»Da wollen wir mal«, sagte der Gendarm süffisant und tippte gut gelaunt seinen vermaledeiten Bericht mit zwei Fingern in eine alte, schwarze Schreibmaschine, deren Klingeln am Ende jeder Zeile mir an den Nerven zerrte.

Schließlich wurde mir der fertige Bericht ausgehändigt. Darin stand, dass der Gendarm mich nachts in einem fremden Garten angetroffen habe. Als ich seine Unterschrift las, stellte ich halb schaudernd, halb belustigt fest, dass der Gendarm Wolf Hauschild hieß.

Leider blieb mir nichts anderes übrig, als zu unterschreiben.

»Ich gehe davon aus, dass Sie in nächster Zeit den Ort nicht verlassen. Ich werde Frau Altmeier nämlich morgen empfehlen, Anzeige gegen Sie zu erstatten«, drohte der Gendarm mir an. Er starrte mich ein paar Sekunden lang schweigend an, um die Wirkung seiner Worte zu genießen, bevor er mich endlich gehen ließ.

Nach diesem demütigenden Auftritt brauchte ich dringend einen Weinbrand. Das ungemütliche Gästezimmer im Haus des Arztes und Holmes' Geigenspiel konnten ruhig noch ein oder zwei Stunden auf mich warten.

Auf dem Weg in die nächste Gastwirtschaft musste ich mir mein völliges Versagen eingestehen. Wahrscheinlich würde Holmes mich zu meiner Frau nach Florenz zurückschicken, falls man mir nicht in der nächsten Kreisstadt den Prozess machte und ich in einem preußischen Zuchthaus verschmachten musste. Ich war in der Stimmung, etwas zu zerschlagen oder einfach mitten in der Nacht heimlich zu verschwinden, egal wohin. Aber vermutlich musste ich sogar noch dankbar sein, dass man mir meinen Reisepass nicht abgenommen hatte.

7. Der Schüler

Leider war der Besuch der Gastwirtschaft nur ein kurzes Vergnügen. Ehe ich mich versah, verkündete der Wirt bereits die Polizeistunde. Hastig trank ich noch ein letztes Bier. Dann musste ich wieder in mein trostloses Zimmer zurück. Dort lag ich lange wach, weil der Alkohol den Ärger über mein Missgeschick leider nicht vertrieben hatte. Als die Standuhr im Salon unter mir halb eins schlug, war ich noch immer nicht eingeschlafen. Ich hoffte, dass mir frische Luft beim Einschlafen helfen würde. Mühsam rappelte ich mich aus dem Bett, öffnete das Dachfenster und legte mich wieder hin. Die Vorhänge flatterten im nächtlichen Wind, was beruhigend auf mich wirkte, und ich tauchte endlich in einen unruhigen und von Albträumen gestörten Schlummer ab.

Am frühen Morgen weckte mich ein undefinierbares Geräusch. Zuerst dachte ich, dass es durch das Fenster von draußen drang, doch es kam aus dem Haus. Im Zimmer war es stockdunkel, und ich setzte mich kerzengerade im Bett auf, um zu lauschen. Im Treppenhaus knarrten die Stufen, dann hörte ich, wie eine Tür leicht klackend geschlossen wurde. Wahrscheinlich hatte Holmes das Haus verlassen, dachte ich und legte mich wieder hin.

Als ich gegen zehn Uhr mit hämmernden Kopfschmerzen die Treppe hinunterwankte, kam mir die Hausherrin entgegen.

»Geht es Ihnen nicht gut? Sie sehen ja schrecklich blass aus«, fragte sie besorgt. Offenbar hatte es sich noch nicht im Ort herumgesprochen, was in der Nacht passiert war.

»Ich habe nur schlecht geschlafen«, beteuerte ich und ging weiter, um nachzuschauen, ob Holmes wieder zurückgekehrt war.

Ich fand ihn in einen dicken Wälzer über Keramikherstellung versunken im Salon an, wo er auf einem Stuhl, nicht in einem der Sessel Platz genommen hatte. Seine Lektüre konnte nur etwas mit unserem Fall zu tun haben. Holmes war nämlich kein großer Freund des Lesens, wenn man von der täglichen, akribischen Lektüre der Zeitung absah, die er von der ersten Schlagzeile bis zu den Kleinanzeigen gewissenhaft studierte. Seine Abneigung gegen die schöne Literatur konnte ich als ehemaliger Buchhändler natürlich nicht gutheißen, aber Holmes war ein unverbesserlicher Fall. Außer Dingen, die für seinen Beruf nützlich waren, interessierte er sich allenfalls für mittelalterliche Handschriften.

Beim Eintreten wappnete ich mich gegen Vorwürfe wegen meines hochgradig unprofessionellen Verhaltens, die jedoch zum Glück ausblieben.

»Ich habe gehört, Sie hatten gestern Nacht noch einen kleinen Plausch mit unserem lieben Gendarmen«, sagte Holmes, als er mich sah. Er war mindestens genauso blass wie ich, wirkte angespannt und hatte Ringe unter den Augen. Offenbar hatte er die Nacht wenig oder gar nicht geschlafen.

»So kann man es auch nennen«, sagte ich kopfschüttelnd und ließ mich in einen Sessel sinken, denn es gab keinen zweiten Stuhl. Natürlich war ich sehr erleichtert, dass Holmes mir keine Vorwürfe machte, fragte aber lieber nicht, von wem er das gehört hatte. Wahrscheinlich tratschte bereits der ganze Ort über meinen vermeintlichen Einbruchsversuch.

»Machen Sie sich keine Sorgen! Sie haben schließlich gegen kein Gesetz verstoßen«, beruhigte mich Holmes. »Bedenklich finde ich schon, dass wir bei der Identifizierung des Toten keinen Schritt weitergekommen sind.«

»Der Gendarm will Frau Altmeier fragen, ob sie Anzeige gegen mich erstatten möchte«, sagte ich mit tonloser Stimme. Wenn ich ganz ehrlich war, so war mir momentan unser Fall herzlich gleichgültig

»Ich glaube nicht, dass Frau Altmeier etwas mit der Polizei zu tun haben will«, entgegnete Holmes. Erleichtert sah ich die Kampfeslust in seinen grauen Augen. »Außerdem gibt es weder einen Zaun um den Garten noch ein Verbotsschild. Sie hätten einfach sagen sollen, dass Sie sich im Dunkeln verlaufen haben.«

»Ich bin immer noch sicher, dass sich Fritz Altmeier im Haus versteckt«, insistierte ich, aber Holmes hörte mir vermutlich schon nicht mehr zu. Er knurrte nur etwas Unverständliches, ohne seinen Blick von dem Buch auf dem runden Tisch mit der Marmorplatte zu heben.

Ich hievte mich aus dem unpraktischen Sessel, stieg die Treppe zum Parterre hinunter, blieb aber wieder einmal einen Augenblick lang unschlüssig in der Diele stehen. Dann gab ich mir einen Ruck und trat ins Freie. Schließlich konnte ich mich nicht für den Rest unseres Aufenthaltes im Haus verstecken. Außerdem war ich hungrig und wollte mir ein Stück Kuchen holen. Noch lieber hätte ich in einem Kaffeehaus gesessen und durch das Fenster die Passanten beobachtet, ohne selbst gesehen zu werden. Aber wenigstens wurde man bei meinem neuen Lieblingsbäcker von einer sehr netten Verkäuferin mit treuherzigen, blauen Augen bedient.

Auf den regnerischen Nachmittag war ein herrlicher Morgen gefolgt. Trotzdem waren nur wenige Menschen unterwegs, und diese interessierten sich, zu meiner nicht unerheblichen Erleichterung, nicht für mich. Doch zu meinem Bedauern musste ich feststellen, dass der Bäcker geschlossen hatte.

Als ich in unser Quartier zurückkehrte, saß der kleine Alexander Schmitt mit einem seiner geliebten Indianer-Romane im Esszimmer. Wie immer war er übertrieben ordentlich gekleidet. Ich konnte ihn nicht anschauen, ohne den Drang zu verspüren, meinen Binder zu kontrollieren und meinen Scheitel nachzuziehen. Er wirkte so brav, dass ich mir nicht vorstellen konnte, dass er wie manche Jungs seines Alters heimlich Alkohol trank oder rauchte. Trotzdem fragte ich mich, ob er gerade die Schule schwänzte. Immerhin war es erst elf Uhr.

»Ich habe heute keine Lust, Englisch zu lernen!«, verkündete mein Schüler bockig, als er mich sah.

Und ich habe keine Lust, dich zu unterrichten, hätte ich am liebsten den Spieß umgedreht.

»Wenn das deine Mutter hört«, sagte ich und setzte mich dem Jungen gegenüber.

»Aber heute ist doch Sonntag«, protestierte Alexander Schmitt.

Mir war nicht bewusst, dass wir gerade den Tag des Herrn hatten, was aber erklärte, warum der Bäcker geschlossen hatte und die Straßen wie ausgestorben waren.

»Dann lassen wir heute ausnahmsweise den Unterricht ausfallen«, sagte ich großmütig. »Aber nur ganz ausnahmsweise. Englisch ist eine sehr nützliche Sprache, die in der ganzen Welt verstanden wird. Auch in Amerika«, fügte ich hinzu und deutete auf den Roman.

»Ich möchte meine Heimat nicht verlassen«, entgegnete der Junge bockig.

Auf diese Antwort war ich nicht gefasst gewesen. Ich in seinem Alter hatte die Welt sehen wollen. »Was willst du denn werden, wenn du groß bist? Arzt wie dein Vater?«, fragte ich irritiert.

»Am liebsten möchte ich privater Ermittler werden wie Herr Sigerson, der den ganzen Tag nur angelt und ab und zu mitten in der Nacht spazieren geht.«

Diese Antwort hatte ich noch weniger erwartet. »Glücklicherweise können wir davon ausgehen, dass in Mettlach so schnell kein weiterer Mord begangen wird. Du würdest also nichts verdienen und müsstest verhungern«, sagte ich belustigt, eine Einschätzung, die sich leider als falsch erweisen sollte.

Dann kam mir plötzlich eine leicht verrückte Idee. »Ich komme gleich wieder, bitte warte hier auf mich«, forderte ich meinen Schüler auf, bevor ich hastig die Treppe hinaufstieg.

Holmes saß noch immer im Salon. Ich wollte ihn nicht in meinen Plan einweihen, da ich befürchtete, ausgelacht zu werden. Ich stieß die Tür von Holmes' Zimmer auf. Der Anblick, der sich mir darin bot, ließ mich verblüfft in der Bewegung innehalten. Es erstaunte mich immer wieder, was für ein namenloses Chaos Holmes in kürzester Zeit zu produzieren pflegte. Zeitungen waren über den ganzen Raum verteilt, Kleidungsstücke stapelten sich auf dem Boden, das Fensterbrett zierten Schachteln mit Aschresten von Zigaretten, die Holmes offenbar bereits während unseres kurzen Aufenthaltes an der Saar gesammelt hatte, und auf dem zerwühlten Bett lagen einige Manuskriptseiten.

Trotz der rauchgeschwängerten Luft, die dichter als der Londoner Nebel war, trat ich ein, ging zum Bett und hob die handgeschriebenen Blätter hoch. Es handelte sich um eine unvollendete Abhandlung über den Riesenwels in der Saar. Leider wurde ich aber darunter nicht fündig. Als Nächstes sichtete ich rasch die Zeitungen, aber wieder vergeblich. Vorsichtig hob ich dann ein Kleidungsstück nach dem anderen hoch, jeden Augenblick erwartend, dass Holmes den Raum betrat und mich fragte, wie ich mich erdreisten konnte, seine Sachen zu durchsuchen.

Ich wollte schon aufgeben, als mir die Idee kam, unter das Bett zu schauen. Dort fand ich endlich, was ich suchte, nämlich die Zeichnung, die den unbekannten Toten zeigte. Erleichtert schnappte ich mir die Zeichnung, schloss die Tür und rannte das Treppenhaus hinunter. Ich konnte nur hoffen, dass der kleine Alexander nicht doch inzwischen verschwunden war, doch ich fand ihn, wo ich ihn verlassen hatte, noch immer seinen Indianer-Roman lesend.

»Hast du diesen Mann schon einmal gesehen?«, fragte ich und legte die Zeichnung vor ihn auf den Tisch.

Er warf nur einen flüchtigen Blick darauf und nickte dann. »Klar kenne ich den. Das ist der Bruder meiner neuen Klassenlehrerin Katharina Laub. Er wohnt nicht in Mettlach, aber ich habe die beiden schon einmal zusammen gesehen«, sagte mein Schüler dann mit der größten Selbstverständlichkeit.

Einen Moment lang war ich sprachlos. Ich hätte nicht überraschter sein können, wenn der Junge mir den Namen des Mörders genannt hätte.

»Warum interessieren Sie sich für den Mann?«, erkundigte er sich dann.

»Das ist der Tote, den man im Wald gefunden hat«, entgegnete ich, noch immer ganz perplex.

Der Junge wurde ganz blass und starrte mit weit aufgerissenen Augen auf die Zeichnung.

»Du weißt doch bestimmt, wo diese Lehrerin wohnt?«, fragte ich Alexander Schmitt und riss ihn aus seiner Erstarrung.

»Natürlich in der Schule«, antwortete er und beschrieb mir den Weg dorthin. »Sie ist aber momentan nicht da. Sie besucht gerade ihre Eltern in Sankt Wendel«, fügte er hinzu, wieder ganz der altkluge Musterknabe.

»Vielen Dank, du hast uns wirklich sehr geholfen«, sagte ich, nahm mir die Zeichnung und verließ das Esszimmer.

Voller Stolz auf die neue Erkenntnis betrat ich den Salon, aber Holmes hatte inzwischen schon wieder das

Haus verlassen. Fast hätte ich vor Enttäuschung laut geflucht. Ich rannte wieder die Treppe hoch, legte das Porträt unter Holmes' Bett zurück und machte mich dann auf die Suche nach dem Meisterdetektiv. Hoffentlich recherchierte er nicht gerade *under cover* in irgendeiner abwegigen Verkleidung, wie zum Beispiel als alte Dame, als Saarfischer oder als Kesselflicker. Als Erstes suchte ich seinen Stammplatz an der Saar auf, wo die Fische nie anbissen.

Schon aus der Ferne sah ich seine unverkennbare Silhouette, die sich gegen den blassen Himmel abzeichnete. Schwer atmend vom schnellen Marsch durch den Ort ließ ich mich neben ihm am Flussufer nieder. Dann konnte ich endlich erzählen, was ich herausgefunden hatte.

»Das müssen wir wohl leider diesem schrecklichen Gendarmen mitteilen«, fügte ich hinzu, nachdem ich meinen Bericht beendet hatte.

»Uns bleibt wohl nichts anderes übrig, denn der Junge wird es bald im ganzen Ort herumerzählt haben«, brummte Holmes, ohne von seiner Angel hochzublicken.

Enttäuschung stieg in mir auf. Ich hatte Glückwünsche und Lob erwartet, aber nicht diese barsche Reaktion.

»Ich hatte schon nicht mehr gehofft, dass wir die Identität des Toten jemals herausfinden würden«, sagte ich zu mir selbst.

»Die Ehre, endlich Licht in dieses Dunkel gebracht zu haben, gebührt natürlich Ihnen. Selbst ich war nicht auf die Idee gekommen, Kinder zu befragen. Ich hatte allerdings auch nicht erwartet, dass der Tote mit einer Lehrerin verwandt war«, sagte Holmes, während er bedächtig seine Angelschnur aufrollte.

Das wurde aber auch Zeit, dass er das eingestand.

Wir kehrten in den Ort zurück und fanden den Gendarmen in seiner Stube, wo er mit dem Kneifer auf der Nase und angestrengter Miene Zeitung las.

»Sie schon wieder!«, funkelte er mich erbost an, kaum dass ich eingetreten war.

»Mister Tristram ist es endlich gelungen, den Toten zu identifizieren«, sagte Holmes und referierte, was mein Schüler mir gesagt hatte.

»Also tatsächlich ein Auswärtiger! Musste der sich unbedingt hier umbringen lassen und uns derartige Scherei bereiten?«, brummte der Gendarm, als Holmes geendet hatte, und bedachte mich mit finsteren Blicken. »Nicht nur, dass Sie nachts in fremde Grundstücke eindringen und sich in die Polizeiarbeit einmischen. Sie schrecken offenbar nicht einmal davor zurück, unschuldige Kinder in eine Mordermittlung hineinzuziehen!«

Er gehörte wohl zu den Menschen, die es einfach nicht fertigbrachten, sich zu bedanken.

»Ich gebe dem Jungen Englischunterricht, und es hat sich zufällig ergeben«, behauptete ich mit unschuldiger Miene.

»Da Sie offenbar schon alles wissen: Kennen Sie auch die Adresse, unter der die Schwester in Sankt Wendel zu erreichen ist?«, wurde ich gefragt.

»Nein, aber der kleine Alexander Schmitt oder ein anderer ihrer Schüler wird sie vielleicht kennen«, sagte Holmes und wandte sich mir zu. »Ich wollte übrigens schon immer nach Sankt Wendel fahren. Hier hat die Mutter von Prinz Albert, dem Gatten unserer verehrten Königin Victoria, lange gelebt.«

»Unterstehen Sie sich!«, brauste der Gendarm auf. »Sie bleiben gefälligst hier und belästigen die arme Frau nicht noch mit Ihrer Anwesenheit und Ihren ungebührlichen Fragen.«

Einen Augenblick dachte ich, dass er Prinz Alberts Mutter meinte, aber die Bemerkung bezog sich wohl auf die Schwester des Toten.

»Ich dachte, Sie seien froh, wenn Sie mich los sind«, erwiderte Holmes gut gelaunt. »Aber keine Sorge, ich bleibe so lange in Mettlach, bis ich endlich einen Riesenwels aus der Saar gezogen habe, und Mister Tristram haben Sie ja verboten, den Ort zu verlassen.«

Wir verabschiedeten uns übertrieben höflich von dem Gendarmen und kehrten zu unserer Unterkunft zurück.

»Ich benötige heute noch Ihre Hilfe. Bitte erwarten Sie mich in genau einer Stunde auf dem Marktplatz«, sagte Holmes zu meiner Überraschung, und schon eilte er die Treppe hinauf in sein Zimmer.

Ich blieb einen Augenblick stehen, da plötzlich wütende Stimmen zu hören waren, die aus der Küche drangen, die offenbar Schauplatz eines ausgewachsenen Ehekrachs war. Dabei ging es um den Plan der Hausherrin, Zimmer im Haus zu vermieten.

»Es sind doch stets Fremde, die Zimmer mieten. Was wissen wir denn schon über unsere zukünftigen Gäste?«, polterte Doktor Schmitt los. »Begreifst du denn nicht, was wir uns da alles aufhalsen können?«

Ich konnte die Antwort seiner besseren Hälfte nicht verstehen, vermutete aber, dass sie sich darauf bezog, dass er Holmes und mich mitgebracht hatte, obwohl wir Fremde waren und er uns kaum kannte.

»Zimmer vermieten ist einfach unter der Würde einer Arztgattin! Was sollen nur die Leute von uns denken?«, entgegnete der Hausherr.

»Wahrscheinlich denken sie zu Recht, dass du mir nicht genug Haushaltsgeld gibst! Schließlich haben wir drei Kinder«, empörte sich Frau Doktor Schmitt.

Die Küchentür wurde aufgerissen, und ich eilte schleunigst die Treppe hoch, bevor die Tür vehement wieder zugeschlagen wurde.

8. Der Einbruch

Die verbleibende Dreiviertelstunde verbrachte ich damit, in meinem Zimmer auf und ab zu gehen und mir das Hirn zu zermartern, was Holmes wohl vorhaben mochte. Inständig hoffte ich, dass es nichts Illegales war, machte mir aber keine Illusionen, dass dieser Wunsch in Erfüllung ging. Mühsam zügelte ich meine Ungeduld so weit, dass ich nur wenige Minuten vor dem vereinbarten Zeitpunkt aufbrach, um nicht vor Holmes an unserem Treffpunkt anzukommen. In Dörfern und kleinen Städtchen wurde man immer durch die Fenster von neugierigen Menschen beobachtet. Daher hatte ich keine Lust, auf dem Marktplatz herumzustehen wie ein versetzter Verehrer.

Wenigstens war kaum jemand unterwegs. Wahrscheinlich besuchten die anständigen Bürger am Sonntag die Messe.

Zum Glück musste ich nicht warten. Kaum war ich am vereinbarten Treffpunkt eingetroffen, schritt schon ein untersetzter Handwerker mit einer großen Werkzeugtasche auf mich zu. Er hatte sich die Mütze ins Gesicht geschoben, aber ich sah unternehmungslustige Augen unter dem Schirm der Kopfbedeckung hervorblitzen. Obwohl der Mann ansonsten Holmes nicht besonders ähnelte, konnte es sich wohl um niemand anderen handeln. Bestimmt nahm kaum jemand im Ort Holmes den harmlosen Angler ab. Aber wenn er sich verkleidete, schien er die Identität der von ihm verkörperten Person anzunehmen. Selbst enge Freunde fielen auf seine Verkleidung herein. Ich war immer der Meinung, dass dem englischen Theater an Holmes ein großer Schauspieler verloren gegangen war.

»Bitte folgen Sie mir mit einigen Schritten Abstand«, sagte er leise und mit einer derart rauen Stimme, dass ich sie unter normalen Umständen nicht wiedererkannt hätte.

»Was haben Sie vor?«, raunte ich zurück, denn die Verkleidung verhieß nichts Gutes.

»Mir die Wohnung der Lehrerin ansehen«, entgegnete Holmes mit der größten Selbstverständlichkeit.

»Wenn ich zum zweiten Mal von diesem schrecklichen Gendarmen bei einem Einbruch erwischt werde, lande ich unweigerlich im preußischen Gefängnis«, sagte ich panisch. In diesem Augenblick war es mir völlig gleichgültig, ob Holmes' Tarnung aufflog. »Außerdem ist man hier sehr katholisch. Die einheimischen Handwerker würden bestimmt nicht am heiligen Sonntag arbeiten.«

»Leider kann ich nicht bis morgen warten, weil dann die Bewohnerin zurückgekehrt ist. Aber wenn ein Wasserrohr bricht oder der Keller unter Wasser steht, hilft man sich auf dem Lande auch am Sonntag. Wir sind ja schließlich nicht in London, wo viele nicht einmal ihre Nachbarn kennen«, raunte Holmes zurück, ohne mich anzuschauen. »Keine Sorge, Sie müssen nur Wache stehen. Ich übernehme wie immer den kriminellen Part«, fügte er hinzu, bevor er sich in Bewegung setzte. Er ging vornübergebeugt, die Schultern hochgezogen und den Blick zu Boden gerichtet, wohl damit niemand sein Gesicht sehen konnte.

Manchmal hatte ich den Verdacht, dass Holmes Gesetzesübertretungen Freude bereiteten und seine Mitmenschen dankbar sein mussten, dass er sich nicht für eine Karriere als Einbrecher entschieden hatte. Mühsam verkniff ich mir die Bemerkung, dass die mir zugeteilte Aufgabe bereits den Tatbestand der Beihilfe erfüllte, sondern schlich hinter Holmes her wie ein zum Tode Verurteilter auf dem Weg zum Schafott.

»Zum Glück nimmt man auf dem Land die Sicherheitsfrage nicht so ernst. Wenn ich in dieser Aufmachung das Haus betrete, schöpft niemand Verdacht, solange man mich nicht beim Öffnen der Eingangstür beobachtet«, erklärte Holmes gut gelaunt, als wir unser Ziel erreicht hatten.

Das Schulhaus war eines jener unscheinbaren Gebäude, an denen man gewöhnlich vorbeigeht, ohne sie wahrzunehmen. Es war nicht ganz neu, zwei Stockwerke hoch, hell verputzt und von Efeu überwachsen.

»Sie wissen, was Sie zu tun haben?«, fragte Holmes leise, und ich nickte.

»Wie immer eine Vogelstimme imitieren, wenn ich den Gendarmen sehe, und dann den Störenfried in ein Gespräch verwickeln«, entgegnete ich schicksalergeben.

»Ja, und zwar diesmal einen Kuckuck«, präzisierte Holmes.

Leider hatte ich mittlerweile schon Erfahrung im Schmierestehen, und Holmes musste mir keine weiteren Anweisungen geben. Ich positionierte mich hinter ihm, sodass etwaige Passanten nicht sehen konnten, was er tat, nämlich aus seiner Handwerkertasche einen Dietrich ziehen und mit schnellen, geübten Bewegungen das Schloss bearbeiten. Ehe ich innerlich auch nur bis zehn gezählt hatte, sprang die massive Holztür mit einem leisen Klicken auf.

Holmes schlüpfte durch die Tür und schloss sie schnell wieder hinter sich. Eine Viertelstunde, die mir wie eine Ewigkeit erschien, ging ich auf und ab und gab vor, auf jemanden zu warten. Mir saß noch immer der Schreck von der unangenehmen Begegnung mit dem Gendarmen in den Knochen. Ich wünschte in diesem Augenblick, ich wäre ein Raucher gewesen. Mit einer Zigarette hätte ich meine Unruhe bekämpfen oder wenigstens gelassener wirken *können*, als ich war.

Endlich öffnete sich die Tür des Schulgebäudes, Holmes trat ins Freie und schloss rasch die massive Eingangstür hinter sich. Er bog mit schnellen, aber nicht hastigen Schritten um die Ecke, ich folgte mit gebührendem Abstand, und wir gelangten in eine stille Seitengasse.

»Es ist genau, wie ich erwartet habe«, verkündete Holmes mit einem triumphalen Lächeln und entledigte sich in Windeseile des blauen Overalls, unter dem er seine übliche nachlässige Angelkleidung trug. »Man hat bei der guten Frau eingebrochen. Der Einbrecher hat sich ziemliche Mühe gegeben, keine Spuren zu hinterlassen. Aber es besteht kein Zweifel daran, dass der

Kleiderschrank, die Kommode, der Schreibtisch und sogar der Küchenschrank durchsucht wurden. Der Eindringling hat aber wohl nicht gefunden, wonach er gesucht hat.«

»Wenn nichts gestohlen wurde, hat die Frau momentan andere Probleme«, sagte ich kopfschüttelnd, wunderte mich aber über Holmes' kühnen Schluss.

»Wie haben Sie festgestellt, dass eingebrochen wurde, obwohl keine Spuren hinterlassen und nichts mitgenommen wurde?«, entfuhr es mir.

»Offensichtlich ist die Schwester des Toten Linkshänderin. Das kann man schon an der Anordnung von Feder und Tintenfass auf dem Schreibtisch sehen. Der Einbrecher, und es war wohl nur ein einziger, war Rechtshänder und hat daher manches nicht exakt an die Stelle gelegt, an der es vor der Durchsuchung gelegen hatte. Aber ich habe nirgends eine Lücke gesehen, wo etwas weggenommen worden sein könnte«, erklärte mir Holmes.

Jedem anderen hätte ich unterstellt, dass es eine bloße Vermutung sei, dass der Einbrecher nicht gefunden hat, wonach er gesucht hatte. Aber Holmes vermutete nie etwas.

»Ich finde das Ganze recht seltsam«, wunderte ich mich nach einer Weile. »Wieso haben Sie geahnt, dass in die Wohnung eingebrochen wurde? Und wer vermutete eigentlich, dass eine alleinstehende Lehrerin irgendetwas besitzt, das das Risiko eines Einbruchs wert ist?«

»Sie besitzt möglicherweise einen fatalen Gegenstand, der ihrem Bruder den Tod gebracht hat. Es muss übrigens nicht unbedingt etwas von materiellem Wert sein«, sagte Holmes düster.

»Dann müsste man sie doch unter Polizeischutz stellen«, sagte ich – eine Bemerkung, die Holmes mit einem Kopfschütteln quittierte.

»Man hatte sich ja davon überzeugt, dass sich kein derartiger Gegenstand in ihrer Wohnung befindet«, entgegnete Holmes, und ich fragte mich, ob er vielleicht schon ahnte, wer dieser »man« war.

Bei unserer Rückkehr saß die gesamte Familie Schmitt im Wohnzimmer und unterhielt sich lebhaft. Selbst Alexanders jüngere Schwestern beteiligten sich an dem Gespräch über das Thema des Tages. Bisher hatte ich die beiden Mädchen nur bei Tisch gesehen und ab und zu mitbekommen, wie sie Gesangs- und Flötenunterricht erhalten hatten.

»Ich bin richtig stolz darauf, dass es mein Alexander war, der endlich herausgefunden hat, wer der Tote aus dem Wald ist«, erklärte die Hausherrin, als sie uns sah, und tätschelte strahlend den Kopf ihres Ältesten.

»Darauf kann er auch mit Recht stolz sein«, bestätigte ich, und der Junge schien einige Zentimeter größer zu werden.

»Stellen Sie sich vor: Jetzt hat man das Schulgebäude zum Spuk- und Unglückshaus erklärt. Dort hat sich nämlich vor einiger Zeit ein Lehrer erhängt, wohl aus Liebeskummer. Dabei ist dieser Thomas Laub doch gar nicht im Schulhaus gestorben. Haben Sie schon einmal etwas derartig Absurdes gehört? Und das in der heutigen Zeit, im Jahrhundert des Fortschritts und in einem Land, das zu den modernsten der Welt gehört?«, em-

pörte sich der Hausherr, und ich musste an seinen fort-
schrittsfeindlichen Freund aus St. Johann denken.

»Die Menschen ändern sich wohl nie«, meinte Holmes salomonisch, bevor er in sein Zimmer hinaufstieg,
die Tasche mit seinen Requisiten dort deponierte und
dann wieder zum Angeln ging.

9. Die Schwester

Als Holmes am nächsten Morgen adrett gekleidet am Frühstückstisch saß und seinen Kaffee kalt werden ließ, freute ich mich, dass er offenbar nicht vorhatte, wieder seiner neuen Leidenschaft zu frönen, dem Angelsport, sondern ermitteln wollte.

»Katharina Laub, die Schwester des Toten, ist inzwischen in Mettlach eingetroffen. Sie hat sich bereit erklärt, mit uns über ihren Bruder zu sprechen. Sie empfängt uns heute Morgen in der großen Pause in ihrer Wohnung im Schulgebäude«, informierte er mich gut gelaunt. »Wir sollten also so schnell wie möglich aufbrechen.«

Ich schmierte mir eilig ein Marmeladenbrot, um es unterwegs zu essen, und stürzte eine Tasse Tee hinunter, der zum Glück nicht mehr heiß war. Dann machten wir uns auf den Weg ins Schulhaus. Inständig hoffte ich, dass kein Nachbar den Einbruch beobachtet hatte und uns wiedererkannte.

Als wir das Schulhaus erreichten, tobten bereits mehrere Dutzend Kinder auf dem Schulhof. Prüfend schaute ich an der weißen Hauswand hoch. Die Efeuranken waren so dick, dass der Einbrecher, dessen Spuren Holmes bemerkt hatte, durchaus im Schutze der Dunkelheit die Wand hochgeklettert sein konnte.

Die Tür des Schulhauses stand sperrangelweit offen, und wir betraten einen dunklen Flur mit knarrenden Holzdielen. Ich blieb einen Augenblick lang stehen, um mich an die Lichtverhältnisse zu gewöhnen. Als es mir gelungen war, sah ich drei geschlossene Türen, hinter denen sich wohl die Klassenzimmer befanden. Holmes, der das Innere des Hauses ja schon kannte, hatte bereits eine steile Holztreppe am Ende der Diele erreicht, und ich folgte ihm.

Wir gelangten zu einem Absatz im ersten Stock, der zu einer Wohnungstür führte. Holmes klopfte an, wir hörten Schritte, und eine hochgewachsene, junge Frau mit bernsteinfarbenen Augen und braunen Locken öffnete uns. An ihrer Identität bestand kein Zweifel, denn sie war ihrem Bruder wie aus dem Gesicht geschnitten. Nur war ihr Haar dunkler, nicht aber ihr Teint, weshalb sie noch blasser als der Tote selbst zu sein schien. Sie trug ein dunkles, gut geschnittenes Kleid aus feinem Wollstoff, aber keinen Schmuck bis auf einen dünnen Goldring, der den Mittelfinger ihrer rechten Hand zierte. Obwohl ihre Augen vom vielen Weinen gerötet waren, war sie, zumindest auf den zweiten Blick, recht hübsch. Sie mochte die dreißig bereits überschritten haben, gehörte aber zu der Art Frauen, die man trotzdem als »Mädchen« bezeichnete.

»Guten Morgen, Fräulein Laub! Es ist sehr freundlich von Ihnen, uns in dieser schweren Zeit zu empfangen«, sagte Holmes, nachdem er mich vorgestellt hatte. »Sie sehen Ihrem Bruder sehr ähnlich«, sprach er dann aus, was auch ich eben gedacht hatte.

»Das sagen alle. Ich kann es aber gar nicht nachvollziehen. Ich bin eher nach unserem Vater geraten und er nach der Mutter«, entgegnete sie erstaunlich bestimmt. »Möchten Sie einen Tee?«

»Den kann ich gut gebrauchen«, sagte ich, denn es war ein kühler Morgen, und der lauwarme Tee hatte mich nicht aufzuwärmen vermocht.

»Nehmen Sie doch schon einmal im Wohnzimmer Platz«, forderte unsere Gastgeberin uns auf, deutete auf eine offene Tür und verschwand im gegenüberliegenden Raum.

Holmes und ich betraten einen sehr unpersönlichen Wohnraum, den sich die neue Bewohnerin aber sicher noch gemütlicher einrichten würde. Bald hörte man sie in der Küche herumwerkeln, wobei sie eine traurige Melodie summte. Ich nahm auf einem der beiden einfachen, braunen Sessel gegenüber einer ebenfalls braunen Couch Platz, während Holmes ungeniert Bücherregal und Schreibtisch inspizierte. Als er damit fertig war, betrachtete er einen kleinen Rosenholztisch neben dem Sofa, auf dem eine Porzellanschüssel und eine Porzellantasse standen, beide mit Efeuranken verziert. Daneben lag eine Pillendose.

Bevor Holmes den Deckel der Dose anheben konnte, kehrte die Lehrerin mit einem rot lackierten Holztablett zurück, auf dem eine Teekanne und drei Tassen aus heller Keramik standen. Katharina Laub stellte das Tablett auf den Couchtisch, und Holmes nahm gemächlich auf dem anderen Sessel Platz. Unsere Gastgeberin schenkte uns ein – mit der linken Hand, wie ich voller Bewunderung für Holmes bemerkte, der bereits aus dem Zustand der Wohnung geschlossen hatte, dass sie Linkshänderin war. Dann ließ sie sich auf dem schmalen Sofa nieder.

»Sie haben in Sankt Wendel Ihre Eltern besucht, wie einer Ihrer Schüler uns mitgeteilt hat?«, fragte Holmes, nachdem unsere Gastgeberin die Tassen mit köstlich riechendem Tee gefüllt hatte.

»Das muss der Junge falsch verstanden haben. Unsere Eltern sind schon lange tot. Ich habe mit meinem Bruder allein in unserem Elternhaus gewohnt. In den letzten Tagen habe ich die Schulferien genutzt, um ein paar Sachen zusammenzupacken, die ich nach Mettlach mitnehmen wollte«, entgegnete diese. »Man hat mich ja vor Kurzem hierher versetzt.« Aus ihrem Mund klang das wie nach Sibirien verbannt zu sein.

»Wissen Sie, was Ihren Bruder nach Mettlach geführt hat?«, erkundigte sich Holmes, und als die junge Frau nicht antwortete, fügte er hinzu: »Ich weiß, das haben Sie bestimmt alles bereits der Polizei erzählt, aber ich wäre Ihnen sehr verbunden, wenn Sie es für uns noch einmal wiederholen könnten.«

»Die Arbeit. Eigentlich war er ja ebenfalls Lehrer«, sagte die junge Frau und stockte sogleich. Sie rührte zwei Löffel Zucker in ihren Tee und blies dann in die Tasse. »Aber Thomas eckte überall an und hat nie einen Arbeitsplatz lange gehalten. Daher musste er alle möglichen Arbeiten annehmen«, fuhr sie schließlich fort. »Vor drei Monaten hatte er endlich wieder einen einigermaßen manierlichen Posten als Privatlehrer bei einer reichen Kaufmannsfamilie in Saarlouis bekommen. Vorletzte Woche stand er dann plötzlich mit seinem Koffer in der Hand vor der Tür unseres Elternhauses.

Er war schon wieder entlassen worden. Er hatte aber auch immer so ein Pech mit seinen Arbeitsplätzen. Mal ist der Arbeitgeber plötzlich gestorben, und ein anderes Mal ist eine Firma bankrottgegangen. Dafür konnte der Arme ja schließlich nichts. Ich war also nur mäßig überrascht. Er war aber ganz geknickt und hat sich dafür entschuldigt, dass er mein Geld verschwendete und meine Geduld überstrapazierte.«

Sie schaute einen Augenblick lang nachdenklich aus dem Fenster, und ich trank einen großen Schluck von dem Tee, der genauso gut schmeckte, wie er roch.

»Ich habe ihm gesagt, dass das nichts macht. Aber er ist während meiner Abwesenheit abgereist und hat mir nur einen kurzen Brief hinterlassen, in dem stand, dass er eine Arbeit in Mettlach angenommen hat. Außerdem teilte er mir mit, dass er den Zweitschlüssel zu meiner Dienstwohnung mitgenommen und sich hier einquartiert hätte. Vielleicht hätte ich ihm folgen sollen, aber wie konnte ich ahnen …« Sie verstummte, und ich war überrascht, dass sie noch blasser werden konnte, als sie es ohnehin schon war. »Ich habe ihn nicht mehr lebend gesehen«, stammelte sie dann.

Holmes hatte einige Zeilen mit einem Bleistift in sein kleines, ledergebundenes Notizbuch geschrieben, bevor er die nächste Frage stellte. »Wissen Sie, was für eine Arbeit das war?«, erkundigte er sich dann und schaute von seinen Notizen hoch.

Katharina Laub zuckte bedauernd mit den Schultern und rührte einen weiteren Löffel Zucker in ihren Tee.

»Wohl etwas, das ihm so peinlich war, dass er mir keine Einzelheiten mitgeteilt hat«, antwortete die junge

Frau, hob dann endlich ihre Teetasse und trank einen Schluck, wobei sie den kleinen Finger abspreizte.

»Und Sie haben sich keine Sorgen gemacht, als Sie nichts mehr von Ihrem Bruder gehört haben?«, fragte ich irritiert und leerte meine Tasse.

»Warum sollte ich? Hier ist doch noch nie etwas passiert. Es waren ja gerade Schulferien, und ich sah keine Veranlassung, nach Mettlach zu fahren.«

»Welche Fächer hat er unterrichtet, als er noch Lehrer war?«, fragte Holmes und schlug sein wieder Notizbuch auf.

»Er war ebenfalls Volksschullehrer und hat daher so gut wie alle Fächer unterrichtet«, sagte die Lehrerin und stellte ihre halb leere Tasse ganz vorsichtig auf die Untertasse zurück.

»Interessierte er sich für Altertümer?«, erkundigte sich Holmes mit bewundernswerter Beiläufigkeit – und ich hielt die Luft an.

»Ja, schon als Kind war er von allem fasziniert, was alt ist. Er war aber auch sehr gut in Mathematik und hat während seines Studiums als Landvermesser gearbeitet«, antwortete unsere Gastgeberin, ohne zu zögern. Ihre Augen füllten sich mit Tränen, und sie zog ein Taschentuch aus ihrer Rocktasche. »Aber warum um Himmels willen wollen Sie das alles wissen?«, fragte sie uns, nachdem sie vorsichtig ihre Augen betupft hatte.

»Um das Bild zu vervollständigen. Je mehr ich über Ihren Bruder weiß, umso größer die Wahrscheinlichkeit, dass ich das Motiv für die Tat herausfinde«, behauptete Holmes.

»Als ich hörte, dass er tot ist, dachte ich an einen Unfall«, brach es unvermittelt aus Katharina Laub heraus.

»Es könnte durchaus ein Unfall gewesen sein«, sagte Holmes in einem beruhigenden Tonfall. »Aber dann stellt sich natürlich die Frage, wer ihn im Wald versteckt hat und vor allem aus welchem Grund.«

»Er war nicht beliebt, aber ihn deshalb gleich umbringen? Ich verstehe das nicht! Wer macht denn so etwas?«, entfuhr es der jungen Frau, und sie brach erneut in Tränen aus.

»Deshalb sprechen wir ja mit Ihnen, um das herauszufinden«, sagte Holmes. »Hatte Ihr Bruder eine Freundin oder Verlobte?«

»Nein, das hatte er bestimmt nicht«, sagte sie in einem Tonfall, als ob das etwas Ehrenrühriges wäre, und ich fragte mich, ob er dergleichen wohl seiner offenbar älteren Schwester anvertraut hätte.

»Dann scheidet also ein eifersüchtiger Rivale aus«, sagte Holmes nachdenklich.

Die Lehrerin schüttelte vehement den Kopf. Dann besann sie sich ihrer Pflichten als Gastgeberin und hielt die Teekanne hoch, ohne etwas zu fragen.

Ich nickte und ließ mir nachschenken.

»Ich habe die erste Tasse noch nicht ausgetrunken«, sagte Holmes und hielt die Hand über seine Teetasse. »Halten Sie es für möglich, dass Ihr Bruder eine größere Geldsumme bei sich geführt hat?«, wollte er dann wissen.

»Ganz bestimmt nicht. Er war immer knapp bei Kasse«, entgegnete seine Schwester hörbar befremdet.

»Das habe ich mir schon gedacht. Ein Raubmord scheint also ebenfalls unwahrscheinlich«, sagte Holmes und genehmigte sich endlich einen Schluck Tee.

»Es würde mich nicht wundern, wenn es hier im Wald Räuber geben sollte. Das würde das Bild abrunden, das ich mir von dieser Gegend gemacht habe«, sagte die Lehrerin mit einem bitteren Zug um den Mund.

Die armen Schüler, durchfuhr es mich.

»Hatte Ihr Bruder noch andere Probleme, außer einen Arbeitsplatz zu behalten?«, wollte Holmes ungerührt wissen.

»Was für Probleme meinen Sie?«, fragte unsere Gastgeberin befremdet nach und putzte sich die Nase.

»Schwierigkeiten mit anderen Menschen zum Beispiel«, präzisierte Holmes.

»Nein, Thomas war ein anständiger Mensch!«, verkündete seine Schwester vehement und steckte das Taschentuch zurück in die Rocktasche. Während sie sprach, sah ich, wie sie sich allmählich wieder fasste.

»Auch anständige Menschen können in Schwierigkeiten geraten«, warf ich ein, wobei ich an meine unangenehme Begegnung mit dem Gendarmen dachte. Aber niemand ging auf meine Bemerkung ein.

»Gab es jemanden, den Ihr Bruder als Feind ansah?«, fragte Holmes.

»Er war mit der ganzen Welt verfeindet. Aber nein, es gab niemand Bestimmtes«, sagte Katharina Laub in einer Mischung aus Resignation und Tadel.

»Irgendjemandem war er aber offenbar ihm Weg«, stellte Holmes in einem sachlichen Tonfall fest, aber ich konnte in seinen Augen Besorgnis sehen. »Hatten Sie gemeinsame Freunde oder Bekannte?«

»Nein!«, antwortete unsere Gesprächspartnerin ohne nachzudenken und schniefte nochmals kurz.

»Hat er in Stankt Wendel oft Besuch empfangen?«

»Niemals«, entgegnete unsere Gastgeberin bedauernd. »Er war ein Außenseiter, ein richtiger Sonderling. Das war er schon immer. Er war schweigsam, fing zwar von sich aus keinen Streit an, wahrte aber Abstand zu den anderen, auch zu Arbeitskollegen, bei denen er als hochmütig galt. Aber im Grunde war er kein glücklicher Mensch.«

»Haben Sie eine Freundin, bei der Sie ein paar Tage bleiben können?«, fragte ich sie.

Doch Katharina Laub schüttelte den Kopf. Sie schien sich wieder völlig unter Kontrolle zu haben. »Das hat mich schon der Gendarm gefragt«, sagte sie. »Nein. Die einzigen Frauen, die ich hier kenne, sind die Mütter meiner Schüler, und zu denen möchte ich doch lieber einen gewissen Abstand wahren.«

»Was halten Sie eigentlich von den Leuten hier?«, fragte Holmes und lehnte sich auf seinem Sessel zurück.

»Ich finde sie wenig entgegenkommend«, war die aus ihrem Mund nicht unerwartete Antwort. »Und jetzt wird ohnehin nichts mehr so sein wie früher.«

Ich sah an Holmes' skeptischem Blick, dass selbst der eigenbrötlerische Meisterdetektiv einen ganz anderen Eindruck von den Einheimischen gewonnen hatte, nämlich, dass sie gesellig und mitteilungsfreudig waren.

»Gibt es an Ihrer Schule noch einen anderen Lehrer?«, fragte er nach einer Schrecksekunde.

»Ja, den Schulleiter Herrn Fischer. Er ist verheiratet und wohnt im Ort. Ich glaube aber nicht, dass er meinem Bruder begegnet ist. Schließlich sind Ferien, und Thomas ist Autoritäten lieber aus dem Weg gegangen«, entgegnete die Schwester mit einem leisen Seufzer.

»Eine ganz andere Frage«, sagte Holmes unvermittelt. »Finden Sie, dass in Ihrer Wohnung noch alles so aussieht wie vor Ihrer Abreise?«

»Ja, selbstverständlich! Wenn man davon absieht, dass die Staubschicht noch etwas dicker geworden ist. Mein Bruder hat zwar keine Unordnung hinterlassen, aber er hätte ruhig ab und zu Staub wischen können.«

»Ist Ihr Bruder ebenfalls Linkshänder?«, fragte Holmes.

»Ja, das ist er. Ich meine, das war er«, sagte Katharina Laub irritiert. »Warum interessiert Sie das?«

»Es könnte wichtig für meine Untersuchung sein«, war die nebulöse Antwort. »Sollten Sie irgendetwas vermissen, teilen Sie es mir bitte unverzüglich mit«, schärfte Holmes dann unserer Gastgeberin ein.

»Ich vermisse nur meinen Bruder«, sagte sie, wieder mit den Tränen kämpfend.

»Wissen Sie, ob Ihr Bruder ein Tagebuch geführt hat?«, fragte Holmes, während er weitere Notizen machte.

Er schaute erstaunt hoch, als die Lehrerin das bejahte: »Ja, das hat er. Wahrscheinlich hat er nur seinem Tagebuch seine Gedanken anvertraut.«

»Es wäre sehr freundlich von Ihnen, wenn Sie mir Einsicht in dieses Tagebuch gewähren würden«, verkündete Holmes erfreut. »Ich werde es auch nur mit

Fingerspitzen anfassen und absolutes Stillschweigen darüber wahren, was ich darin lese.«

»Natürlich hätte ich es Ihnen geliehen …«

»Hätte? Sie haben es doch hoffentlich nicht vernichtet«, unterbrach Holmes alarmiert.

»Natürlich nicht. Aber leider habe ich das Tagebuch nicht gefunden, obwohl ich die ganze Wohnung danach durchsucht habe«, entgegnete Katharina Laub bedauernd. »Wenn ich das nächste Mal in Sankt Wendel bin, werde ich dort danach suchen, obwohl ich mir eigentlich nicht vorstellen kann, dass Thomas es dort gelassen hat. Das würde gar nicht zu ihm passen.«

»Sollten Sie das Tagebuch doch noch finden, so lassen Sie es mich doch bitte unverzüglich wissen«, trug Holmes ihr auf.

»Das werde ich tun«, versprach unsere Gastgeberin, doch ihre Stimme verriet, dass sie es nicht mehr zu finden hoffte. »Sie werden doch den Mörder meines Bruders finden?«, fragte sie dann leise. »In die hiesige Polizei habe ich nicht besonders viel Vertrauen.«

»Da bin ich ganz zuversichtlich. Mister Sigerson hat noch jeden Fall aufgeklärt«, beruhigte ich sie, als Holmes nicht reagierte.

Im gleichen Moment hörte ich in meinem inneren Ohr den Vorwurf meines Schwagers, dass ich es versäumt hätte, in diesem Augenblick der jungen Frau unsere üblichen Honorarsätze zu nennen.

»Wir wohnen bei der Familie Schmitt. Bitte informieren Sie mich, falls Sie irgendetwas über den Aufenthalt Ihres Bruders in Mettlach erfahren oder sein Tagebuch finden sollten«, sagte Holmes und erhob sich aus seinem Sessel.

»Sie haben meinen Bruder anonym auf dem Friedhof an der Luwinus Kirche begraben. Ich werde ihn in unser Familiengrab in Sankt Wendel überführen lassen«, sagte Katharina Laub etwas unmotiviert.

»Bevor man ihn identifiziert hat, blieb dem Pfarrer auch nichts anderes übrig«, gab Holmes zu bedenken. »Es gibt noch ein interessantes Detail. Jemand hat einen Blumenstrauß auf die Stelle gelegt, an der die Leiche Ihres Bruders gefunden wurde. So pietätlos, wie Sie glauben, sind die Menschen hier nicht.«

Die junge Frau wirkte aber nicht, als ob sie durch logische Argumente zu überzeugen wäre.

»Das macht ihn auch nicht wieder lebendig«, entgegnete sie finster.

»Jetzt wollen wir aber Ihre Zeit nicht länger in Anspruch nehmen. Sie müssen ja wieder zu Ihren Schülern«, sagte Holmes, und auch ich erhob mich.

Wir verabschiedeten uns, stiegen die Treppe hinunter und verließen das Schulhaus mit schnellen Schritten.

»Woher wussten Sie, dass Thomas Laub ein Tagebuch geführt hat?«, fragte ich draußen.

»Das passt zu seinem eigenbrötlerischen Charakter. Außerdem hatte ich mich gefragt, wonach der Einbrecher gesucht haben könnte. Ich bezweifle allerdings, dass er es gefunden hat«, entgegnete Holmes.

»Vielleicht wurde das Tagebuch so gut versteckt, dass weder der Einbrecher noch Katharina Laub es gefunden hat«, schlug ich vor.

»Ich hätte es gefunden, wenn es sich in der Wohnung befunden hätte. Es muss woanders versteckt worden sein«, erwiderte Holmes ohne falsche Bescheidenheit.

»Dieser Fall wird immer mysteriöser statt klarer«, überlegte ich beim Gehen. »Wir wissen noch nicht einmal, was genau Thomas Laub in Mettlach gemacht hat. Für mich hört sich das so an, als ob er in krumme Machenschaften verwickelt war. Bei seiner Vorgeschichte und seinem unverträglichen Charakter war es ja nur eine Frage der Zeit, bis er auf die schiefe Bahn geriet. Er könnte zum Beispiel ein Erpresser gewesen sein, der von einem seiner Opfer aus dem Weg geräumt worden ist.«

»Sie neigen zu voreiligen Schlüssen«, tadelte mich Holmes, ein Vorwurf, den ich mir schon unzählige Male hatte anhören müssen.

Aber wie immer behielt er seine offenbar abweichende Sicht der Dinge für sich.

»So wie ihn seine Schwester charakterisiert hat, wundert es mich umso mehr, dass man ihm Blumen auf das Grab gelegt hat«, überlegte ich.

»Entweder wurde der Mörder vom schlechten Gewissen geplagt oder es geschah aus abstrakter Pietät. Schließlich wusste zum damaligen Zeitpunkt allenfalls der Täter, wer der Tote war«, entgegnete Holmes, womit das Gespräch für ihn beendet war.

Schweigend legten wir den restlichen Weg zu unserem Quartier zurück.

»Was machen wir als Nächstes?«, fragte ich voller Tatendrang, als ich Doktor Schmitts Haus vor mir sah.

»Nach dem unvermeidlichen Mittagessen geben Sie Alexander Schmitt Englischunterricht und versuchen dabei herauszufinden, was man in der Schule so erzählt«, sagte Holmes in einem Tonfall, der keinen Widerspruch duldete, und ich seufzte leise. »Ich werde unterdessen *Villeroy & Boch* besichtigen. Den Termin habe ich bereits kurz nach unserer Ankunft in Mettlach vereinbart, als ich noch nicht ahnen konnte, welche dramatische Entwicklung unsere Untersuchung nehmen würde. Aber ich werde den Termin nicht absagen, denn offenbar hat das Meiste, was im Ort geschieht, irgendetwas mit der Keramikfabrik zu tun«, fuhr er ohne große Begeisterung fort.

»Nein, ich gebe heute Nachmittag keinen Englischunterricht, sondern komme mit zu *Villeroy & Boch*«, widersprach ich vehement. »Meine Frau hat mir geschrieben, dass ich mich unbedingt in der Keramikfirma umschauen soll. Schließlich stellen auch die Boldonis Fayencen her, und mein Schwager ist schon neugierig auf meinen Bericht.« Sie hatte mich auch gedrängt, endlich wieder nach Hause zu kommen, was ich aber lieber nicht erwähnte.

»Dann bleibt mir wohl nichts anderes übrig, als Sie mitzunehmen«, sagte Holmes belustigt. »Anschließend werde ich mit dem Gendarmen sprechen. Nachdem wir die Identität des Toten aufgedeckt haben, sollte es selbst für einen derart beschränkten Mann ein Leichtes gewesen sein herauszufinden, wo Thomas Laub in Mettlach gearbeitet hat.«

»Sie meinen, das sagt er Ihnen einfach so?«, fragte ich erstaunt.

»Wenn man eitlen Menschen schmeichelt, sagen sie einem alles, was sie wissen«, entgegnete Holmes und betrachtete mich dann amüsiert von der Seite. »Sie können mich natürlich gern auch zur Polizeiwache begleiten. Aber ich gehe davon aus, dass Sie keinen gesteigerten Wert darauf legen, mit dem Gendarmen zu sprechen.«

»Nein, ganz bestimmt nicht! Außerdem ist Ihre Erfolgsaussicht größer, wenn mein Anblick nicht seinen Unmut erregt. Wenn man schon Wolf Hauschild heißt«, entfuhr es mir schaudernd. »Da gebe ich doch lieber am späten Nachmittag Englischunterricht!«

»Heute Abend gehen wir in ein Wirtshaus. Nirgends erhält man so viele Informationen wie dort«, kündigte Holmes an, während er die Haustür öffnete.

Hoffentlich musste ich nicht in den Gasthof zurückkehren, in dem ich mich nach meiner Verhaftung betrunken hatte, durchfuhr es mich. Das wäre mir ziemlich peinlich gewesen. Aber zuerst stand die Firmenbesichtigung auf dem Programm.

10. Die Werksbesichtigung

Man betrat den Hauptsitz von *Villeroy & Boch* durch ein repräsentatives Barockportal, das von Säulen gerahmt und einem Wappen bekrönt war. Dahinter erstreckte sich ein langer, offener Hof, der zur Linken von der ehemaligen Abtei begrenzt wurde und zur Rechten von einem neu errichteten Gebäude im historischen Stil. Bevor man es betreten konnte, musste man die Kabine des Pförtners passieren, in der ein älterer Mann mit Nickelbrille und schütterem Haar saß.

»Herr Sigerson und Herr Tristram, wir sind zu einer Besichtigung der Firma angemeldet«, erklärte Holmes, der mich offenbar in der Zwischenzeit nachgemeldet hatte.

Der Pförtner nahm die Brille ab und beugte sich über einen vor ihm liegenden Terminkalender, sodass seine Nase fast das Papier berührte.

Noch bevor er fündig geworden war, kam ein asketisch wirkender Mann um die vierzig mit vollem, braunem Haar und einem schmalen Schnurbart aus dem Gebäude und schritt auf uns zu. »Willkommen, meine Herren! Sie sind sicher die beiden Engländer! Mein Name ist Paul Vogel. Es freut mich, dass Sie unsere Firma besichtigen wollen«, begrüßte er uns so begeistert, dass

ich mich fragte, ob Holmes uns als potenzielle Groß-
kunden angekündigt hatte.

»Ich bin Norweger«, korrigierte Holmes. »Es freut
mich, Sie kennenzulernen, Herr Vogel.«

»Gibt es etwas, das Sie besonders interessiert?«, wollte unser Begleiter wissen.

»Stellen Sie auch Figuren aus Keramik her?«, fragte
ich, da Holmes nichts erwiderte.

»Wir haben mit Fayencen angefangen, vor allem Kaf-
fee-, Tee-, Dessert- und Tafelservice, Obstkörbe, Kom-
pottschalen, aber auch Teller. Inzwischen stellen wir
aber selbstverständlich auch hochwertiges Porzellan her
und vor allem die berühmten Mettlacher Platten, die in
alle Welt exportiert werden«, sagte Vogel, der offenbar
immer den gleichen Text abspulte, auch wenn man ihm
gerade eine konkrete Frage gestellt hatte.

»Sie stellen also keine figürlichen Keramiken her?«,
hakte ich nach, um meiner angeheirateten Familie endlich die gewünschten Informationen liefern zu können.
Wobei ich nicht wusste, ob mein Schwager hoffte, mit
der Firma zusammenarbeiten zu können, oder ob er sie
als Konkurrenz fürchtete.

»Nicht offiziell, aber die Arbeiter formen und bren-
nen manchmal Tierfigürchen für ihre Kinder«, entgegnete Herr Vogel mit einem entschuldigenden Lächeln,
bevor er seine Einführung fortsetzte: »Hier in der Abtei
ist der Firmensitz, aber es gibt im Ort noch mehrere andere Fabriken, die zu uns gehören, und auch ein Werk
in Wallerfangen.«

»Dort hat doch Thomas Laub gearbeitet?«, fragte Holmes mit argloser Miene.

»Der Name sagt mir spontan nichts, aber natürlich kenne ich nicht alle Beschäftigten. In welcher Abteilung war er denn?«, fragte Herr Vogel säuerlich.

»Das weiß ich leider auch nicht«, bedauerte Holmes. »Er ist um die dreißig, groß, aber sonst eher unscheinbar. Möglicherweise war er auch hier im Ort tätig.«

»Außerdem gerät er leicht in Konflikt mit anderen Menschen«, fügte ich der Vollständigkeit halber hinzu.

»Nein, diesen Herrn kenne ich zum Glück nicht. Auf solche Mitarbeiter legen wir auch keinen gesteigerten Wert, denn uns ist ein gutes Betriebsklima wichtig«, entgegnete unser Gesprächspartner und zwirbelte seinen Schnurrbart wie ein Bösewicht in einem Bühnenstück.

Zu meiner Schande muss ich gestehen, dass ich mich kaum noch an technische Details erinnere, die wir in den verschiedenen Abteilungen kennenlernten. Ich entsinne mich nur daran, dass wir am Ende der Besichtigung einen langgestreckten Saal betraten, dessen linke Front durch bodentiefe Fenster reichlich beleuchtet war. Hier arbeiteten die Porzellanmaler in hellen, von Farbflecken übersäten Kitteln an Tischen, deren Schmalseiten an der Wand standen. Jeder von ihnen dekorierte einen anderen Gefäßtyp. Die gegenüberliegende Wand war von Regalen mit den fertigen Produkten bedeckt. Neugierig hielt ich nach Figuren Ausschau, entdeckte aber keine.

»Sehr schade«, murmelte ich vor mich hin, als uns ein Herr im schwarzen Anzug mit weißem Hemd und steifem Kragen entgegenkam, wohl der Leiter der Abteilung.

»Kennen Sie zufällig Thomas Laub?«, fragte Holmes, was aber leider nicht der Fall war.

Als wir diese letzte Abteilung verlassen hatten, verabschiedeten wir uns sehr höflich von unserem Begleiter und bedankten uns, dass er sich so viel Zeit für uns genommen hatte.

»Es würde mich sehr freuen, wenn Sie uns mit einem Auftrag beehren könnten«, sagte Herr Vogel und bestätigte damit meinen Verdacht, dass Holmes hochgestapelt hatte.

Dann verließen wir das Gebäude.

»Das hätten wir uns auch sparen können«, sagte Holmes draußen. »Ich weiß jetzt alles über die Keramikherstellung. Die Materie ist an und für sich nicht uninteressant, doch wird dieses Wissen mir kaum bei der jetzigen Ermittlung behilflich sein.«

Es war typisch für Holmes, dass er nur Informationen für relevant hielt, die für seine Arbeit nützlich waren.

»Was hatten Sie sich denn von dieser Werksbesichtigung erhofft?«, fragte ich belustigt und atmete gierig die frische Luft ein, eine Wohltat nach den Fabrikationsräumen.

»Sie sollte das Bild nur abrunden. Außerdem hatte ich doch gehofft, dass jemandem der Name Thomas Laub etwas sagen könnte«, erwiderte Holmes schlecht gelaunt und verfiel dann in melancholisches Schweigen.

11. Das Gasthaus zur Alten Post

Holmes' noch immer finstere Miene bei seiner Rückkehr am frühen Abend verhieß nichts Gutes. Außerdem wirkte er leider, als ob er wieder einmal nicht in Stimmung war, über das zu reden, was ihm nicht behagte.

»Wie war es bei dem Gendarmen?«, fragte ich trotzdem.

»Das erzähle ich Ihnen auf dem Weg in die Gastwirtschaft. Wir sollten bald dorthin aufbrechen. Holen Sie mich doch bitte ab, wenn Sie aufbruchsbereit sind«, entgegnete er und konsultierte seine Taschenuhr.

Die Aussicht, das Haus und meinen Sprachschüler zu verlassen, hob schlagartig meine trübe Stimmung. Als Erstes machte ich mich auf die Suche nach Frau Doktor Schmitt, um ihr mitzuteilen, dass wir an diesem Abend durch Abwesenheit an ihrer Tafel glänzen würden. Ich fand die Hausherrin über ein Buch gebeugt im Wohnzimmer. Sie war so in ihre Lektüre vertieft, dass sie mein Eintreten nicht bemerkte.

Ich räusperte mich geräuschvoll, bevor ich die Leserin ansprach. Sie schrak zusammen, schlug das Buch zu und schaute mich einen Augenblick lang an, als hätte sie mich noch nie gesehen.

»Guten Abend, Frau Doktor Schmitt. Wir müssen einmal ausgehen und schaffen es leider nicht, zum Abendessen zurück zu sein«, sagte ich dann, was die Arztgattin mit einem missbilligenden Kopfschütteln quittierte.

Aber sie sagte nichts, sondern setzte ihre Lektüre fort.

Dann eilte ich die Treppe hoch und klopfte an Holmes' Tür. Er bat mich nicht hinein, wohl wegen der Unordnung im Raum, sondern trat einige Sekunden später in die Diele. Wir holten unsere Mäntel und Hüte von der Garderobe und machten uns auf den Weg.

Zum Glück musste ich Holmes diesmal nicht lang drängen. Eine kurze Nachfrage genügte, und er begann mit seinem Bericht.

»Es ist genau, wie ich mir gedacht habe«, verkündete er so enthusiastisch, dass uns ein älterer Herr, der uns entgegenkam, irritiert anschaute.

Wir lüfteten unsere Hüte zum Gruß, worauf der Unbekannte höflich zurückgrüßte.

»Thomas Laub hat in Mettlach als Landvermesser gearbeitet. Er war auf einem Gelände tätig, das der Firma *Villeroy & Boch* gehört. Aber sein direkter Arbeitgeber war ein lokaler Bauunternehmer, weshalb der Name Thomas Laub in der Keramikfabrik niemandem etwas gesagt hatte«, erläuterte Holmes mit gedämpfter Stimme, bevor er wieder in sein melancholisches Grübeln zurückfiel.

Ich hätte zu gern gewusst, welche Laus ihm über die Leber gelaufen war, wagte aber nicht nachzufragen.

»Der Englischunterricht ist und bleibt eine reine Zeitverschwendung. Alexander Schmitt ist völlig unbegabt für Fremdsprachen, und er hat auch nicht das geringste Interesse daran«, sagte ich, obwohl Holmes sich nicht danach erkundigt hatte, wie mein Tag war, und trat frustriert einen Kieselstein vom Weg.

Eine Weile lang schritten wir schweigend durch die Dämmerung. Holmes starrte beim Gehen auf den Boden, während ich darüber nachdachte, was ich gerade über Thomas Laub erfahren hatte.

Nach einem etwa zehnminütigen Fußmarsch erreichten wir einen ansehnlichen Bau an einer Straßenkreuzung. In der beginnenden Dämmerung wirkte das von Gaslampen erleuchtete Innere des Lokals umso verlockender. Über dem Eingang mit einer breiten, mit Schnitzereien verzierten Tür knarrte ein Wirtshausschild an einer verrosteten Stange im Wind. Es zeigte eine altmodische, vierspännige Postkutsche in voller Fahrt. Die Farben waren ziemlich verblasst, aber die Kutsche war noch deutlich zu erkennen. Darüber stand in goldenen Lettern *Wirtshaus zur Alten Post.* Offenbar war der Schriftzug kurz zuvor nachgezogen worden. Erleichtert stellte ich fest, dass es nicht der Gasthof mit den wackeligen Tischen und den überquellenden Aschenbechern war, in dem ich einige Biere über den Durst hinaus getrunken hatte. Es handelte sich wohl um eine ehemalige Postkutschen-Station. Obwohl man sich kaum vorstellen konnte, wie eine vierspännige Kutsche durch den Torbogen zum Hof hindurchgekommen war.

»Hier werden wir uns jetzt etwas umhören«, verkündete Holmes und deutete auf den Bau.

Beim Öffnen der Tür schlug uns ein intensiver Geruch von Bier, Kartoffeln und gebratenem Fleisch entgegen. Erst in diesem Augenblick bemerkte ich, wie hungrig ich war.

Es war ein altes Haus mit niedrigem Türrahmen, und Holmes musste den Kopf einziehen, um sich nicht zu stoßen. Der schwach beleuchtete Schankraum mit kaum mannshoher Decke wirkte noch niedriger, als der hochgewachsene Meisterdetektiv eingetreten war. Es war ein typisch deutsches Lokal mit Holzbalken an der Decke, Butzenscheiben und rustikaler Möblierung, dessen Wände mit Hirschgeweihen und Landschaftsbildern dekoriert waren. Hier wurden deftige Speisen serviert, aber in der Regel mehr getrunken als gegessen. Mir gefielen diese Gaststätten, da sie meist manierlicher und sauberer waren als englische Pubs, was auch für die Gäste zutraf. Im Dezember stand in der Alten Post bestimmt in der Ecke ein geschmückter Weihnachtsbaum.

Zu dieser frühen Stunde waren nur drei andere Gäste im Schankraum. Einer lehnte mit einem Bierglas in der Hand an der Bar. Die anderen beiden saßen an einem der kleinen quadratischen Tische. Es gab auch lange Bänke für größere Gesellschaften. Der etwas größere der beiden Männer um die dreißig war hager, unrasiert und trug noch seine staubige Arbeitskleidung. Seine ungekämmten, braunen Locken bedeckte eine speckige Mütze. Sein Begleiter hatte sich entweder für den Wirtshausbesuch umgezogen, oder er übte eine Beschäftigung aus, bei der man sich nicht schmutzig machte.

Hinter der Theke stand der stämmige Wirt und verscheuchte eine ihn umkreisende Fliege mit dem Spültuch. »Guten Abend, meine Herren«, begrüßte er uns mit einem freundlichen Lächeln.

Augenblicklich verstummte das Gespräch der beiden Gäste am Tisch. Neugierig drehten sie sich nach uns um. Gemustert von vier Augenpaaren hängten wir Mäntel und Hüte an der hölzernen Garderobe neben dem Eingang auf und durchquerten den Raum bis zum Nachbartisch der beiden Arbeiter. Dort wählte Holmes einen Stuhl, vom dem er die Tür im Blick hatte.

Als ich ebenfalls Platz genommen hatte, blieb mein Blick auf den Tellern unserer Nachbarn hängen, auf denen sich ein Kartoffelauflauf türmte, daneben ein Stück Wurst und eine Scheibe Brot als Beilage. Ich lebte seit vielen Jahren in Florenz und liebte die italienische Küche. Aber manchmal fehlten mir doch die herzhaften Gerichte meiner englischen Heimat – und dieses Essen schien mir ein guter Ersatz dafür zu sein.

Ein kräftiges Mädchen trat an den Tisch, nach der Familienähnlichkeit zu schließen, die Wirtstochter. »Sie wünschen bitte?«, fragte sie.

»Könnten Sie vielleicht so freundlich sein, uns mitzuteilen, falls zufällig Herr Fischer, der Schulleiter, hier vorbeischauen sollte?«, fragte Holmes und drückte dem Mädchen ein paar Münzen in die Hand.

Wortlos steckte sie das Geld ein und nickte.

»Ich möchte dieses Gericht und dazu bitte ein großes Bier«, sagte ich und deutete auf die Teller der Nachbarn, denen gerade vom Wirt Getränke serviert wurden, nicht die ersten, wie ich vermutete. Einer bedanke sich mit einem Nicken, der andere sagte ein paar Worte, die ich jedoch nicht verstand und über die der Wirt lachte.

»Dibbelabbes?«, fragte die Bedienung, und ich zuckte irritiert mit den Schultern.

»Das ist bei uns ein typisches Gericht. Wir essen hier viel Grumbeeren«, sagte der kräftige Wirt, nun zu mir gewandt.

»Nein, keine Brombeeren, sondern jenes Gericht dort«, präzisierte ich, und diesmal lachten auch die Männer am Nachbartisch.

»Grumbeeren sind Kartoffeln«, sagte Holmes, der sich mit einem Schmalzbrot zu seinem Bier begnügte. Kein Wunder, dass er inzwischen nicht nur hager, sondern regelrecht ausgezehrt aussah. Seine Wangen waren eingefallen, das Haar strähnig und die Haut fahl, obwohl er sich doch beim Angeln viel im Freien aufhielt.

Ehe wir uns versahen, stand das Gewünschte vor uns, und ich bemerkte verärgert, dass meine Portion kleiner war als die der Männer am Nachbartisch. Zwar würde ich auch so nicht verhungern, aber ich fühlte mich zweitklassig behandelt. Trotzdem ließ ich es mir schmecken.

»Schauen Sie mal, wer da hereinkommt«, sagte Holmes einige Minuten später und deutete mit dem Kopf in Richtung Tür.

Neugierig drehte ich mich um und erblickte unseren alten Bekannten Herrn Backes, den Insektenexperten. Er war etwas besser angezogen als neulich im Wald, aber nicht viel. Schlurfend und unsicher lächelnd ging er durch den Schankraum in Richtung Tresen. Aber für jemanden, der vor Kurzem eine Leiche gefunden hatte, schien er sich schnell von seinem Schock erholt zu haben.

»Guten Abend, Herr Backes«, begrüßte ich ihn, als er sein Ziel erreicht hatte. »Meinen Sie, dass es hier interessante Käfer gibt?«

»Das will ich doch nicht hoffen«, stammelte er und knete nervös die Hände.

Seine Stimme klang überhaupt nicht freundlich. Was war nur seit unserer letzten Begegnung vorgefallen?

»Mit so etwas macht man keine Scherze«, wies mich der Wirt zurecht, während er immer noch versuchte, die renitente Fliege zu vertreiben. Oder war es eine andere?

»Ich würde Sie gern zu einem Glas Bier einladen«, sagte Holmes zu Herrn Backes, erhob sich und ging zur Theke.

Das Angebot, ihm ein Bier zu spendieren, wurde von dem Naturfreund freudig angenommen. Er zog sich einen Hocker an die Theke, warf seinen Mantel darüber, und bald fachsimpelte er mit Holmes über Käfer. Es erstaunte mich immer wieder, dass Holmes oft verblüffende Spezialkenntnisse abwegiger Themen besaß, aber dann ganz banale Dinge nicht wusste, wie zum Beispiel, dass sich die Erde um die Sonne drehte und es sich nicht umgekehrt verhielt.

Hastig schlang ich die letzten Bissen meines Essens herunter und gesellte mich dann zu Holmes an die Theke.

»Sagt Ihnen der Name Thomas Laub etwas?«, fragte Holmes in diesem Augenblick Herrn Backes.

»Der Tote, den ich neulich im Wald gefunden habe?«, vergewisserte sich dieser, und Holmes nickte. »Nein, den Namen hatte ich bis jetzt nicht gehört, aber schließlich stammte er ja auch nicht von hier.«

»Peter, möchtest du noch ein Bier?«, rief der Wirt dem besser gekleideten der beiden Männer am Nachbartisch zu, die inzwischen die riesigen Portionen von ihren Tellern abgeräumt hatten.

Holmes drehte sich abrupt um und musterte eingehend den Mann, den der Wirt Peter genannt hatte.

»Noch nicht, ich habe ja das letzte noch nicht ausgetrunken«, antwortete dieser lachend.

»Entschuldigen Sie, aber sind Sie zufällig Peter Marxen?«, fragte ihn Holmes.

»Ja, das bin ich«, bestätigte unser Nachbar zu meinem Erstaunen, denn wahrscheinlich war der Vorname Peter auch in Deutschland weit verbreitet. »Sie sind doch sicher die beiden Herren aus England, die neulich mit meiner Frau gesprochen haben?«, fragte er zurück. Zum Glück lag kein Vorwurf in seiner Stimme.

Als Holmes bejaht und uns vorgestellt hatte, stand Peter Marxen auf, ging zur Theke und reichte uns die rechte Hand, deren Druck zeigte, dass er gewohnt war, fest zuzupacken.

»Es freut mich, dass Sie offenbar wieder völlig gesund sind«, sagte Holmes.

»Es war zum Glück nichts Ernsthaftes, nur eine kleine Magenverstimmung. Ich muss wohl etwas Falsches gegessen haben.«

»Aber nicht bei mir!«, schaltete der Wirt sich empört ein.

»Das habe ich auch nicht behauptet«, beteuerte Peter Marxen amüsiert.

»Ich möchte zahlen«, rief sein Kamerad in diesem Augenblick der Bedienung nach, die sich gerade mit einem schwer beladenen Tablett vorsichtig dem übernächsten Tisch näherte, an dem sich mittlerweile eine Gruppe von fünf Männern niedergelassen hatte.

Der Wirt kam hinter der Theke hervor und stellte Peter Marxens Kameraden einen Schnaps auf Kosten des Hauses auf den Tisch, bevor er die auf dem Bierdeckel notierte Zeche abkassierte. Der Arbeiter kippte den Schnaps mit zugekniffenen Augen herunter, wie man es mit einer besonders scheußlichen Medizin tut, erhob sich leicht schwankend, verabschiedete sich von seinem Kameraden und ging zur Tür.

Herr Backes nutzte die Situation, um sich ebenfalls grußlos zurückzuziehen, was ich ziemlich verdächtig fand.

»Kannten Sie Thomas Laub?«, erkundigte sich Holmes bei Peter Marxen.

»Niemand kennt diesen Menschen, er ist ja nicht gerade mitteilsam.« Wie elektrisiert vernahm ich diese Worte. Wir hatten tatsächlich endlich jemanden gefunden, der den mysteriösen Toten aus dem Wald gekannt hatte. »Er scheint einen Groll gegen die gesamte Welt zu hegen und schaut jeden von uns an, als ob er gerade bei etwas Wichtigem gestört worden wäre. Und seine Mahlzeiten nimmt er auch immer allein ein …« Peter Marxen stockte abrupt in seiner Tirade. »Sie sagten eben ›kannten‹? Heißt das, dass ihm etwas zugestoßen ist?«, fragte er bestürzt.

Konnte es wirklich sein, dass er das noch nicht mitbekommen hatte? Vielleicht ging er ja an diesem Abend erstmals nach seiner Krankheit wieder unter Leute. Aber trotzdem fand ich seltsam, dass seine Frau ihm nicht die Neuigkeit erzählt hatte.

»Ja, er ist vor einigen Tagen tot im Wald aufgefunden worden«, erklärte Holmes, ebenfalls hörbar irritiert.

»Was? Das war Thomas Laub? Mein Gott, wie schrecklich!«, entfuhr es Peter Marxen. Er starrte einige Sekunden ins Leere und schien nach Worten zu suchen. »Dann entschuldigen Sie bitte meine unfreundlichen Worte!«, sagte er schließlich.

Der Wirt drehte sich herum, als wollte er etwas sagen, verkniff es sich aber, was wohl daran lag, dass sich das Lokal langsam füllte.

»Sie müssen sich nicht entschuldigen. Menschen werden nicht sympathischer, nur weil sie tot sind«, sagte Holmes und trank einen Schluck Bier. »Sie haben also mit Thomas Laub zusammengearbeitet?«

»Er hat auf einem Grundstück, das der Firma gehört, das Gelände vermessen, weil dort gerade eine Baumaßnahme stattfindet.«

»Baut man eine neue Fabrikhalle?«, fragte Holmes interessiert.

»Nein, eine Kapelle.«

Ich weiß nicht, welche Antwort ich erwartet hatte, aber diese ganz bestimmt nicht.

»Sie bauen eine Kapelle auf dem Firmengelände?«, fragte Holmes erstaunt. »Dort steht doch bereits ein uralter Sakralbau.«

»Das ist die altehrwürdige Lutwinus-Kapelle aus dem Mittelalter. Sie ist der Vorläufer der Kirche auf dem Berg, die denselben Patron hat«, berichtete Peter Marxen. »Aber die meinte ich nicht. Auf dem Firmengelände, nahe am Bahnhof, wird gerade eine dem heiligen Joseph geweihte Kapelle errichtet. Eigentlich wird sie hierhertransportiert. Sie stand früher in Wallerfangen. Aber als der Firmensitz von *Villeroy & Boch* von

Wallerfangen nach Mettlach verlegt wurde, hat man die Kapelle abgebaut und die Steine per Schiff hierhertransportiert. Jetzt wird sie über einer Familiengruft wiederaufgebaut.«

Die von einem Ort zum anderen transportierte Kapelle erinnerte mich fatal an unser norwegisches Abenteuer.[3]

»Arbeiten Sie auf dieser Baustelle?«, fragte ich, da mir das Ganze langsam zu kompliziert wurde.

»Nein, aber ich schaue regelmäßig vorbei und versuche zu verhindern, dass die Arbeiter allzu viel Schaden anrichten. Der Bauarbeiter muss noch geboren werden, der keine Abfälle hinterlässt. Thomas Laub hatte eigentlich weder mit mir noch mit den Bauarbeitern direkt etwas zu tun. Trotzdem hat er es geschafft, sich mit allen herumzustreiten«, erklärte Peter Marxen sachlich. Einen Augenblick lang starrte er brütend vor sich hin und schaute uns dann an. »Ich glaube, ich habe in den letzten fünf Minuten mehr über Thomas Laub nachgedacht als in der ganzen Zeit unserer Bekanntschaft.«

»Das ist völlig normal, wenn jemand so plötzlich und unerwartet stirbt«, sagte ich nachdenklich, denn mir war es mit meinem Schwiegervater ebenso ergangen.

»Hatte Thomas Laub auch Streit mit Ihrem Freund, der eben so hastig aufgebrochen ist?«, erkundigte sich Holmes, worauf Peter Marxen den Kopf schüttelte.

»Er ist in der Produktion und muss sich weder mit Bauarbeitern noch mit diesem Querulanten herumärgern«, entgegnete unser Gesprächspartner. »Seine Frau ist hochschwanger. Deshalb konnte er nicht länger blei-

---

3   Siehe: Sherlock Holmes und das Orakel der Runen.

ben, und auch ich muss jetzt leider aufbrechen«, fügte er hinzu und winkte den Wirt herbei. Als dieser nicht sofort reagierte, wandte Peter Marxen sich uns wieder zu. »Was ich nicht verstehe: Wieso interessieren Sie sich eigentlich für Thomas Laub?«, fragte er dann mit gerunzelter Stirn.

»Eigentlich haben mich die legendären Riesenwelse an die Saar geführt«, behauptete Holmes mit unschuldiger Miene. »Aber da ich privater Ermittler bin, hat der unbekannte Tote im Wald natürlich mein berufliches Interesse geweckt.«

»Über Ihre Angelversuche redet schon der halbe Ort«, sagte Herr Marxen grinsend.

»Und es kam niemandem verdächtig vor, als Herr Laub nicht mehr zur Arbeit erschienen ist?«, fragte Holmes, ohne auf die Spitze einzugehen.

»Es hat ihn jedenfalls niemand vermisst, ganz im Gegenteil. Ich hatte noch am Vortag darum gebeten, ihn nicht mehr bei uns vorbeizuschicken, damit wieder Frieden auf der Baustelle herrscht. Ich war davon ausgegangen, dass man ihn daraufhin gefeuert hat.«

»Könnten Sie mir vielleicht den Namen des Mannes nennen, der Thomas Laub angestellt hat und bei dem Sie sich beschwert haben?«

»Das ist Herr Moll.«

»Und wo finde ich diesen Herrn Moll«, fragte Holmes und zog sein Notizbuch aus der Jackentasche.

»In der Ortsverwaltung.«

»Kennen Sie zufällig Herrn Fritz Altmeier?«, fragte Holmes, nachdem er den Namen notiert und das Notizbuch zurückgesteckt hatte.

»Muss ich den kennen?«, entgegnete unser Gesprächspartner, der offenbar langsam keine Lust mehr hatte,
Holmes' Fragen zu beantworten.

»Er arbeitet ebenfalls bei *Villeroy & Boch* und war zur
selben Zeit krank wie Sie«, erklärte Holmes.

»Und deshalb meinen Sie, dass ich ihn angesteckt habe?«, fragte Peter Marxen belustigt.

»Diese Überlegungen überlasse ich Doktor Schmitt«,
entgegnete Holmes, ohne das Lächeln seines Gesprächs-
partners zu erwidern. »Mich interessiert nur, ob Sie den
Mann kennen.«

»Allenfalls vom Sehen. In der Fabrik gibt es sehr viele
Mitarbeiter, die kann ich doch nicht alle kennen«, sagte
er mit einer wegwerfenden Handbewegung.

Nichts deutete darauf hin, dass er nicht die Wahrheit
sagte, aber er schien inzwischen auf der Hut zu sein.

Bevor Holmes eine weitere Frage stellen konnte, forderte er den Wirt in einem ungehaltenen Tonfall auf,
endlich zu ihm zu kommen, was dieser auch tat. Peter
Marxen bezahlte, gab aber kein Trinkgeld und bekam
auch keinen Schnaps ausgegeben. Nachdem er seine
Börse eingesteckt hatte, verabschiedete er sich von uns
mit einem knappen Nicken.

»Wenn Ihnen noch irgendeine Einzelheit zu Thomas
Laub einfallen sollte, so lassen Sie es mich bitte wissen«,
sagte Holmes und schüttelte Herrn Marxen die Hand,
wie es hier offenbar üblich war. »Und meine besten
Empfehlungen an Ihre reizende Gattin.«

Diesem Wunsch schloss ich mich aus vollem Herzen
an. Wie konnte eine so nette Frau nur einen derart hin-
tergründigen Mann haben?

Einen Augenblick lang schaute Peter Marxen mich an, als ob er meine Anwesenheit jetzt erst bemerkt hätte. Dann wünschte er uns beiden einen schönen Abend und wandte sich zum Gehen. Auch er musste den Kopf einziehen, um sich nicht am Türrahmen zu stoßen.

»Was macht Herr Backes eigentlich beruflich? Er scheint ja sehr viel Freizeit zu haben«, fragte Holmes den Wirt, nachdem sich die Wirtshaustür hinter Peter Marxen geschlossen hatte. Der Wirt war gerade im Begriff gewesen, uns zu fragen, ob wir noch etwas trinken wollten.

»Noch zwei Bier bitte!«, sagte ich, um ihn bei Laune zu halten.

»Ja, Beamter müsste man sein. So wie die arbeiten, möchte ich gern meinen Urlaub verbringen«, entgegnete der Wirt, während er gemächlich ein Bier zapfte.

Holmes erkundigte sich daraufhin, wo genau Herr Backes beschäftigt war, aber das konnte oder wollte der Wirt nicht sagen.

Kurze Zeit später trat die Bedienung mit den beiden Biergläsern an unseren Tisch heran.

»Ich wollte Sie eben nicht in Ihrem Gespräch unterbrechen, aber Herr Fischer hat vor Kurzem das Lokal betreten«, sagte das Mädchen leise zu Holmes. »Der korpulente Herr ganz hinten, auf der Eckbank.«

Holmes steckte ihr noch ein paar Münzen zu. Dann nahm er sein Glas und ging zum Tisch des Lehrers. Herr Fischer war ein korrekt gekleideter, tatsächlich recht beleibter Mann um die vierzig. Nach seiner strengen Miene zu schließen, war er jedoch kein gutmütiger Dicker wie mein Schwager Andrea und mit einigen Abstrichen auch Doktor Schmitt. Er wandte uns den Rücken zu und trank gerade mit einem kultivierten, älteren Herrn ein Glas Wein.

»Guten Abend, Herr Fischer. Entschuldigen Sie, dass ich Sie einfach so anspreche, aber ich würde Ihnen gern eine Frage stellen«, sagte Holmes mit einer angedeuteten Verbeugung und stellt uns vor.

»Aber bitte, nehmen Sie doch Platz«, wurden wir aufgefordert, was wir auch taten.

Leider hielt es der Schulleiter nicht für nötig, uns mit seinem Begleiter bekannt zu machen, obwohl dieser vor Neugier zu platzen schien.

»Wir versuchen, den Mord an Thomas Laub aufzuklären …«

»Ist das nicht die Aufgabe der Polizei?«, wurden wir von dem Lehrer unterbrochen.

»Wir arbeiten natürlich eng mit der Polizei zusammen«, behauptete Holmes. »Ich habe auch nur eine ganz kurze Frage: Kannten Sie Thomas Laub?«

»Nein, ich hatte nicht das zweifelhafte Vergnügen. Nach dem, was man sich über ihn erzählt, habe ich wohl nicht viel versäumt«, entgegnete Herr Fischer mit verkniffener Miene und gab dann die Frage an seinen Begleiter weiter.

Aber auch dieser war Thomas Laub nie begegnet, was er aber zu bedauern schien.

»Ich kann es wirklich nicht gutheißen, dass seine Schwester ihn in der Dienstwohnung für Lehrer einquartiert hat«, schimpfte daraufhin Herr Fischer los.

»Es sollte ja nur für kurze Zeit sein, bis er eine eigene Bleibe gefunden hat«, entgegnete ich, denn dieser offenbar völlig humorlose Prinzipienreiter weckte in mir das Bedürfnis, Thomas Laub in Schutz zu nehmen.

»Trotzdem hätte sie die übergeordnete Dienststelle um Erlaubnis bitten müssen, allein schon aus Versicherungsgründen«, stellte unser Gesprächspartner so vehement fest, dass selbst sein Kamerad die Stirn runzelte.

»Das hat sich ja leider inzwischen erübrigt«, sagte Holmes, verabschiedete sich von den beiden Herren und erhob sich mit seinem Bierglas, das er noch nicht angerührt hatte.

»Ich hatte gehört, dass Peter Marxen fast jeden Tag nach der Arbeit noch schnell ein Bier in der Alten Post trinkt«, sagte er, als wir wieder an der Theke standen. »Aber es war wirklich ein Glücksfall, dass wir auch den Schulleiter hier angetroffen haben.«

»Mittlerweile verstehe ich, dass Thomas Laub ihm aus dem Weg gegangen ist«, entgegnete ich.

In den nächsten zwei Stunden plauderte Holmes charmant mit jedem, der an die Theke kam, vorzugsweise über den Angelsport. Aber er lenkte immer wieder geschickt das Gespräch auf unseren Fall.

»Eine Nachbarin meinte, dass Thomas Laub in der Dämmerung Besuch empfangen hat. Leider konnte sie nicht erkennen, wer es war«, hörte ich einen alten Mann sagen, der einen hohen Hocker herangerückt hatte und aufmerksam unserem Gespräch zuhörte, den Ellbogen auf die Knie gestützt.

»Das kann ich mir nicht vorstellen. Wer sollte den schon besuchen?«, wurde sogleich von mehreren Seiten widersprochen.

Neben mir schimpfte ein junger Bursche über das unbeständige Wetter, bevor auch er den Kartoffelauflauf bestellte, dessen Namen ich mir leider nicht gemerkt hatte.

»Du kannst nicht immer nur Kartoffeln essen. Du brauchst auch Obst und frisches Gemüse«, sagte die Wirtstochter, als sie das Mahl vor ihn hinstellte, und ihr Vater warf ihr einen tadelnden Blick zu.

Die Luft im Lokal war recht trocken, weshalb ich ein Bier nach dem anderen trank, bis ich in einer wohlig angeheiterten Stimmung vor mich hin döste. Inzwischen fand ich das Lokal so gemütlich wie mein Wohnzimmer in Florenz.

Dann betrat ein Neuankömmling den Schankraum, der mir schlagartig den bis dahin angenehmen Abend verdarb, nämlich der Gendarm. Sofort wurde ich nüchtern und richtete mich auf. Ich bemerkte erst jetzt, dass kein Licht mehr durch die Butzenscheiben fiel. Draußen war finstere Nacht.

»Guten Abend, Herr Hauschild! Es ist aber doch noch keine Polizeistunde«, grüßte ihn der Wirt alarmiert.

Mir schien, dass auch die anderen Gäste auf einmal verlegen herumsaßen, wie Patienten im Wartezimmer eines Zahnarztes, denen es schon vor der Behandlung graut.

»Ich wollte nur kurz nach dem Rechten schauen«, verkündete der Gendarm in die Runde.

»Wie immer alles in Ordnung«, beteuerte der Wirt etwas zu eifrig. Er schien kurz davor, die Hacken zusammenzuschlagen. »Wollen Sie nicht ein Glas Bier trinken, Herr Hauschild? Es geht selbstverständlich auf Kosten des Hauses!«

»Ich trinke nicht im Dienst«, sagte der Gendarm, und sein Blick blieb auf mir haften. Ich wappnete mich innerlich gegen eine boshafte Bemerkung, die aber zum Glück ausblieb. Er machte kehrt, öffnete die Tür, und ich wünschte ihm von Herzen, dass er gegen den Türsturz rannte, was aber leider nicht geschah.

Nachdem der Ordnungshüter wortlos in der Dunkelheit verschwunden war, nahmen die Gäste ihre Gespräche wieder auf. Wir blieben noch eine Weile im Wirtshaus, erfuhren aber nichts, was wir nicht schon wussten.

12. Die Baustelle

Am nächsten Tag frühstückten wir bereits im Morgengrauen, da Holmes so schnell wie möglich mit den Arbeitern der Kapellen-Baustelle sprechen wollte. Als ich die Haustür hinter uns zuzog, war die Dämmerung gerade in ihre letzte Phase getreten und ein kalter Wind fegte durch die Straßen. Der Morgennebel lag so dicht über der Saar, dass man kaum noch die Spitze des Kirchturms erkennen konnte.

Die Wäsche flatterte neben manchen Häusern im Wind. Sonst regte sich nichts im Ort. Wir passierten den Laden eines Metzgers, in dessen Eingang ein Fasan baumelte, aber das Geschäft war noch geschlossen.

Wir entdeckten die Baustelle erst, nachdem wir einmal um die falsche Ecke gebogen waren, denn sie befand sich hinter einer langen, roten Mauer, gegenüber der großen Fabrik vor dem Bahnhof. Als wir unser Ziel endlich erreichten, hatte sich der Bodennebel noch nicht ganz aufgelöst. Im blässlichen Morgenlicht sah ich, dass der Chorbereich der Kapelle bereits mehrere Fuß hoch gemauert war, während das Kirchenschiff noch nicht einmal begonnen war.

Kein Lärm drang an unser Ohr, sondern nur die Stimmen mehrerer Männer, ein weiterer Grund, warum wir die Baustelle zuerst verfehlt hatten. Eine kleine Gruppe von Menschen stand im Halbkreis auf dem Gelände, darunter nur zwei Männer in grober, schmutziger Kleidung und mit grobem Schuhwerk, die nach Arbeitern aussahen. Unter den städtisch gekleideten Herren erkannte ich Herrn Backes und leider auch Herrn Hauschild, seines Zeichens Gendarm, was ein ganz schlechtes Zeichen war.

»Ich habe es schon befürchtet, dass es noch einen Toten gibt!«, hörte ich den Ordnungshüter sagen, der sich offenbar überhaupt nicht freute, dass er mit seiner Theorie richtiggelegen hatte.

Jetzt waren wir nahe genug gekommen, um zu sehen, dass ein männlicher Leichnam hinter den Schaulustigen auf dem Boden lag. Es war ein kräftiger Mann von Ende zwanzig in Arbeitskleidung. Er lag auf der Seite, in seinem Rücken war eine Stichwunde zu sehen. Das daraus gesickerte Blut hatte auf dem Boden eine Pfütze gebildet. Am meisten erschütterte mich das Gesicht des Toten. Kein Erstaunen war darauf zu sehen, kein Schreck, sondern es war ganz gelassen, der Mund leicht geöffnet, wie zu einem Lächeln. Instinktiv hielt ich bei dem schrecklichen Anblick in der Bewegung inne. Wieder war ein junger Mensch gewaltsam aus dem Leben gerissen worden.

»Die beiden Morde wurden von einem Geistesgestörten begangen, und der kam bestimmt von woanders. Das ist kein Mensch. Das ist der Leibhaftige«, sagte dieselbe ältere Frau, die bereits beim Fund von Thomas Laubs Leiche betont hatte, dass der Täter nur ein Auswärtiger sein könne. Sie hatte ein dunkles, geblümtes

Kopftuch unter dem Kinn verknotet, sodass der Stoff bis auf die hochgezogenen Schultern herabfiel, und schaute finster in die Runde.

»Bestimmt hat der Verrückte auch Fritz Altmeier umgebracht. Der liegt jetzt irgendwo verscharrt im Gelände«, entfuhr es dem jüngeren der beiden Bauarbeiter. Er hatte ein schmales, verschlagen wirkendes Gesicht, das vor Schreck kreidebleich war, und wirkte für einen Bauarbeiter recht schmächtig.

Bei diesen Worten ging ein zustimmendes Raunen durch die kleine Gruppe.

»Ich muss zugeben, dass ich diese Möglichkeit bisher noch nicht erwogen habe«, sagte Holmes leise auf Englisch zu mir.

»Sie kennen diesen Mann?«, fragte der Gendarm den älteren Arbeiter, der vor Schreck fast so starr wirkte wie sein toter Kamerad.

»Ja sicher, das ist der Josef, mein Maurer. Ich bin hier der Polier«, antwortete dieser. Er war ein großer, breitschultriger Mann mit rotem Gesicht, dunklem Haar und einem bereits ergrauten, mächtigen Schnurrbart.

»Und wie heißt er, ich meinte, hieß der Mann mit Nachnamen?«

»Bruckner.«

Der Gendarm, der uns bisher den Rücken zugewandt hatte, wandte sich in diesem Augenblick um und erblickte Holmes und mich. »Sie schon wieder! Woher wussten Sie, was hier passiert ist?«, fuhr er uns an. Sein Blick war so kalt, dass er die Saar hätte gefrieren lassen können. »Und wenn Sie schon ungebeten hier aufkreuzen, hätten Sie wenigstens Doktor Schmitt mitbringen können!«

»Ich hatte nicht die geringste Ahnung, dass es wieder einen Toten gegeben hat«, beteuerten Holmes und ich zugleich.

»Dann haben Sie sich wohl im Nebel verlaufen. Zum Flussufer geht es in die andere Richtung, falls Sie angeln wollten«, entgegnete der Gendarm sarkastisch. Ostentativ holte er seinen Kneifer aus der Innentasche seiner Uniform und putzte ihn sorgfältig mit einem blütenweißen Taschentuch.

»Wir wollten zum Bahnhof und sind zufällig hier vorbeigekommen«, behauptete Holmes.

»Ich hoffe, Sie wollten dort eine einfache Fahrkarte nach Norwegen lösen«, entgegnete der Gendarm, noch immer die Brillengläser polierend.

»Nicht bevor ich einen großen Wels aus der Saar gezogen habe«, parierte Holmes. »Ich wollte mich nur nach den Fahrzeiten nach Sankt Wendel erkundigen. Ich kann einen kleinen Tapetenwechsel vertragen.«

»Vielleicht haben Sie ja dort mehr Glück mit dem Angelsport!«, sagte der Gendarm.

»Das ist ziemlich unwahrscheinlich, denn Sankt Wendel liegt nicht an der Saar, sondern an der Blies«, entgegnete Holmes. »Und ich glaube nicht, dass es in diesem kleinen Fluss riesige Fische gibt.«

»So genau kenne ich mich mit der Geographie hier noch nicht aus«, brummte der Gendarm, was ihm die missbilligenden Blicke aller Umstehenden einbrachte.

Ungerührt setzte dieser seinen Kneifer auf die Nase und steckte das Taschentuch in die rechte Jackentasche seiner Uniform.

»Herr Sigerson! Ich finde es äußerst verdächtig, dass Sie

und Herr Tristram immer dort auftauchen, wo gerade ein Verbrechen begangen wurde!«, fuhr er uns dann an.

»Es ist mein Beruf, mir den Tatort anzuschauen«, erwiderte Holmes pompös und wandte sich an die beiden Arbeiter. »Sie kannten doch Thomas Laub?«

»Nur vom Sehen«, sagte der ältere.

»Über dieser Baustelle liegt ein Fluch. Zuerst Thomas Laub und jetzt der Josef! Und wieder hat Herr Backes ihn gefunden«, stieß der jüngere der beiden aus und begann am ganzen Körper zu zittern.

Der Gendarm schüttelte bedächtig den Kopf. Dann wanderte sein Blick zu Herrn Backes, der wiederum auf seine Schuhe starrte, die an den Spitzen abgenutzt waren. Auch war ein Absatz leicht abgetreten. Die Kleidung war in keinem besseren Zustand: Die Ellbogen des Gehrocks waren abgeschabt und an einer Stelle gestopft, und der Kragen des weißen Hemdes war beinahe durchgescheuert.

»Ich bin unschuldig. Ich habe doch nur vor der Arbeit eine kleine Runde gedreht und kam zufällig hier vorbei. Sie wissen schon, mein Hobby, die Käfer«, stammelte er und biss sich unentwegt auf die Unterlippe.

Ich an seiner Stelle hätte mich beim Anblick des Toten schleunigst aus dem Staub gemacht.

»Was haben Sie am gestrigen Tag gemacht, außer zu arbeiten?«, fragte ihn der Gendarm.

Herr Backes schaute ängstlich durch seine Hornbrille. Durch die dicken Gläser wirkten seine Augen noch kleiner.

»Ich habe so früh wie möglich im Büro aufgehört und bin dann nach Trier gefahren, weil die Bibliothek dort gestern ihren langen Abend hatte. Ich habe die neueste Fachliteratur über Käfer gelesen.«

Einen Augenblick lang fragte ich mich, ob der Mann uns zum Besten hielt, aber ein Blick in sein einfältiges Gesicht überzeugte mich vom Gegenteil.

»Und Sie haben den Toten in genau dieser Position gefunden?«, fragte der Gendarm, der zwar bösartig, aber offenbar nicht dumm war.

»Nein, er lag auf dem Bauch. Aber ich war es nicht, der ihn angerührt hat! Kurze Zeit später kamen diese beiden Herren da und haben ihn umgedreht!«, entgegnete der Käferexperte und deutete anklagend auf die Arbeiter.

»Das hätten Sie lassen sollen«, sagte der Gendarm und bedachte nun die Arbeiter mit einem tadelnden Blick.

»Es ist wirklich ein Jammer, dass schon wieder alle Spuren vernichtet wurden«, sagte Holmes auf Englisch zu mir, und zwar in einem Tonfall, als ob unter allen Menschen er allein Zugang zur Welt der Spuren hätte.

»Wer hat Josef Bruckner zuletzt lebend gesehen?«, wollte der Gendarm wissen.

»Wahrscheinlich wir beide«, sagte der jüngere Arbeiter, der sich wieder gefangen hatte. »Einer bringt immer abends die Werkzeuge in den Schuppen und räumt auf. Und gestern war der Josef dran. Vielleicht hätten wir diese Arbeit immer gemeinsam erledigen sollen, vor allem wenn es bereits dämmert. Aber wer hätte denn gedacht, dass es gefährlich ist?«

»Und dann kommt dieser Spinner ständig vorbei und behauptet, dass wir hier Chaos anrichten. Völliger Blödsinn! Ich sorge hier schon für Ordnung«, fügte der

Polier erbost hinzu. »Dieser Wichtigtuer ist doch selbst nur ein ganz kleiner Fisch, aber hier meint er, uns schikanieren zu können.«

»Sie sprechen von Peter Marxen?«, vergewisserte sich Holmes, was die beiden Männer mit finsterem Gesichtsausdruck bestätigten.

Es war das zweite Mal, dass Holmes das Wort an die Zeugen gerichtet hatte, und diesmal hob der Gendarm an, ihn zurechtzuweisen, dass er sich nicht in die Polizeiarbeit einmischen solle. Doch in diesem Augenblick nahte, keuchend und etwas derangiert, der korpulente Doktor Schmitt und zog die gesamte Aufmerksamkeit auf sich. Bei seinem Anblick musste ich unweigerlich an den goldenen Becher denken, der uns an die Saar geführt hatte. Ob Holmes auch diesen Fall lösen würde? Momentan schien er sich nur für die beiden Mordfälle zu interessieren, aber vielleicht hingen die Fälle ja tatsächlich alle zusammen.

»Sie hätten mir getrost sagen können, dass es schon wieder einen Toten gegeben hat. Dann wäre ich mit Ihnen gekommen«, tadelte der Arzt Holmes und mich, kaum dass er uns bemerkt hatte. Dabei blinzelte er in die langsam den Nebel auflösende Sonne, als wäre er lange nicht mehr im Freien gewesen.

Wieder beteuerten wir, rein zufällig vorbeigekommen zu sein.

»Der Leichnam lag auf dem Bauch, als er gefunden wurde. Leider wurde er von den beiden Arbeitern umgedreht«, informierte der Gendarm den Arzt.

»Das hat ihm wohl nicht weiter geschadet, denn er war ja bereits tot«, sagte Doktor Schmitt trocken. Er schob den Hut auf den Hinterkopf, steckte seine Hände in die Taschen seines Gehrocks und musterte die schuldbewusst dreinblickenden Übeltäter. Eine Uhrenkette spannte über seinem gewaltigen Bauch und verschwand in der Westentasche. Dieser Gehrock würde ihm bald zu eng sein, wenn er seinen Appetit nicht etwas zügelte. »Diese beiden Männer scheinen unter Schock zu stehen. Sie sollten heute nicht mehr arbeiten, sondern sich von dem Schrecken erholen«, verkündete er schließlich.

»Ja, gern«, sagten die beiden zugleich und wollten augenblicklich verschwinden, aber ein bohrender Blick des Gendarmen durch seinen Kneifer genügte, um sie in der Bewegung erstarren zu lassen.

»Ich brauche noch Ihre offizielle Zeugenaussage, meine Herren! Und Ihre natürlich ebenfalls, Herr Backes«, erklärte er, bevor er sich an Doktor Schmitt wandte. »Die Todesursache dürfte ja wohl klar sein, aber was für ein Messer war das? Außerdem interessiert mich der genaue Zeitpunkt seines Todes.«

Der Ansatz eines Lächelns, das auf dem Gesicht des Arztes gespielt hatte, verschwand, und er hockte sich schwerfällig neben den Leichnam.

»Hatte Josef Bruckner mit irgendjemandem Streit?«, fragte der Gendarm unterdessen die beiden Arbeiter.

»Er ist mit jedem gut ausgekommen«, beteuerten der Polier und der Maurer.

»Wenn man von Thomas Laub absieht«, konnte ich mich nicht beherrschen hinzuzufügen.

»Der hatte mit jedem Streit – und außerdem ist er tot. Er kann den Josef nicht umgebracht haben«, entgegnete der jüngere Arbeiter.

In diesen Augenblick wehte von der Saar her kalte, übel riechende Luft ins Gemäuer, und ich hielt mir die Hand vor die Nase.

»Wahrscheinlich ist dieser Verrückte rein zufällig vorbeigekommen und hat gehört, dass auf der Baustelle noch jemand arbeitet«, vermutete der Polier.

»Und er hatte ganz zufällig ein Messer dabei?«, entfuhr es mir.

»Natürlich, er hatte ja vor, irgendjemanden zu ermorden«, sagte der jüngere Arbeiter, worauf der Gendarm die Augen verdrehte.

Doktor Schmitt brauchte nur wenige Minuten, um den Toten zu untersuchen. »Er ist gestern Abend gestorben, ich würde sagen, zwischen fünf und acht«, sagte er dann. »Also wahrscheinlich kurz nachdem seine Kameraden die Baustelle verlassen hatten und er noch mit dem Aufräumen beschäftigt war.«

»Die Schlüsse überlassen Sie gefälligst mir!«, wurde er vom Gendarmen zurechtgewiesen. »Und was können Sie über die Tatwaffe sagen?«, fragte er dann, noch immer ungehalten.

»Das dürfte ein Fleischmesser gewesen sein, ein ganz normales Küchenutensil, wie es sich in jedem Haushalt und in jedem Gasthaus findet«, sagte der Arzt achselzuckend und erhob sich. Er brachte seine Kleidung in Ordnung und fuhr sich dann mit der Hand über seinen runden Bauch. »Vermutlich ist der Mann hier gestorben«, fügte er dann hinzu und deutete auf das Blut auf dem Boden.

Nach seinem Gesichtsausdruck zu schließen, stimmte Holmes dieser Einschätzung zu.

»Und er hat die ganze Nacht tot hier gelegen, ohne dass ihn jemand gefunden hat?«, wunderte sich der Gendarm. Sein Blick wanderte so vorwurfsvoll von einem Gesicht zum nächsten, als verdächtigte er alle Anwesenden, den Fund der Leiche nicht bei der Polizei gemeldet zu haben.

»Spätestens um sechs war es am Abend stockfinster, zumal direkt neben der Baustelle die Gaslaterne defekt ist«, sagte der Polier. »Und wer hätte schon einen Anlass gehabt, im Dunkeln hinter die Mauer zu gehen, um eine Baustelle zu betreten? Auf diese Idee kommt noch nicht einmal Herr Backes.«

»Ich habe sowieso den ganzen Abend in der Alten Post gesessen«, behauptete dieser, obwohl ihn niemand danach gefragt hatte.

Das brachte natürlich den Gendarmen auf den Plan. »Als ich dort um halb zehn vorbeigeschaut habe, habe ich Sie aber nicht gesehen«, konterte er sogleich.

»Haben Sie wenigstens inzwischen den Schmitt-Käfer gefunden, oder finden Sie nur Leichen?«, fragte der Arzt.

»Den Saulcyella Schmidti? Der ist in den letzten drei Jahren nur einmal gesichtet worden. Und auf Baustellen ist er bestimmt nicht anzutreffen«, entgegnete Herr Backes verschnupft.

»Sie sollten sich ein Beispiel an dem Käfer nehmen«, knurrte der Gendarm, rückte mit strenger Miene seinen Kneifer zurecht und forderte dann alle Unbeteiligten auf, den Tatort zu verlassen. Mich wunderte, dass er das nicht früher getan hatte.

Wir verabschiedeten uns von Doktor Schmitt und gingen in Richtung Bahnhof, aber Holmes blieb hinter der nächsten Kreuzung stehen. Ich sah zu, wie er eine Zigarette aus dem Etui holte, sich mit dem Rücken zum Wind drehte und die Zigarette anzündete. Bei diesem Fall hatte er offenbar der Pfeife Lebwohl gesagt. Oder sagte ihm der hiesige Pfeifentabak nicht zu?

»Fahren wir tatsächlich nach Sankt Wendel?«, fragte ich voller Unternehmungslust, als wir weitergingen.

»Natürlich nicht. Das war eine falsche Fährte«, sagte Holmes. »Wir sollten jetzt so schnell wie möglich nochmals Katharina Laub aufsuchen, um dem Gendarmen zuvorzukommen.«

»Überarbeitet hat er sich ja wohl nicht«, bemerkte ich. »Er hat offenbar gar nichts über den Mord an Thomas Laub herausbekommen. Mit seinen Möglichkeiten hätten Sie den Täter längst verhaftet. Aber dieser schreckliche Mensch scheint sich mehr für nächtliche Spaziergänger und für die Einhaltung der Polizeistunde in der Gastwirtschaft zu interessieren als für Mordfälle.«

Holmes widersprach nicht. »Jetzt wird er wohl seine Prioritäten ändern müssen. Der zweite Tote in Mettlach wird ein gefundenes Fressen für die Presse sein und weit über die Region hinaus Wellen schlagen«, entgegnete er. »Es ist bedauerlich, dass der Gendarm die beiden Bauarbeiter nicht in unserer Anwesenheit nach ihren Namen und Anschriften gefragt hat. Also müssen wir morgen nochmals auf der Baustelle vorbeischauen.«

Es gab also viel zu tun, und mit etwas Glück konnte ich mich vor dem Englischunterricht drücken.

»Ich würde mich nicht wundern, wenn doch jemand in der Nacht den Toten gesehen hat, aber es lieber nicht gemeldet hat«, verkündete ich nach einer Weile, was für Holmes eine müßige Spekulation war. »Es gibt doch in Mettlach mehr Menschen als vermutet, die Thomas Laub gekannt haben. Trotzdem hat ihn keiner nach der Zeichnung identifiziert. Bestimmt hat doch der eine oder andere nicht die Wahrheit gesagt«, überlegte ich weiter.

»Das ist eine alte Geschichte: Niemand will in einen Mordfall hineingezogen werden«, entgegnete Holmes. »Zumal alle Konflikte mit Thomas Laub gehabt haben und deshalb befürchten, dass sie das verdächtig macht.«

»Also mir ist vor allem dieser Herr Backes nicht geheuer«, verkündete ich, und mir wurde bewusst, dass ich nicht einmal seinen Vornamen kannte. »Wie kann er immer als Erster am Tatort sein, wenn er nicht der Mörder ist? Wahrscheinlich möchte er beim Fund der Leichen anwesend sein, um sich am Entsetzen der anderen zu ergötzen.«

»Und warum sollte er die beiden Männer umgebracht haben? So wie es bisher aussieht, hatte er nicht das geringste Motiv«, sagte Holmes und klopfte die Asche von seiner Zigarette.

»Wahrscheinlich reichte es ihm nicht mehr, Käfer aufzuspießen.«

»Die meisten Mörder entfernen sich vom Tatort und sorgen dafür, dass jemand anderes die Leiche findet«, entgegnete Holmes.

»Aber es besteht doch kein Zweifel daran, dass ein Zusammenhang zwischen den beiden Todesfällen besteht«, fuhr ich unverdrossen fort.

»Das ist nun wirklich elementar«, dämpfte Holmes meinen Elan. Er hatte es wieder einmal geschafft, dass ich mir wie ein Schuljunge vorkam. »Schon die Tatsache, dass beide Todesopfer etwas mit dieser Baustelle zu tun hatten, ist ein Hinweis auf diesen Zusammenhang, auch wenn die Methode eine andere war. Und leider gibt es in beiden Fällen bisher nicht das geringste Motiv.«

»Ob es ein weiteres Opfer geben wird?«, fragte ich besorgt.

»Das ist leider nicht auszuschließen«, entgegnete Holmes düster. »Und der Täter kann jederzeit nochmals seine Methode wechseln.«

»Ob die Todesart wohl eine tiefere Bedeutung hat?«, fragte ich Holmes und musste mich mit einem: »Das kann man beim derzeitigen Stand der Ermittlungen nicht beurteilen«, begnügen.

»Ein Verbrechen aus Leidenschaft scheidet wohl auch bei Josef Bruckner aus, ebenso wie Raubmord. Vielleicht wusste Josef Bruckner etwas, das er nicht wissen sollte«, überlegte ich weiter.

»Das ist genau die Frage: Was wusste er, dass man ihn für immer zum Schweigen bringen musste?«, griff Holmes den Gedanken auf.

Es passierte so selten, dass er mir zustimmte, dass es mir für ein paar Sekunden die Sprache verschlug. Dann fiel mir ein, dass er zuvor schon zugegeben hatte, etwas übersehen zu haben. Besorgt fragte ich mich, ob Holmes krank war.

13. Die Liebesromane

Nach einem herzhaften, aus mit Fleisch gefüllten Kartoffeln bestehenden Mittagsmahl machten wir uns auf den Weg zum Schulhaus. Holmes drückte die Klinke der Haustür herunter, zog den Türflügel auf, wir durchquerten den düsteren Flur und stiegen unbehelligt die Treppe zur Dienstwohnung im Obergeschoss hinauf. Holmes pochte mit den Knöcheln an der massiven Holztür an, und wir warteten ungeduldig auf ein Lebenszeichen der Bewohnerin.

Ein paar Sekunden lang passierte gar nichts, dann rumpelte es laut in der Wohnung, bevor uns endlich geöffnet wurde und wir in das blasse, leicht verquollene Gesicht der Lehrerin schauten. Offenbar hatte sie wieder geweint, und nun betrachtete sie uns, als wären wir eine weitere Enttäuschung in ihrem freudlosen Dasein.

Die Lehrerin begrüßte uns und runzelte die Stirn.

»Wir wollen Sie nicht lange stören, sondern haben nur ein paar kurze Fragen«, sagte Holmes beschwichtigend.

Katharina Laub zögerte, dann trat sie endlich aus dem Weg und bat uns hinein.

Diesmal wurden wir nicht im Wohnzimmer empfangen, sondern in der Küche, und wir bekamen auch keinen Tee angeboten, sondern nur ein Glas Wasser. Das ersparte der Hausherrin auch die Fragen nach Zucker und Milch.

Während sie die Gläser aus einem großen Krug aus Steingut füllte, der auf der Anrichte stand, ließ ich meinen Blick durch die spärlich eingerichtete Küche schweifen. An Möbeln gab es außer dem Herd nur einen Tisch, vier Stühle und eine wacklige Anrichte. Offenbar war Kochen nicht gerade das Hobby der Bewohnerin, denn auf den als Regal dienenden drei kurzen Brettern an der Wand standen wenige Teller und nur zwei Töpfe. Vielleicht hatte sie allerdings auch vor, nicht lange in Mettlach zu bleiben.

»Sie wissen, was passiert ist?«, fragte Holmes, als Katharina Laub sich uns gegenüber niedergelassen hatte.

»Ja, die Schüler haben mir erzählt, dass nun auch noch auf einer Baustelle ein Maurer ermordet worden ist. Jetzt geht in Mettlach die Panik um. Alle denken, dass eine Bande von Wahninnigen über ihren beschaulichen Ort hergefallen ist. Das wundert mich gar nicht. Man ist hier von jeher abergläubig. So vermutet man in den Bergen Schätze, die ihrer Hebung harren. Es ist schwer, den Schülern das auszutreiben«, sagte die Lehrerin missbilligend und trank einen Schluck Wasser.

Wahrscheinlich revidierte jetzt mancher Jugendliche die Einschätzung seines Heimatortes als etwas langweilig.

»Dass die Leute besorgt sind, weil hier schon wieder ein Mord begangen wurde, ist doch verständlich«, sagte ich und schaute skeptisch in mein Wasserglas. Eigentlich wäre mir Tee oder Kaffee lieber gewesen.

»Solange nur mein Bruder umgebracht worden war, hat sich niemand besonders darüber aufgeregt«, entgegnete Katharina Laub bitter und stellte ihr halb ausgetrunkenes Glas so vehement auf die Tischplatte, dass Flüssigkeit herausschwappte.

»Aber jetzt sind es schon zwei Tote, und jeder meint, er könne der Nächste sein«, wandte ich ein.

»Die Schüler erzählten auch, dass manche glauben, einer von Ihnen beiden sei der Mörder. Hier ist noch nie ein Kapitalverbrechen begangen worden, aber kaum sind zwei Engländer im Ort angekommen …«

»Ich bin Norweger«, unterbrach Holmes ungehalten, was unser Gegenüber nicht im Mindesten beeindruckte.

»Kaum sind Sie hier angekommen, werden zwei Männer ermordet, und der Täter könne ja wohl nur ein Auswärtiger sein«, fuhr sie ungerührt fort.

Ich konnte nicht recht nachvollziehen, was sie plötzlich gegen uns aufgebracht hatte. »Dann müsste man Sie ebenfalls verdächtigen, denn Sie sind auch nicht von hier!«, entgegnete ich erbost.

»Meinen eigenen Bruder ermordet zu haben?«, empörte sich Katharina Laub.

Ich verkniff mir den Kommentar, dass sehr viele Morde innerhalb der Familie begangen wurden, sondern schaute Holmes Beistand suchend an.

»Man hat uns erzählt, dass Ihr Bruder sich mit den Arbeitern überworfen hat, die gerade gegenüber diese Familienkapelle von Wallerfangen nach Mettlach versetzen«, kam Holmes endlich zur Sache. Bisher hatte er sich nur schweigend umgeschaut und mir das Gespräch überlassen.

»Fragen Sie besser, mit wem Thomas sich nicht überworfen hat. Das geht wahrscheinlich schneller. Es würde mich nicht wundern, wenn ich die Einzige war«, sagte sie so sachlich, als ob das die größte Selbstverständlichkeit wäre. »Das hat er von Mutter. Ich wusste oft überhaupt nicht, warum ich mit manchen Leuten nicht sprechen durfte.«

Jetzt wusste ich, warum sie bei unserem letzten Besuch betont hatte, eher nach dem Vater geraten zu sein.

»Sagt Ihnen der Name Josef Bruckner etwas?«, erkundigte sich Holmes, dessen Blick noch immer durch den Raum schweifte.

»Ich bin hier neu und kenne kaum jemanden, eigentlich nur die Schüler.«

»Das zweite Mordopfer heißt Josef Bruckner.«

»Ach richtig, die Schüler erwähnten den Namen. Halten Sie mich bitte nicht für eingebildet, aber ich verkehre nicht mit Bauarbeitern.«

Wenn ich ehrlich war, erging es mir ebenso, aber aus dem Mund einer Volksschullehrerin klang dieser Kommentar schon recht arrogant. Trotzdem tat sie mir leid, so blass und kränklich wirkte sie. »Sie sehen gar nicht gut aus. Vielleicht sollten Sie besser einen Arzt konsultieren, zum Beispiel Doktor Schmitt«, sagte ich mitfühlend, worauf mich die junge Frau anblickte, als hätte ich einen schrecklichen Fauxpas begangen.

»Was lesen Sie denn gerade?«, fragte Holmes und deutete auf zwei fette Wälzer, die auf der Fensterbank lagen.

Ich erwartete die Antwort, dass uns das nichts anginge, aber Katharina Laub gab bereitwillig Auskunft: »Zehn

Jahre nachher und der Graf von Monte Cristo, zwei Romane von Alexandre Dumas, meinem Lieblingsautor.«

Die Bücher von Dumas hatte ich bisher für eine Jungendlektüre gehalten, aber vielleicht färbte es ja ab, wenn man nur mit Kindern verkehrte.

»Von Alexandre Dumas wollte ich auch immer etwas lesen«, behauptete Holmes. Das hätte er bestimmt auch gesagt, wenn es sich um die Gebrauchsanleitung einer Schreibmaschine oder eine juristische Abhandlung gehandelt hätte.

Katharina Laub stand so langsam wie eine alte Frau auf, ging zum Fensterbrett, nahm das oben liegende Buch in die Hand, schlug es auf, holte das Lesezeichen heraus und las laut vor: »*In einem uns schon bekannten Gemache des Kardinalspalastes, an einem Tische mit vergoldeten Ecken, der mit Papieren, Büchern und Schriften beladen war, saß ein Mann, der seinen Kopf in beide Hände stützte. Hinter ihm war ein weiter, vom Feuer geröteter Kamin, worin die brennenden Scheiter auf breiten, vergoldeten Böcken ineinander fielen. Der Widerschein des Herdes erhellte die prächtige Kleidung dieses Träumers von rückwärts, während ihn vorn das Licht eines mit Kerzen ausgestatteten Kandelabers erleuchtete.*« Sie schlug das Buch wieder zu und blickte uns an.

»Ich wollte, ich könnte auch so gut formulieren«, bedauerte sie mit einem leisen Seufzer und legte den Roman wieder auf den anderen.

»Sie schreiben ebenfalls?«, fragte Holmes mit echtem Interesse.

»Ja, allerdings keine Historienromane, sondern Liebesgeschichten, und die veröffentliche ich unter einem Pseudonym.«

»Sie verraten mir wahrscheinlich nicht, unter welchem?«, fragte Holmes vorsichtig.

So etwas Ähnliches wie ein Lächeln huschte über ihr blasses Gesicht. »Ganz bestimmt nicht, Herr Sigerson. Sie erwecken auch nicht gerade den Eindruck, als ob Sie Liebesromane lesen«, sagte sie barsch und wandte sich dann an mich. »Aber Sie machen einen feinfühligen Eindruck, Herr Tristram. Sie verstehen doch etwas von der Liebe?«

»Wo denken Sie hin! Ich bin schließlich Ehemann und Vater«, verkündete ich, worauf unsere Gastgeberin erstmals lachte, wenn auch leider über mich.

»Sie sind wahrscheinlich eine sehr gute Lehrerin. Dem kleinen Alexander Schmitt haben Sie jedenfalls die Freude an der Lektüre vermittelt«, sagte ich, um das Gespräch in ein stilleres Fahrwasser zu lenken.

»Das muss mein Vorgänger gewesen sein«, entgegnete Katharina Laub kühl. »Bei mir beteiligt er sich kaum am Unterricht.«

»Sie haben noch immer nicht das Tagebuch Ihres Bruders gefunden?«, fragte Holmes und schaute sich um.

»Nein, leider nicht. Und ich weiß wirklich nicht, wo ich noch nachschauen könnte«, bedauerte die Lehrerin. »Wahrscheinlich hat Thomas es irgendwo versteckt, für den Fall, dass ihm etwas zustoßen sollte.«

»Rechnete er denn damit?«, fragte Holmes erstaunt.

»Warum sollte er sonst das Tagebuch versteckt haben?«, entgegnete die Lehrerin und drehte ihr Wasserglas in der Hand.

»Im Nachhinein bekommen Dinge manchmal eine Bedeutung, die sie gar nicht hatten«, sagte Holmes. »Aber vielleicht könnte ich Ihnen bei der Suche helfen.«

Doch unsere Gesprächspartnerin ging nicht auf den Vorschlag ein, sondern zog umständlich eine kleine, versilberte Uhr aus der Schürze und klappte vorsichtig den Deckel auf. Demonstrativ schaute sie auf das Zifferblatt und schüttelte dann ungläubig den Kopf.

»Schon so spät?«, sagte sie reichlich theatralisch. »Sie werden mich entschuldigen, ich muss noch die Klassenarbeiten von gestern korrigieren. Aber ich fürchte, ich kann Ihnen sowieso nicht weiterhelfen.«

Das war ein klarer Rausschmiss.

Trotzdem verabschiedeten wir uns höflich und wurden von der Lehrerin zur Tür gebracht.

Als wir bereits die Schwelle überschritten hatten, sagte Katharina Laub so leise, dass es fast nur noch ein Flüstern war: »Sie versuchen doch weiterhin den Mord an meinem Bruder aufzuklären?«

»Selbstverständlich. Machen Sie sich keine Sorgen. Ich gebe nicht auf. Ich gebe niemals auf, bevor ich einem Verbrecher das Handwerk gelegt habe«, beteuerte Holmes mit Nachdruck.

Die Lehrerin nickte mit einem leisen Seufzer. Dann schloss sich die Tür geräuschvoll hinter uns, und wir stiegen die Treppe hinunter.

»Wir werden wohl nie herausfinden, unter welchem Pseudonym sie ihre Romane veröffentlicht«, bedauerte ich.

»Das dürfte ein Kinderspiel sein. Ich wette, sie hat den Namen jedem unter dem Siegel der Verschwiegenheit mitgeteilt – und nun liest halb Mettlach ihre Bücher«, brummte Holmes draußen.

Mit großen Schritten marschierte er in Richtung Bahnhof, wie ich vermutete, um nochmals ungestört mit den

Bauarbeitern zu sprechen. Ich war jedoch skeptisch, ob man dort schon wieder die Arbeit aufgenommen hatte.

»Sie meinen die weibliche Hälfte der Bewohner?«, fragte ich, während ich mich bemühte, mit Holmes Schritt zu halten.

»Unsere Gastgeberin bildet keine Ausnahme. Jedes Mal, wenn ich einen Raum betrete, in dem Frau Doktor Schmitt sich aufhält, erschrickt sie, als hätte ich sie bei einem Diebstahl erwischt, und lässt ein Buch in einer Schublade verschwinden.«

»Das liegt daran, dass Sie so lautlos die Räume betreten«, entgegnete ich. »Mich erschrecken Sie auch manchmal halb zu Tode.«

»Dazu haben Sie aber keinen Anlass. Schließlich lesen Sie nicht heimlich Groschenromane«, entgegnete Holmes und schüttelte den Kopf. »Katharina Laub ist offenbar etwas überspannt. In Paris würde sie an okkulten Versammlungen teilnehmen, um den Geist ihres verstorbenen Bruders zu beschwören und ihn nach dem Versteck seines Tagebuchs zu fragen«, fügte er hinzu, und dann verebbte das Gespräch.

Schweigend legten wir die restliche Strecke zurück. Kurz vor unserem Ziel kam uns ein Greis entgegen, der eine Ziege hinter sich herzog und uns argwöhnisch beäugte. Ich hätte zu gern gewusst, was in ihm vorging.

Zu meiner Überraschung wurde auf der Baustelle wieder gearbeitet. In England wäre der Tatort eines Kapitalverbrechens wahrscheinlich noch immer zur Spurensicherung abgesperrt gewesen. Aber wir waren in Deutschland und wahrscheinlich hielt die Polizei hier die Arbeit nur so lange wie absolut nötig auf.

»Mein Name ist Sven Sigerson, und das ist David Tristram«, stellte Holmes uns vor, und der Polier hielt in der Bewegung inne, während der andere Bauarbeiter weiter einen Stein auf den anderen setzte. »Wir ...«

Weiter kam er nicht, denn der Polier unterbrach ihn barsch.

»Sie waren doch schon gestern Morgen hier. Ich hasse sensationsgierige Menschen, die sich an Schauplätzen von Unfällen herumtreiben, so wie letztes Jahr, als einer meiner Leute vom Gerüst heruntergefallen ist. Bestimmt sind Sie von der Presse«, fuhr dieser uns an.

»Gestern wussten wir doch noch gar nicht, dass hier ein Verbrechen begangen wurde. Auch heute kommen wir nicht aus Sensationsgier, sondern wir wollen das hier begangene Verbrechen aufklären«, entgegnete Holmes mit einer großen Geste in Richtung der Stelle, wo der Tote gefunden wurde.

»Das ist die Aufgabe der Polizei, und die schikaniert uns schon genug. Gestern war der Gendarm hier, und heute kam ein Polizist aus Trier und hat uns mit Fragen gelöchert. Er sagt, dass wir hier eigentlich noch gar nicht weiterarbeiten dürfen. Aber bezahlt die Polizei uns etwa den Verdienstausfall?«, ereiferte sich der Mann.

»Sie wollen doch bestimmt, dass der Mord an Ihrem Kameraden aufgeklärt wird«, sagte Holmes, worauf die Männer nickten, aber nichts erwiderten.

»Schließlich könnten Sie die Nächsten sein«, fügte ich düster hinzu. »Und trauen Sie diesem Gendarmen wirklich zu, dass er den Täter fasst? Das ist ihm doch auch beim letzten Mordfall nicht gelungen.«

Zum Glück wandte niemand ein, dass inzwischen Verstärkung aus Trier eingetroffen war.

»Also gut, was wollen Sie wissen? Aber bitte fassen Sie sich kurz«, sagte der Polier und stützte sich auf den Stiel einer Schaufel, während der andere Bauarbeiter seine Arbeit wiederaufnahm. Offenbar hatte er wie beim letzten Mal vor, das Reden seinem Vorgesetzten zu überlassen.

»Sind Sie ganz sicher, dass Josef Bruckner keinen Feind hatte?«, fragte Holmes.

Der schnurbärtige Polier blickte Holmes fassungslos an.

»Natürlich nicht! Was für eine absurde Idee. Hier hat niemand Feinde!«

»Wenn man von Thomas Laub absieht«, entfuhr es mir.

»Das war nicht gegen uns persönlich gerichtet. Er konnte offenbar niemanden leiden, weshalb wir immer drei Kreuze gemacht haben, wenn er wieder verschwunden war«, wiederholte der Polier, zumindest sinngemäß, was bereits die Schwester des Toten gesagt hatte.

»Gab es sonst jemanden, mit dem Josef Bruckner sich gar nicht vertrug?«, formulierte Holmes die Frage um. »Was uns bisher fehlt, ist ein Motiv für den Mord an Ihrem Maurer.«

»Was für ein Motiv? Ein Fotomotiv?«, fragte unser Gegenüber entgeistert.

»Wenn ein Verbrechen begangen wird, stellt man als Erstes die Frage: *Cui bono?* Wem nützt es?«, erklärte Holmes. »Das nennt man ein Motiv.«

»Als ob Verrückte ein Motiv haben«, polterte der Polier los. »Josef wurde von einem Wahnsinnigen umgebracht, dem er zufällig in die Quere gekommen ist. Derselbe Geistesgestörte hat bestimmt auch Thomas Laub auf dem Gewissen. Er ist wohl immer in der Dämmerung unterwegs!«

»Die Sache könnte leider sehr viel komplizierter sein. Möglicherweise hat der erste Mord einen Nachahmer inspiriert, und es gab zwei Täter. Vielleicht wurde der erste Mord aber auch nur begangen, um von dem zweiten abzulenken, und der Anschlag galt tatsächlich Josef Bruckner. Vielleicht sollte aber auch der zweite Mord von dem eigentlichen, dem dritten ablenken – und Sie sind das nächste Opfer«, sagte Holmes, worauf auch der jüngere Arbeiter in der Bewegung innehielt, die Kelle beiseitelegte und uns erschrocken anstarrte.

»Aber zurück zu dem Konflikt mit Thomas Laub. Wie genau hat dieser Streit begonnen?«, fragte Holmes.

»Der hat ständig behauptet, dass wir ihm im Weg herumstehen. Lächerlich!«, entfuhr es dem Polier, und er tippte sich an die Stirn. »Er hat rechtschaffene, schwer arbeitende Männer bei der Arbeit behindert. Das hat ihm offenbar Spaß gemacht! Aber wie ich schon gestern sagte: Er ist tot und kann daher Josef nicht umgebracht haben.«

»Haben Sie bei Ihrer Arbeit schon einmal etwas Ungewöhnliches im Boden gefunden?«, wollte Holmes dann wissen.

»So etwas wie alte Gebeine oder gar einen Schatz?«, fragte der schnauzbärtige Polier misstrauisch zurück.

»Irgendetwas in der Art«, entgegnete Holmes.

»Schön wäre es!«, entfuhr es unserem Gesprächspartner. »Das könnten wir alle gut gebrauchen. Aber wir haben ja nicht tief gegraben. Die Kapelle wird nämlich über eine Gruft gebaut. Die war vorher schon hier.«

Holmes verfolgte diesen Gedankengang nicht weiter. »Hatten Sie auch privat mit Josef Bruckner zu tun?«, fragte er stattdessen.

»Wir waren nicht miteinander befreundet, falls Sie das meinen«, sagte der Polier nach kurzem Zögern. »Schließlich war er viel jünger als ich, und außerdem war er mir zu ehrgeizig. Er konnte es kaum erwarten, meinen Posten zu übernehmen. Dabei war ich in seinem Alter auch nur ein einfacher Arbeiter.«

»Und wie steht es mit Ihnen?«, fragte Holmes den jüngeren Arbeiter, dessen Namen wir noch immer nicht kannten.

»Mit dem hat der Josef schon gar nicht geredet. Er wollte höher hinaus«, antwortete der Polier, bevor der junge Mann auch nur den Mund öffnen konnte. »Deshalb hat er auch versucht, sich bei diesem Herrn Marxen lieb Kind zu machen, und ist immer länger geblieben, um aufzuräumen.«

»Sie haben sich also doch nicht abgewechselt?«, hakte Holmes interessiert nach.

»Theoretisch schon, aber Josef hat sich immer freiwillig gemeldet«, entgegnete der Polier.

»Was möglicherweise sein Mörder herausgefunden hatte«, folgerte Holmes. »Aber eine ganz andere Frage: Sie wissen doch bestimmt, ob Josef Bruckner verheiratet war.«

»Wieso interessiert Sie das?«, schaltete sich erstmals der jüngere Arbeiter ein.

»Ich möchte gern mit seiner Familie sprechen«, sagte Holmes.

»Er war seit einiger Zeit mit einem sehr hübschen Mädchen verlobt, eigentlich viel zu hübsch für ihn! Aber bei unserem Hungerlohn konnte er sich keine Ehefrau leisten.«

Wieder war es der jüngere Arbeiter, der geantwortet hatte, was ihm einen tadelnden Blick seines Vorgesetzten einbrachte.

Holmes ließ sich die Anschrift der Familie Bruckner geben und notierte sie in sein Notizbuch, bevor er die Befragung fortsetzte, der er plötzlich eine ganz andere Wendung gab. »Ich habe mir schon gedacht, dass Ihre Bezahlung nicht gerade üppig ist«, sagte Holmes mit verschwörerischer Miene. »Ich verstehe auch, dass Sie der Polizei gegenüber reserviert sind. Sie wollen ja nicht jedem auf die Nase binden, dass Sie ab und zu privat eine kleine Nebenbeschäftigung annehmen. Aber ich bin nicht vom Finanzamt oder der Gewerbeaufsicht. Was Sie mir erzählen, bleibt unter uns.«

»Wie können Sie es wagen …«, begann der Polier, wurde aber diesmal von Holmes unterbrochen.

»Das sieht man an diesen Werkzeugen, die Sie sich bereits zurechtgelegt haben. Für Ihre heutige Arbeit benötigen Sie sie nicht. Also haben Sie offenbar vor, sie sich heute Abend auszuleihen«, verkündete er.

»Wir helfen der Witwe Schulze aus reiner Gefälligkeit«, beteuerte der jüngere Arbeiter und fuchtelte mit der Kelle vor meiner Nase herum.

»Eigentlich machen das ja alle. Sonst könnte man sich nicht einmal ein Bier in der Gastwirtschaft leisten«, gab der Polier dann vorsichtig zu. »Aber das Geschäft geht schlecht. Hier macht man vieles selbst, oder die Nachbarn helfen einander.«

»Vielleicht melde ich mich demnächst nochmals bei Ihnen. Ich erwäge nämlich, mir ein Häuschen an der Saar zu kaufen. Dann kann ich jeden Tag angeln, und die Gegend ist ja wunderschön«, behauptete Holmes.

»Das ist eine gute Idee. Ich könnte mir jedenfalls beim besten Willen nicht vorstellen, woanders zu wohnen«, sagte der Polier im Brustton der Überzeugung.

»Leider habe ich zwei linke Hände, und da ist es gut, die Adressen von ein paar tüchtigen Handwerkern zu kennen«, fuhr Holmes fort.

Die beiden Bauarbeiter schnappten den Köder und gaben Holmes bereitwillig ihre Anschriften.

»Dann will ich Sie nicht länger bei Ihrer Arbeit stören«, verkündete Holmes, nachdem er sein Notizbuch eingesteckt hatte.

Wir wurden freundlicher verabschiedet, als man uns begrüßt hatte, und kehrten ins Zentrum zurück.

»Diese Baustelle scheint ja die reinste Schlangengrube zu sein«, entfuhr es mir, kaum dass wir außer Hörweite waren. »Der Maurer hat am Stuhl des Poliers gesägt. Dieser ist ein Despot, der seine Untergebenen nicht zu Worte kommen lässt. Der junge Arbeiter hat es auf die Verlobte des Maurers abgesehen. Herrn Marxen hat es Spaß gemacht, das Trio durch unangekündigte Inspektionen zu erschrecken, und Thomas Laub hat wieder einmal sein Bestes getan, um alle gegen sich aufzubringen.«

»Ja, das Gespräch war nicht uninteressant«, entgegnete Holmes salomonisch und zog seine Pfeife aus der Tasche, der er offenbar doch nicht ganz untreu geworden war.

Aber bevor er sie auch nur zu Ende geraucht hatte, trennten sich unsere Wege, da mich Holmes am Nachmittag nicht brauchte.

14. Die Eltern

Um die Zeit totzuschlagen, schlenderte ich durch den Ort und versuchte, die Gespräche der anderen Passanten zu belauschen. Leider bekam ich über den Doppelmord nur wilde Spekulationen zu hören. Die aberwitzigste Theorie war, dass der Mörder jemand sei, der etwas gegen den Gendarmen habe und deshalb alles daransetze, ihn als unfähig dastehen zu lassen.

Holmes hingegen schien seine Zeit wohl besser genutzt zu haben, denn er kam am späten Nachmittag ungewöhnlich gut gelaunt in unser Quartier zurück. Auf seinem Gesicht lag ein zufriedener Zug, ja fast ein Lächeln, und seine Augen glänzten. Einen Augenblick lang dachte ich schon, dass er endlich einen Riesenwels aus dem Wasser gezogen hatte, aber er trug keine Angelkleidung, sondern seinen guten Anzug.

»Wollten wir nicht mit diesem Herrn Moll vom Amt reden, dem Arbeitgeber von Thomas Laub?«, fragte ich ihn, weil ich mich unterbeschäftigt fühlte.

»Das habe ich längst erledigt. Es war leider ein sehr unergiebiges Gespräch. Ich habe erfahren, dass im Amtsanzeiger eine zeitlich befristete Stelle ausgeschrieben war, auf die Thomas Laub sich beworben hat. Beim

Vorstellungsgespräch hat er auf Herrn Moll einen kompetenten Eindruck gemacht, weshalb der ihn eingestellt hat. Aber eines Tages ist er nicht mehr zur Arbeit erschienen. Wir wissen ja inzwischen, welche traurige Ursache das hatte. Dieser Herr Moll ist aber der Sache nicht nachgegangen, denn Saisonarbeitskräfte verschwinden manchmal einfach so«, berichtete Holmes mit gerunzelter Stirn und sah mich dann unternehmungslustig an. »Nach dem Abendessen brauche ich nochmals Ihre Dienste. Ich möchte nämlich noch heute mit den Eltern des ermordeten Arbeiters sprechen. Doktor Schmitt hat mir freundlicherweise vorhin deren Adresse mitgeteilt. Er kennt die Familie aus seiner Praxis.«

Bevor ich etwas erwidern konnte, war Holmes schon die Treppe hinaufgeeilt und ließ mich nachdenklich grübelnd im Hausflur zurück. Es gehörte zu den weniger angenehmen Pflichten unseres Berufes, mit trauernden Hinterbliebenen zu sprechen, was vor allem dann schlimm war, wenn der Verstorbene noch jung war. Aber wenigstens mussten wir nicht den Eltern die Nachricht überbringen, dass ihr Sohn ermordet worden war, eine Aufgabe, um die ich die Polizei wirklich nicht beneidete.

Gegen acht Uhr brachen wir auf und marschierten durch die kühle Nachtluft zu einem dreigeschossigen Mehrfamilienhaus, dessen Haustür selbst zu dieser späten Stunde nicht abgeschlossen war. Im Erdgeschoss wohnte keine Familie Bruckner, weshalb wir auf einer sauber gefegten Holztreppe in die erste Etage stiegen. Aber auch dort wurden wir nicht fündig. Erst im obersten Stockwerk fanden wir neben einer Wohnungstür das Messingschild mit der Inschrift *Familie Bruckner*.

Holmes betätigte den Türklopfer, und wir lauschten. Bald hörte man in der Wohnung ein Poltern, dann nahende Schritte, und schließlich riss eine korpulente Frau mit verweinten Augen die Wohnungstür sperrangelweit auf.

»Wir würden gern mit Ihnen und Ihrem Mann über Ihren Sohn Josef sprechen«, sagte Holmes, nachdem er uns vorgestellt hatte.

»Dann kommen Sie herein. Sie haben Glück, mein Mann ist heute nicht zu seinem Verein gegangen«, sagte die Hausherrin.

Wir betraten eine enge Diele, in der es nach Kohlsuppe roch. Frau Bruckner nahm unsere Mäntel und Hüte in Empfang und hängte sie umständlich auf Kleiderbügel an den Garderobenhaken hinter der Tür auf. Dann zupfte sie ihr leicht verblichenes, schwarzes Kleid zurecht, das sie wahrscheinlich auch sonntags in der Kirche trug, und geleitete uns ins Wohnzimmer. Dies war einfach eingerichtet, aber von der Hausherrin mit Häkelgardinen, bestickten Deckchen und Kissen mit Blumenmuster liebevoll dekoriert. Dort saß auf einem mit grauem Stoff bezogenen Sofa ein kräftiger Mann mit grob geschnittenem, zerfurchtem Gesicht und las mit zusammengekniffenen Augen eine Zeitung. Offenbar brauchte er eine Brille. Sein Haar war spärlich und schütter, doch noch braun. Wenn ich nicht gewusst hätte, dass er einen Sohn in den Zwanzigern hatte, hätte ich vermutet, dass er bald in Rente gehen würde. Er trug eine abgetragene, dunkelgraue Hose und ein blaues Hemd ohne Kragen, das er bis zum Ellbogen hochgekrempelt hatte.

»Kurt, hier sind zwei Herren von der Polizei«, informierte die Frau ihren Gatten.

Blasses Sonnenlicht fiel durch die kleinen Fenster in das auch nicht gerade große Wohnzimmer und ließ die Bewohner noch gedrungener wirken.

»Guten Abend, Herr Bruckner! Es tut mir leid, dass wir Sie in dieser schweren Zeit behelligen, aber wir haben einige Fragen, die wir so schnell wie möglich stellen müssen«, begann Holmes vorsichtig. »Mein Name ist Sven Sigerson, und das ist David Tristram. Wir sind aber keine Polizisten, sondern private Ermittler und assistieren der Polizei bei den Ermittlungen.«

Ein Aufleuchten huschte über das pausbäckige Gesicht der Hausherrin, die noch immer neben uns stand. »Sie sind also die beiden Engländer, die bei Doktor Schmitt wohnen?«, erkundigte sie sich.

Holmes bestand diesmal nicht auf seiner vermeintlichen norwegischen Identität, sondern bestätigte, dass wir bei Schmitts logierten.

Herr Bruckner erhob sich ganz langsam, schob eine Hand in die Tasche seiner abgetragenen Hose und betrachtete uns skeptisch. »Und warum sollte ich mit Ihnen sprechen wollen?«, fragte er schließlich.

»Weil Sie doch bestimmt möchten, dass der Mord an Ihrem Sohn aufgeklärt wird – und das so schnell wie möglich«, entgegnete Holmes.

»Ich dachte, es war der gleiche Wahnsinnige, der Thomas Laub umgebracht hat«, sagte die Frau und stellte sich neben ihren Mann.

»Es spricht einiges dafür, dass beide vom gleichen Täter ermordet wurden, der aber nicht unbedingt wahnsinnig sein muss. Aber es kann auch sein, dass der Täter durch den ersten Mord inspiriert wurde«, sagte

Holmes. »Das würde ich gern herausfinden, aber dafür brauche ich Informationen.«

»Wenn es denn sein muss«, sagte der Hausherr und streckte erst Holmes und dann mir eine kräftige Hand entgegen, die wir schüttelten. »Nehmen Sie doch Platz«, sagte er dann und deutete auf zwei kleine, alte Sessel gegenüber dem Sofa, auf dem sich inzwischen seine Frau auf einer Ecke niedergelassen hatte. »Sie trinken doch ein Bier?«

»Gern«, entgegnete Holmes zu meinem Erstaunen, und auch ich nickte zustimmend.

Herr Bruckner verließ den Raum und kam kurze Zeit später mit drei geöffneten Flaschen zurück und drückte jedem von uns eine in die Hand. Dann nahm er neben seiner Frau Platz.

Ich wollte schon um ein Glas bitten, aber da Holmes ungeniert die Flasche an den Mund führte und daraus trank, folgte ich seinem Beispiel. Das Bier war zu warm, schmeckte aber ansonsten nicht schlecht.

»Wann haben Sie Ihren Sohn Josef zuletzt gesehen?«, fragte Holmes, nachdem er die halbe Flasche in einem Zug geleert hatte.

»Das haben wir doch alles schon der Polizei erzählt«, beschwerte sich Frau Bruckner.

»Könnten Sie es bitte für uns wiederholen?«, forderte Holmes die Eltern auf. »Je mehr Einzelheiten wir wissen, desto wahrscheinlicher ist es, dass wir dem Übeltäter das Handwerk legen können.«

»Ich verstehe das nicht. Außerdem weiß ich doch gar nichts«, lamentierte die korpulente Frau Bruckner. Sie beugte sich vor, ließ ihren Kopf in die Hände sinken und seufzte. Sie fing sich aber schnell wieder und blickte auf.

Es war aber ihr Mann, der in einem grimmigen Tonfall antwortete: »Am Morgen des Tages, bevor man ihn tot aufgefunden hat.« Er wirkte, als könnte er den Tod seines Sohnes noch immer gar nicht fassen.

»Ich vermute beim Frühstück?«, fragte Holmes, was Herr Bruckner bejahte.

»Ist Ihnen in letzter Zeit irgendetwas Ungewöhnliches an ihm aufgefallen?«, wollte er dann wissen. Er hatte die halb leere Flasche auf dem Linoleumboden abgestellt und zog sein Notizbuch und einen Bleistift aus der Tasche seines Gehrocks.

»Alles war ganz normal«, beteuerten beide Gatten zugleich.

»Und Sie haben sich nicht gewundert, als Ihr Sohn nachts nicht zurückkam?«, fragte ich irritiert.

»Das haben wir doch gar nicht mitbekommen. Wir sind wie immer sehr früh ins Bett gegangen. Schließlich musste ich auch früh aufstehen. Wir haben drei Söhne, und die kommen oft recht spät nach Hause, vor allem am Wochenende. Wenn wir auf die warten würden, bekämen wir selbst nicht genug Schlaf«, erwiderte der Mann missbilligend und genehmigte sich einen großen Schluck aus seiner Bierflasche.

»Fritz war der Jüngste?«, erkundigte sich Holmes und schaute sich im Raum um, wohl wie ich selbst auf der vergeblichen Suche nach gerahmten Familienfotos.

»Nein, der Älteste«, entgegnete die Frau und seufzte erneut. Sie saß in ihrer Sofaecke und sprach mehr als ihr Mann, was wohl ihre Gewohnheit war. »Er war bei einem Freund zum Geburtstag eingeladen. Deshalb war ich nicht erstaunt, als er weder mit uns zu Abend gegessen hat noch beizeiten nach Hause gekommen ist.«

»Dann haben Sie ihn also erst am nächsten Tag beim Frühstück vermisst?«, fragte Holmes und blickte von seinem Notizbuch hoch.

»Eigentlich auch nicht. Wir dachten, er hat wohl bei seinem Freund übernachtet.«

Wieder hatte die Frau geantwortet, die offenbar besser über die Aktivitäten ihrer Kinder informiert war als ihr Mann.

»Hatte er neue Bekannte?«, wollte Holmes wissen, was beide Elternteile ohne Zögern verneinten.

»Seine Freunde kennt er schon aus der Schule. Sie sind auch alle im Turnverein«, betonte die Mutter.

Mir fiel auf, dass sie in der Gegenwartsform von ihrem Ältesten sprach.

»Ich bin auch Mitglied des Vereins. Das hat Tradition in unserer Familie«, antwortete der Vater und zog automatisch seinen Bauch ein.

»Und seine Verlobte?«, wollte Holmes wissen.

»Die hat er bei der Kirchweih kennengelernt. Ein sehr nettes, anständiges Mädchen«, sagte diesmal der Vater.

»Wirkte er bedrückt oder hat er sich über etwas Gedanken gemacht?«, wollte Holmes wissen.

Der Vater verneinte, stand mit der leeren Flasche in der Hand auf und verließ leicht schwankend das Wohnzimmer, um eine zweite Runde Bier zu holen, während die Mutter wieder an ihrem schwarzen Kleid zupfte.

»Etwas nervös und gereizt wirkte er schon in letzter Zeit«, brach es dann aus ihr heraus. »Ich habe ihn nicht darauf angesprochen, weil ich dachte, dass er wieder einmal Streit mit seiner Verlobten hatte. Das Mädchen will endlich geheiratet werden. Man kann sie ja verstehen. Immerhin ist sie schon zweiundzwanzig Jahre alt. Heirate sie endlich, sonst schnappt sie dir noch jemand weg, sagte ich immer wieder zu Josef. Aber mein Sohn meinte jedes Mal, dass sein Geld nicht reichte, um eine Familie zu gründen. Als ob wir früher viel gehabt hätten, und wir haben trotzdem geheiratet! Also ich glaube, er wollte sie gar nicht heiraten.«

Holmes hatte aufmerksam zugehört, und nun notierte er sich ein paar Zeilen. »Meinen Sie, dass er sich vor etwas gefürchtet haben könnte, außer vor der Ehe?«, fragte er dann.

»Angst ist vielleicht übertrieben. Aber glücklich war er auch nicht«, sagte Frau Bruckner mit einem Seufzer.

Ihr Mann kam mit drei Bierflaschen zurück, noch immer leicht schwankend, und nahm wieder Platz. »Er wirkte noch geistesabwesender als sonst. Aber er war schon als kleiner Junge in Gedanken meist woanders«, sagte er. Offenbar hatte er in der Küche noch einmal über die Frage nachgedacht.

»Ich würde gern auch mit Ihren beiden jüngeren Söhnen sprechen«, sagte Holmes und steckte Stift und Notizbuch ein.

Weder er noch ich hatten unsere zweite Bierflasche geöffnet.

»Die sind gerade beim Turnverein. Aber die wissen bestimmt nichts. Der Altersunterschied ist so groß, dass die beiden Jüngeren nicht viel mit ihrem älteren Bruder gemeinsam haben. Er musste früher immer auf sie aufpassen, wenn ich arbeiten war. Deshalb haben die Jungs sich oft gestritten«, sagte die Mutter. »Ich hatte jedenfalls immer den Eindruck, dass sie sich streiten«, fügte sie unsicher hinzu, als ihr Mann sie irritiert von der Seite anblickte.

Holmes nickte, als ob das alles erklären würde.

»Hat Ihr Sohn jemals Thomas Laub erwähnt?«, erkundigte sich Holmes und öffnete doch noch seine Bierflasche.

»Sie meinen den Toten aus dem Wald?«, fragte die Mutter.

»Ja, genau den meine ich«, bestätigte Holmes. »Ihr Sohn hat ihn nachweislich gekannt, deshalb meine Frage.«

»Er hat diesen Namen nie erwähnt«, sagte der Vater, ohne nachzudenken.

»Wo Sie es sagen, war das nicht der Querulant, mit dem er sich neulich bei der Arbeit herumgestritten hat?«, fragte die Mutter.

»Ich fürchte, Thomas Laub hat sich mit absolut jedem herumgestritten«, sagte Holmes und trank einen Schluck Bier. »Sonst hat Ihr Sohn aber nichts über Thomas Laub erzählt?«

Beide Eltern verneinten zugleich.

»Die Frage mag Ihnen etwas abwegig erscheinen, aber hat Ihr Sohn einmal etwas Seltsames mit nach Hause gebracht, etwas Uraltes vielleicht?«, fragte Holmes.

»Letztes Jahr hat er einen riesigen Oberschenkelknochen mitgebracht, wohl von irgendeinem ausgestorbenen Tier. Den hatte er bei der Arbeit zufällig ausgegraben. Er sah aus wie von einem Riesen. Er hat ihn einem

Lehrer aus der Stadt gezeigt, der ihn für das Museum haben wollte«, erzählte die Mutter.

Auch mehrmaliges Nachfragen half nichts, die Frau konnte sich an keine Einzelheiten erinnern. Weder wo genau ihr Sohn den Knochen gefunden hatte noch wie der Lehrer hieß, aus welcher Stadt er gekommen war und in welchem Museum dieser Oberschenkelknochen nun aufbewahrt wurde.

Irgendwann gab Holmes auf. Er bedankte sich für die freundliche Bewirtung und erhob sich. »Sollte Ihnen doch noch etwas einfallen, teilen Sie es mir doch bitte unverzüglich mit. Jede Kleinigkeit könnte nützlich sein. Auch falls Sie im Nachlass Ihres Sohnes noch weitere alte Gegenstände finden, wäre das von großem Interesse«, schärfte er dann dem leidgeprüften Elternpaar ein.

Frau Bruckner brachte uns zu Haustür.

»Ich hoffe wirklich, dass der Mörder meines Sohnes gefunden wird«, sagte sie, wieder mit den Tränen kämpfend, zu uns.

»Die Polizei tut Ihr Möglichstes …«, begann Holmes.

»Der Polizei traue ich das nicht zu«, unterbrach Frau Bruckner. »Sie hat ja auch den Mörder von Thomas Laub noch immer nicht gefasst.«

Holmes versprach, sein Bestes zu tun, und wir verließen das Haus. Draußen atmete ich tief durch und hoffte inständig, dass wir die arme Frau nicht enttäuschen würden.

15. Der Umzug

Natürlich verursachte der zweite Tote einen großen Wirbel in Mettlach. Die lokale Zeitung sprach in großen, schwarzen Lettern vom Ort des Grauens, in dem der wahnsinnige Mörder wieder zugeschlagen habe, und auch die überregionale Presse berichtete weniger ausführlich, aber diesmal auf der ersten Seite über die schrecklichen Ereignisse in Mettlach. Bald würden von allen Richtungen sensationsgierige Reporter zum Tatort strömen. Was mochte sich Doktor Schmitts Freund Theodor Leidinger denken, wenn er die Schreckensnachricht las? Bestimmt machte er den modernen Fortschritt für die Verbrechen verantwortlich und sagte voraus, dass als Nächstes Straßenraub, Brandstiftung und Kirchenschändung folgen würden.

Erwartungsgemäß traf bereits an diesem Morgen ein hochrangiger Polizist aus Trier ein. Leider liefen wir ihm zufällig über den Weg, als wir vom Zeitungskauf zurückkehrten.

»Guten Morgen, meine Herren! Sie sind doch bestimmt die zwei Engländer, die bei Doktor Schmitt wohnen?«, wurden wir beim Überqueren des Marktplatzes von einer befehlsgewohnten, leicht scharfen

Stimme angesprochen. Sie gehörte einem hochgewachsenen Herrn in Holmes' Alter mit großer Nase, hoher Stirn und einem feschen, schwarzen Schnurbart.

Wahrscheinlich hatten Holmes' karierte Hose und sein typisch englischer Gehrock uns verraten. Vielleicht hatte er uns aber auch in unserer Muttersprache reden hören. Mir behagte diese Begegnung überhaupt nicht, denn ich kam mir schäbig gekleidet vor. Meine Schuhe waren staubig, die Hose zerknittert und die Haare strähnig. Am liebsten hätte ich mich für einen Amerikaner ausgegeben.

»Mein Name ist Sven Sigerson, und ich bin Norweger«, korrigierte Holmes unverdrossen. »Und das ist David Tristram. Er ist Engländer, lebt aber in Florenz«, stellte er mich dann vor.

»Oberkommissar Jakob Trost. Ich leite seit heute die Ermittlungen der beiden Mordfälle in Mettlach«, entgegnete unser Gegenüber höflich.

Sein Name war zumindest vertrauenerweckender als »Wolf Hauschild«.

»Herr Tristram, Sie sind also der Mann, den Herr Hauschild nachts auf einem fremden Grundstück erwischt hat?«, wandte er sich dann an mich und musterte mich belustigt.

»Ich habe mich im Dunkeln verlaufen«, behauptete ich, und der Oberkommissar schüttelte den Kopf.

»Kann man sich in diesem kleinen Ort verlaufen? Aber momentan haben wir ja leider andere Probleme. Außerdem hat die Hauseigentümerin keine Anzeige erstattet, obwohl der Gendarm sie dazu überreden wollte. Aber seien Sie in Zukunft im eigenen Interesse etwas vorsichtiger«, sagte er zu mir, bevor sein Blick zu Holmes wanderte. »Herr Hauschild hat mich bereits darüber informiert, dass Sie private Ermittler sind und den Mord an Thomas Laub untersucht haben, was er überhaupt nicht billigen konnte. Der arme Mann sah so erschöpft aus, dass ich ihn nach Hause geschickt habe, um sich dort richtig auszuschlafen«, sagte er und machte eine kurze Pause. »Solange Sie beide keine Erkenntnisse zurückhalten, habe ich nichts dagegen einzuwenden, dass auch Sie sich der Aufklärung der beiden Morde widmen. Wie es aussieht, kann ich jede Hilfe gebrauchen.«

Wie gut, dass Holmes unter einem fremden Namen reiste. Sonst hätte unser Gegenüber gewusst, dass der Meisterdetektiv während der Ermittlungsarbeit seine Erkenntnisse prinzipiell nicht mit anderen teilte, noch nicht einmal mit seinen Mitarbeitern. Erst wenn er einen Verbrecher entlarvt hatte, ließ er andere teilhaben am Feuerwerk seiner brillanten Schlussfolgerungen.

»Haben Sie schon eine Theorie, wer die beiden Männer umgebracht haben könnte?«, fragte Holmes, und ich war darauf gefasst, dass auch der Polizist den auswärtigen Verrückten ins Spiel brachte.

»Jemand, der die beiden Männer gehasst hat«, sagte Oberkommissar Trost zu meiner Überraschung. »Ich weiß, im Ort glaubt man etwas anderes. Aber gibt es das überhaupt, dass jemand irgendwelche beliebigen Personen umbringt?«

»Durchaus«, entgegnete Holmes ernst. »Es gibt Wahnsinnige, die irgendjemanden umbringen, der ihnen zufällig begegnet, oder die sich ihre Opfer nach dem Alphabet aussuchen.«

»Vielleicht in England, aber doch nicht im Preußischen Rheinland«, stellte der Polizist entschieden fest.

»Das gibt es auch in Skandinavien, woher ich komme«, korrigierte Holmes erneut.

»Und waren Sie bisher in Ihrem Beruf erfolgreich?«, fragte unser Gegenüber spitz.

»Ich kann nicht klagen«, erwiderte Holmes nicht ohne Eitelkeit und schien auf einmal noch ein paar Inches größer zu werden.

»Wann haben Sie das letzte Mal einen Fall nicht gelöst?«, erkundigte sich Oberkommissar Trost – eine Frage, die ich unverschämt fand. Am liebsten hätte ich ihn gefragt, wann er denn selbst das letzte Mal einen Fall nicht gelöst hatte.

»Vor vier Jahren.«

»Und was für ein Fall war das?«

»Der Fall mit der verstimmten Geige«, sagte Holmes in einem derart bestimmten Tonfall, dass sogar der vor Selbstbewusstsein strotzende Oberkommissar einen Augenblick lang verstummte.

»Damit das nicht wieder passiert, sollten wir einander nicht länger die Zeit stehlen«, sagte der Oberinspektor dann ohne den Anflug eines Lächelns, verabschiedete sich und eilte davon.

Wir hingegen kehrten in unser Quartier zurück und deponierten die Zeitungen in Holmes' Zimmer. Ich hatte erwartet, dass er sie studierte, aber Holmes hatte andere Pläne.

»Die Zeit vor dem Mittagessen reicht, um die Verlobte von Josef Bruckner an ihrem Arbeitsplatz aufzusuchen und mit ihr zu sprechen, bevor der Oberkommissar sie befragt«, verkündete er.

»Wo arbeitet denn die junge Dame?«, fragte ich, als wir das Haus wieder verließen.

»Sie ist Verkäuferin bei einem Bäcker«, entgegnete Holmes, und ich überlegte, ob es am Ende das Mädchen war, bei dem ich immer den leckeren Kuchen kaufte.

»Hat sie strahlend blaue Augen?«, erkundigte ich mich, während wir um die Ecke bogen.

»Das weiß ich leider nicht. Denn ich habe sie noch nie gesehen«, antworte Holmes irritiert. »Ich weiß nur, dass sie Therese Himmelmann heißt und Bäckereiverkäuferin ist.«

Wie ich es fast erwartet hatte, führte uns unser Weg tatsächlich zu meinem Lieblingsbäcker. Beim Öffnen der Tür ertönte wie immer eine Glocke, und wir betraten den Verkaufsraum. Zum Glück waren wir die einzigen Kunden. Es war bereits halb zwölf Uhr. Brote und Brötchen waren fast ausverkauft, und nach der Mittagspause würde Kuchen angeboten werden.

Inzwischen hatte die Glocke die Verkäuferin mit den blauen Augen aus dem Hinterraum gelockt. Sie war etwas kleiner als mittelgroß, hatte ein ovales Gesicht und war etwas mollig. Wahrscheinlich naschte sie ab und zu bei der Arbeit. Ihr aschblondes Haar war zu zwei Zöpfen geflochten, die ihr bis zur Taille den Rücken herunterfielen. Sonst blickten ihre blauen Augen munter die Kunden an, doch an diesem Vormittag sahen sie verweint und verquollen aus. Sie war also tatsächlich Josef Bruckners Verlobte.

»Guten Morgen, habe ich das Vergnügen mit Therese Himmelmann?«, fragte Holmes höflich, was das Mädchen bejahte.

Daraufhin stellte Holmes uns vor und erklärte, warum wir gekommen waren.

»Guten Tag, Herr Tristram! Sie kenne ich ja bereits, nur wusste ich bisher nicht, wie Sie heißen«, verkündete sie und fügte an den erstaunt dreinblickenden Holmes gerichtet hinzu: »Er ist Stammkunde in unserer Bäckerei.«

»Fräulein Himmelmann …«, begann Holmes, wurde aber sofort unterbrochen.

»Sie können Therese zu mir sagen. Das machen hier alle«, sagte das Mädchen.

»Es tut mir leid, dass wir Sie mit Fragen behelligen müssen, aber Sie möchten doch bestimmt, dass der Mörder Ihres Verlobten gefasst wird«, sagte Holmes, und sie nickte tapfer. »Haben Sie eine Idee, wer ihm nach dem Leben getrachtet haben könnte?«

Das Mädchen schüttelte den Kopf. Einen Augenblick lang war sie zu aufgewühlt, um zu sprechen. Sie holte ein Taschentuch aus ihrer Schürze und betupfte sich damit die Augen. »Nein, das ist mir unbegreiflich. Allerdings hatte ich in letzter Zeit den Eindruck, dass ich Josef gar nicht richtig kannte«, sagte sie dann und schniefte. »Zuerst macht er mir einen Heiratsantrag, und dann erfindet er immer neue Ausreden, warum wir noch warten müssen. Meistens hatten sie etwas mit Geld zu tun. Er wollte, dass ich nach der Hochzeit nicht mehr arbeiten gehen müsste, obwohl seiner Meinung nach sein jämmerlicher Lohn nicht reichte, um eine Familie zu gründen.«

Die Glocke ertönte, die Tür öffnete sich, und eine ältere Frau mit grauem Dutt und einer spitzen Nase trat ein. Sie bedauerte wortreich, dass die Brötchen ausverkauft waren, bis sie sich endlich für Roggenmischbrot entschied. Beim Hinausgehen warf sie Holmes und mir einen vernichtenden Blick zu, als ob es unsere Schuld wäre, dass es keine Brötchen mehr gab.

»Dabei macht mir meine Arbeit viel Spaß. Ich bin gern unter Menschen«, erklärte Therese, kaum hatte sich die Tür hinter der Kundin geschlossen.

»Hatten Sie in letzter Zeit den Eindruck, dass Ihr Verlobter beunruhigt war?«, fragte Holmes.

Die Antwort kam wie aus der Pistole geschossen. »Nur, wenn ich das Thema Hochzeit angeschnitten habe!«

»Hatte er neue Freunde?«

»Nein, er hat seine Zeit wie immer mit seinen Kameraden vom Turnverein totgeschlagen«, entgegnete die Bäckereiverkäuferin, der das offenbar gar nicht behagt hatte.

»Hat er einmal den Namen Thomas Laub erwähnt?«, wollte Holmes wissen.

»Sie meinen den Toten aus dem Wald?«

Holmes nickte. »Ja, den meine ich.«

»Nein, den Namen habe ich zum ersten Mal gehört, als man den unbekannten Toten endlich identifiziert hat«, entgegnete Therese und blickte uns mit treuen Augen an.

Die Klingel ertönte, und eine gestresste, junge Frau schleifte ein plärrendes, etwa dreijähriges Kind in den Laden.

»Vielen Dank, dass Sie mit uns geredet haben, aber jetzt müssen wir leider gehen«, sagte Holmes, und wir verließen das Geschäft.

»Das arme Mädchen«, sagte ich draußen und schaute durch das Fenster Therese zu, wie sie die Mutter bediente.

»Sie wird nicht lange allein sein. Der junge Arbeiter hat ja schon ein Auge auf sie geworfen«, sagte Holmes.

Mühsam verkniff ich mir den Kommentar, dass Therese sich wohl kaum von dem verschlagen wirkenden Rothaarigen trösten lassen würde, und wir machten uns auf den Rückweg, um rechtzeitig zum Mittagessen das Haus des Arztes zu erreichen.

»Meine Herren, Sie kommen recht spät. Das Essen ist bereits angerichtet worden«, begrüßte uns die Hausherrin. Sie stand in der Küchentür, die Hände vor der Brust verschränkt, und blickte uns skeptisch an.

Die Tür des Wohnzimmers öffnete sich, und der kleine Alexander betrat die Diele.

»Ich werde weiterhin in der Schule die anderen Schüler fragen, ob sie etwas Neues gehört haben«, versprach er uns.

Der Junge wirkte eher aufgeregt als besorgt wegen des zweiten Mordes. Er gehörte wohl zu den Kindern, für die jedes noch so schreckliche Geschehen nur ein Abenteuer war.

»Das ist uns bestimmt eine große Hilfe«, sagte ich und nickte Alexander aufmunternd zu. Man konnte nur hoffen, dass er als Spion begabter war als im Erlernen von Fremdsprachen.

»Vernachlässige aber bitte deshalb nicht den Schulunterricht! Und nach dem Mittagessen wird nicht gelesen, sondern dann werden die Hausaufgaben gemacht«, ermahnte ihn seine Mutter streng.

»Leider kann Herr Tristram Ihrem Sohn heute nicht dabei helfen«, sagte Holmes zu ihr. »Nach dem Mittagessen sollten wir nämlich nochmals nachfragen, ob Fritz

Altmeier etwas von sich hatte hören lassen. Langsam beginne ich mir Sorgen zu machen, dass auch er einem Verbrechen zum Opfer gefallen sein könnte.«

Als wir zum zweiten Mal an diesem Tag das Haus verließen, schlug die Uhr der Lutwinus-Kirche zwei Uhr nachmittags. Der Nebel hatte sich völlig aufgelöst. Die Sonne schien, und auf den Straßen und Gassen waren nicht weniger Leute als sonst unterwegs. Das Leben im Ort ging weiter.

Während wir auf das Haus zuschritten, vor dessen Eingang uns Frau Altmeier so knapp abgefertigt hatte, bemerkte ich schon aus einiger Entfernung etliche Veränderungen zum letzten Mal. Die damals ramponierte Tür war frisch gestrichen, der Blumentopf mit den Zigarettenkippen stand nicht mehr auf dem Boden, und neben der nun flaschengrünen Haustür war der verrostete Briefkasten durch ein funkelnagelneues Exemplar mit der Inschrift *Familie Dittgen* ersetzt worden. Derselbe Name stand auch auf einem hübschen, bemalten Holzschild unter dem Klingelzug.

Holmes und ich blickten einander irritiert an, dann zog er vehement am Klingelzug.

Aus dem Haus drang ein leises Poltern. Bald wurde die Tür von einer hageren Frau in den späten Zwanzigern mit Sommersprossen und strohblondem Haar geöffnet. Ihr freudiger Gesichtsausdruck ließ vermuten, dass sie Besuch erwartete. Auch ihre für einen Wochentag sehr adrette Kleidung und die sorgfältige Hochsteckfrisur unterstützten diesen Eindruck.

»Guten Tag, Frau Dittgen! Wir wollten eigentlich mit Frau Altmeier sprechen«, sagte Holmes.

Ich sah verstohlen in die Diele und bemerkte, dass das schiefe Regal aus dem Hausflur verschwunden war.

»Altmeiers wohnen nicht mehr hier. Wir haben ihnen endlich das Haus abgekauft«, verkündete Frau Dittgen gut gelaunt.

Diese Neuigkeit verblüffte mich, denn bisher war ich davon ausgegangen, dass Altmeiers zur Miete wohnten. Wie ich später erfuhr, war es an der Saar nicht ungewöhnlich, dass Arbeiter ein Häuschen ihr Eigen nannten.

»Hat Ihnen Herr Altmeier oder Frau Altmeier das Haus verkauft?«, wollte Holmes wissen.

»Herr Altmeier oder Frau Altmeier, ist doch egal. Hauptsache, es gehört jetzt uns«, entgegnete die frisch gebackene Besitzerin und strich sich eine Haarsträhne aus dem Gesicht, die sich gelockert hatte. »Wollen Sie nicht hereinkommen und ein Glas Wein trinken? Im Sitzen spricht es sich besser«, bot sie dann an.

Noch immer hatte sie nicht gefragt, wer wir eigentlich waren. Oder konnte sie sich das bereits denken?

»Wir sind private Ermittler«, sagte ich vorsichtig und stellte uns vor.

»Das macht nichts. Freundliche Menschen sind hier immer willkommen«, entgegnete die Hausherrin und komplimentierte uns hinein.

Durch die offen stehende Tür zum Wohnzimmer konnten wir sehen, dass der Raum mit altmodischen und billigen Möbeln vollgestellt war, zwischen denen Umzugskisten aufeinandergestapelt waren.

»Wir gehen besser in die Küche«, schlug die Hausherrin vor und schloss die Wohnzimmertür.

Auch in der Küche waren die Möbel alt, aber frisch poliert. Wir nahmen auf einer Bank Platz, die eine Raumecke füllte. Die Hausherrin holte drei Römergläser, stellte sie auf den quadratischen Küchentisch, schenkte uns Weißwein ein und nahm dann uns gegenüber Platz.

»Wer hat Ihnen denn das Haus zum Verkauf angeboten?«, machte Holmes einen neuen Versuch, unsere Ermittlung voranzutreiben.

»Niemand. Ich habe wiederholt hartnäckig nachgefragt, denn ich wusste, Altmeiers konnten sich das Haus doch überhaupt nicht leisten, bei dem Geld, was der Fritz in der Gastwirtschaft gelassen hat. Es ist auch nicht das erste Mal, dass er ein paar Tage verschwunden ist. Frauengeschichten, Sie werden das kennen! Wir hingegen wohnten mit unseren Kindern viel zu beengt auf der anderen Straßenseite zur Miete. Und jetzt hat Frau Altmeier endlich Ja gesagt. Ich hatte gar nicht mehr gehofft, dass ich noch einmal diesen Tag erlebe«, sprudelte sie los.

Ich versuchte einen Schluck Wein, der besser als vermutet schmeckte. Er hätte für meinen Geschmack kälter sein können, war aber wunderbar fruchtig.

»Wissen Sie zufällig, ob Frau Altmeier jetzt bei ihrer Mutter in Saarlouis ist?«, erkundigte sich Holmes und nippte ebenfalls an seinem Weinglas. Offenbar sagte auch ihm der Weißwein zu, denn er genehmigte sich gleich einen großen Schluck.

»Sie hat gar keine Mutter mehr, und der Vater lebt im Nachbarort. Aber trotzdem hat sie zu dem schon seit Jahren keinen Kontakt mehr. Man sagt, dass er ihren Mann nicht ausstehen konnte«, entgegnete die Hausherrin mit verschwörerischer Miene und leerte ihr halbes Glas in einem Zug.

»Wissen Sie denn, wo sie dann jetzt wohnen könnte?«, fragte Holmes und zwang sich mühsam zu einem Lächeln.

»Keine Ahnung. Ich spioniere meinen Nachbarn schließlich nicht nach«, betonte Frau Dittgen. Aber ich würde meine Hand dafür nicht ins Feuer legen. »Ehrlich gesagt, ist es mir auch völlig gleichgültig. Bei dem Schrott und dem Dreck, den sie hier hinterlassen hat, bin ich nicht gut auf sie zu sprechen. Aber ich musste das Haus mit allem, was drin ist, nehmen. Sie hat sich geweigert, irgendetwas mitzunehmen. Keine Möbel, keinen Müll, keine leeren Flaschen. Das dauert Wochen, bis hier alles schön wohnlich ist.« Sie machte eine vage Geste in Richtung der Wohnräume im Obergeschoss.

»Ich bin sicher, dass es Ihnen schnell gelingen wird, so gemütlich wie die Küche jetzt schon ist«, sagte ich und hob anerkennend das Glas in ihre Richtung.

»Sie pflegten also keinen gesellschaftlichen Umgang mit Altmeiers?«, fasste Holmes zusammen und trank einen weiteren Schluck, worauf die Hausherrin sofort nachschenkte.

»Nein. Wir hatten nie Interesse, mit denen zu verkehren. Man ist sich natürlich sonntags während der Messe begegnet und hat ein paar Höflichkeitsfloskeln gewechselt. Aber seit wir endlich hier wohnen, habe ich sowieso keinen der beiden Altmeiers mehr gesehen«, sagte unsere Gesprächspartnerin ohne das geringste Bedauern.

»Das ist sehr schade. Wir müssen dringend mit Fritz Altmeier sprechen«, machte Holmes einen neuen Anlauf. »Sie haben nicht zufällig gehört, wo er sich zurzeit aufhält?«

»Seit er vor ein paar Tagen spurlos verschwunden ist, habe ich nichts mehr von ihm gehört. Ich hoffe, er wurde nicht ebenfalls ermordet. Ich konnte ihn zwar nicht besonders leiden, aber das wünscht man doch keinem. Die Nachbarn ergehen sich jedenfalls in wilden Spekulationen, dass etwas passiert sein könnte«, sagte Frau Dittgen, leerte ihr Glas, schenkte sich aber nicht nach. »Seit noch ein Mord begangen worden ist, trauen sich manche alten Leute kaum noch allein auf die Straße.«

»Kennen Sie Frau Altmeiers Vater persönlich?«, wollte Holmes dann wissen.

»Nur vom Sehen, und ich hatte auch immer vor, es dabei zu belassen«, sagte Frau Dittgen, aber zu meiner Überraschung konnte sie uns die Adresse des alten Herrn geben.

»Wenn Sie doch noch etwas über den Verbleib von Herrn oder Frau Altmeier herausfinden sollten, teilen Sie es mir bitte unverzüglich mit. Sie erreichen mich im Haus von Doktor Schmitt«, sagte Holmes und schaute unsere Gastgeberin eindringlich an, bevor er ihr eine Visitenkarte auf dem Namen Sven Sigerson überreichte.

Statt einer Antwort nickte die junge Frau und betrachtete die Visitenkarte, als hätte sie noch nie dergleichen gesehen, was auch gut sein konnte. »Ich werde ein Gebet für Fritz Altmeier sprechen«, sagte sie dann und schaute von der Karte hoch.

»Sie meinen, dass ihm nur noch ein Gebet helfen kann?«, fragte ich besorgt.

»Schaden kann es jedenfalls nicht«, entgegnete Holmes trocken. »Jetzt wollen wir aber Ihre Gastfreundschaft nicht länger strapazieren«, fügte er dann an die Hausherrin gewandt hinzu und erhob sich.

Vermutlich litt er unsäglich unter dem unergiebigen Redeschwall der jungen Frau. Auch ich stand auf, nachdem ich mein Glas geleert hatte, und wir verabschiedeten uns.

»Schauen Sie doch mal wieder vorbei, falls Sie zufällig in der Gegend sind«, bot die Hausherrin an und geleitete uns zur Tür.

In der Nachbarschaft hörte man Hundegebell. Ob es wohl der Hund der Familie Marxen war?

Ich platzte fast vor Mitteilungsfreude und konnte es kaum erwarten, dass wir uns etwas vom Haus entfernt hatten. »Was halten Sie von dieser unerwarteten Wendung?«, entfuhr es mir dann. Als Holmes nicht antwortete, stellte ich selbst Überlegungen an. »Wahrscheinlich hatte Frau Altmeier genug von ihrem versoffenen Gatten. Vielleicht hat sie einen anderen Mann kennengelernt. Sie hat daraufhin Fritz verlassen und vorher noch schnell das Haus zu Geld gemacht. Vermutlich hat sie es aber unter diesen Umständen unter Wert verkaufen müssen.«

»Und wohin ist sie Ihrer Meinung nach gegangen?«, fragte Holmes.

»Falls sie nicht mit einem anderen Mann durchgebrannt ist, scheint mir das Wahrscheinlichste zu sein, dass sie sich mit ihrem Vater versöhnt hat. Vielleicht war seine Bedingung dafür, dass sie sich scheiden lässt.«

»Es ließe sich sehr leicht feststellen, ob sie die Scheidung beantragt hat. Aber es wäre nicht relevant für unseren Fall«, sagte Holmes und schnaubte verächtlich. »Ich werde mich jedoch nach dem Namen des Vaters erkundigen und danach, ob Frau Altmeier bei ihm wohnt. Ich habe allerdings meine Zweifel.«

Ganz plötzlich kam mir ein neuer Gedanke. »Vielleicht weiß Frau Altmeier, wer ihren Mann umgebracht hat, und jetzt hat sie Angst, ebenfalls ermordet zu werden«, entfuhr es mir.

»Fritz Altmeier ist verschwunden, bevor die erste Leiche gefunden wurde«, gab Holmes zu bedenken.

»Dann war er selbst vielleicht der erste Tote, der nur noch nicht gefunden worden ist« entgegnete ich düster.

»Wir dürfen leider tatsächlich die Möglichkeit nicht ausschließen, dass Fritz Altmeier längst tot ist. Andererseits könnte er nur auf einer Sauftour in der nächsten größeren Stadt sein, und seine Frau hat ihn verlassen«, entgegnete Holmes mit finsterer Miene. »Aber mich überzeugt keine dieser Annahmen.«

Leider schwieg er sich darüber aus, welcher anderen Möglichkeit er den Vorzug gab.

Für Holmes' Vorhaben am Nachmittag war meine Anwesenheit bedauerlicherweise nicht vonnöten. Was genau er vorhatte, wusste ich wieder einmal nicht. Jedenfalls ging er nicht angeln, sondern trug städtische Kleidung, als er das Haus verließ.

16. Die Nachricht

Am nächsten Morgen hatte sich die Wolkende-cke der letzten Tage verzogen. Als ich aufstand und aus dem Dachfenster blickte, war der Ort in noch hauchdünnen Nebel gehüllt, aber es versprach ein sonniger Tag zu werden. Schon eine Stunde später waren der Himmel strahlend blau und die Luft klar, ein ideales Wetter zum Angeln oder für eine Wanderung.

Die Ermittlungen zu unserem Fall waren hingegen ins Stocken geraten.

Nach dem Frühstück besorgten wir uns wieder alle Zeitungen, die im Ort erhältlich waren, und studierten sie gründlich. In den überregionalen Tageszeitungen fanden wir noch immer nur recht kurze Notizen, wahrscheinlich weil keiner ihrer Journalisten hier gewesen war, um sich selbst ein Bild von der Lage zu machen. Im Regionalblatt hingegen prangte auf der ersten Seite die Schlagzeile: *Die ganze Stadt ist in Angst erstarrt. Wer wird das nächste Opfer sein?* Der reißerische Text darunter konnte aber nicht verbergen, dass es keine neuen Erkenntnisse gab.

Wir hatten die Zeitungen im Salon unseres Gastgebers gelesen. Dieser stand schon seit einigen Minuten vor dem Fenster und schaute hinaus, drehte sich aber dann langsam zu mir um.

»Sie sind schon ziemlich lange hier«, begann er, und ich fragte mich, ob er jetzt Miete kassieren wollte. Doch das wagte er nicht. »Es gibt im Ort eine Menge Leute, die meinen, es sei an der Zeit, die Mordfälle endlich aufzuklären, damit alte Menschen und kleine Kinder sich wieder ohne Angst auf die Straße trauen«, sagte er und verschränkte die Arme über seinem gewaltigen Bauch.

»Das ist auch der Polizei nicht gelungen«, stellte ich mit Nachdruck klar. »Herr Sigerson …«, fast hätte ich aus Versehen Sherlock Holmes gesagt, » hat Fähigkeiten, von denen andere nur träumen können. Wenn er in Höchstform ist, kann er fünf verschiedene Spuren auf einem alten Teppich identifizieren und aus der Höhe einer Fichte schließen, wie viele Personen im Nachbarhaus wohnen.«

»Und warum hat er dann diesen Wahnsinnigen noch immer nicht gefasst?«, sprach der Arzt aus, was ich auch schon wiederholt gedacht habe.

»Der Mörder hat offenbar mehr Glück als Verstand«, entgegnete ich, was für mich die einzig mögliche Erklärung war.

Doktor Schmitt schüttelte den Kopf, und ich machte mich auf weitere Vorwürfe gefasst, da sich seine Miene plötzlich noch mehr verfinsterte. »Ich bin an all dem schuld. Nur wegen mir mussten zwei Menschen sterben«, brach es unvermittelt aus ihm heraus. »Nur, weil ich diesen vermaledeiten … Sie wissen schon was … behalten habe … das war der Anfang allen Übels!«

»Da überschätzen Sie sich und Ihren Einfluss auf den Lauf der Dinge aber gewaltig«, sagte Holmes, der bisher nicht auf die Vorwürfe reagiert, sondern ungerührt weiter Zeitung gelesen hatte. »Vom moralischen Standpunkt aus gesehen wäre es sicher besser gewesen, wenn Sie die Polizei informiert hätten. Aber wie sich mir die Sache inzwischen darstellt, hätte das Verhängnis auch so seinen Lauf genommen.«

»Wie können Sie das sagen? Kennen Sie denn inzwischen den Mörder?«, fragte der Mediziner mit weit geöffneten Augen. Er blickte so entgeistert drein, als hätte er einen Witz nicht verstanden, über den alle anderen schallend lachten.

»Dieses kleine Detail ist mir leider noch unklar«, bedauerte Holmes. »Aber in der Theorie ist der Fall so gut wie gelöst.«

Leider sollte sich zeigen, dass zwischen Theorie und Praxis manchmal eine gewaltige Lücke klafft.

Kopfschüttelnd und einige unverständliche Worte vor sich hin brummend verließ der Arzt den Salon, denn es war höchste Zeit, sich in seine Praxis zu begeben.

»Ich habe mit Frau Altmeiers Vater gesprochen«, sagte Holmes, als wir wieder unter uns waren. »Der alte Herr war recht umgänglich und gab mir bereitwillig Auskunft. Er sagt, dass seine Tochter und ihr Mann nach Amerika ausgewandert seien. Fritz Altmeier sei vorausgefahren, um eine Bleibe zu suchen. Seine Frau sei hingegen hiergeblieben, um das Haus in Mettlach zu veräußern.«

Das musste ich erst einmal verdauen.

»Vielleicht hat ihr Vater das nur erfunden, damit die Nachbarn nicht über seine Familie reden«, entfuhr es mir dann.

»Das glaube ich nicht. Er hat mir ein Kabel seiner Tochter aus Bremen gezeigt. Darin steht, dass sie eine Schiffspassage nach Neu York gebucht hat«, sagte Holmes.

»Wahrscheinlich war Fritz Altmeier auf der Flucht vor seinen Gläubigern und hat daher seiner Heimat Hals über Kopf Lebwohl gesagt«, vermutete ich.

»Die hätten sich an seiner Frau schadlos gehalten«, entgegnete Holmes. »Vielleicht interpretieren wir auch zu viel in die Geschichte hinein. Es könnte durchaus sein, dass er schon vor langer Zeit den Plan gefasst hatte auszuwandern.«

»Glauben Sie das?«, fragte ich irritiert.

»Das ist keine Glaubensfrage, sondern ich führe nur eine Möglichkeit auf«, sagte Holmes. »Es ist allerdings seltsam, dass Frau Altmeier behauptet hat, nichts über den Verbleib ihres Gatten zu wissen.«

»Vielleicht hat sie befürchtet, dass es den Preis des Hauses drückt, wenn die Nachbarin weiß, dass sie es unbedingt verkaufen will«, gab ich zu bedenken. »Trotzdem ist diese Geschichte recht seltsam. Sie verstärkt den Eindruck eines überstürzten Aufbruchs. Hat Herr Altmeier denn wenigstens seinen restlichen Lohn eingefordert? Es ist schließlich üblich, beizeiten zu kündigen und erst am Ende eines Monats die Arbeit niederzulegen.«

»Das sieht tatsächlich alles nach Flucht aus«, stimmte Holmes zu. »Der Schwiegervater hat übrigens behauptet, Fritz Altmeier sei kein Säufer. Angeblich sei er immer gut mit ihm ausgekommen.«

»Wahrscheinlich behauptet er das wegen der Nachbarn«, wiederholte ich. »Oder er ist selbst dem Alkohol zugeneigt und hat gern das eine oder andere Glas mit seinem Schwiegersohn getrunken.«

»Wir werden es wohl nie erfahren. Aber leider müssen wir ihn wohl von der Verdächtigen-Liste streichen«, entgegnete Holmes zu meinem Erstaunen.

Ich hatte bisher in Fritz Altmaier eher ein potenzielles Mordopfer gesehen.

»Es ist wirklich bedauerlich, dass das Tagebuch von Thomas Laub noch immer nicht aufgetaucht ist«, sagte ich. »Kann es sein, dass es gar nicht existiert hat oder dass es bereits dem Mörder in die Hände gefallen ist?«

»Mir scheint Katharina Laubs Aussage, ihr Bruder habe ein Tagebuch geführt, glaubwürdig. Es passt auch sehr gut zu seinem Charakter«, entgegnete Holmes. »Es befindet sich aber leider nicht in der Dienstwohnung, die inzwischen von Katharina Laub, dem Einbrecher und meiner Wenigkeit vergeblich danach durchsucht worden ist.«

»Vielleicht hatte Thomas Laub doch eine Freundin, Geliebte oder Verlobte, bei der er sein Tagebuch deponiert hat«, schlug ich vor.

»Was für eine romantische Idee! Eine derartige Beziehung hätte sich im Ort in Windeseile herumgesprochen, und ich habe nichts dergleichen gehört«, widersprach Holmes und griff in seine Tasche, wohl um seine Zigaretten herauszuholen. Bisher hatte er an diesem Morgen Pfeife geraucht.

Holmes hielt mitten in der Bewegung inne. Ein Zug des Erstaunens huschte über sein asketisches Gesicht, und er zog ganz vorsichtig etwas heraus – und zwar nicht das silberne Etui, sondern einen Zettel. »Wie ist das denn in meine Tasche gekommen?«, sagte Holmes erstaunt.

Ich erhob mich und blickte neugierig über seine Schulter. Die Handschrift auf dem Zettel war äußerst nachlässig, und ich entzifferte nur mühsam: *»Herr Sigerson, Sie kennen mich nicht, aber ich muss unbedingt mit Ihnen sprechen. Kommen Sie doch bitte heute Nacht um elf Uhr auf den Friedhof vor das Grab von Pfarrer Lenarz. Ich muss Ihnen etwas Wichtiges mitteilen.«* Leider war die Notiz nicht unterschrieben.

»Das kann eine Falle sein«, merkte ich an. »Vielleicht stammen diese Zeilen vom Mörder, der Sie aus dem Verkehr ziehen will, weil er sich ertappt fühlt.«

»Dieses Risiko muss ich eingehen, auch wenn ich Ort und Zeit reichlich dramatisch finde«, entgegnete Holmes und überreichte mir den Zettel. »Was lässt sich sonst über diese Nachricht sagen?«, fragte er mich dann.

Ich habe nie herausgefunden, ob er mich manchmal dazu aufforderte, meine Beobachtungen auszuformulieren, um mich zu schulen, oder ob er das tat, weil vor dem Hintergrund meiner leider recht begrenzten Fähigkeiten das Feuerwerk seiner brillanten Deduktionen umso heller strahlte.

»Das Blatt wurde aus einem Taschenkalender gerissen, sehr hastig und ohne Sorgfalt, wie man an der unregelmäßigen Abrisskante sehen kann«, begann ich mit dem Offensichtlichsten. »Es handelt sich um das Blatt für Dienstag, den 1. April, wahrscheinlich des letzten Jahres.«

»Woraus haben Sie letzteres geschlossen?«, unterbrach Holmes meine Ausführungen.

Natürlich hatte ich das nicht gefolgert, sondern einfach vermutet.

»Mir schien es am wahrscheinlichsten, dass der Schreiber gerade dabei war, den Kalender des vergangenen Jahres als Notizblock zu verwenden«, erklärte ich.

»Letztes Jahr war aber der 1. April ein Mittwoch. Es wird sich also eher um den Kalender des vorletzten Jahres handeln. Auch können wir nicht beurteilen, ob nur diese eine Seite oder auch andere Seiten aus diesem Kalender herausgerissen wurden«, belehrte mich Holmes. »Und was lässt sich über die Schrift sagen?«

»Sie ist sehr nachlässig. Ich konnte ja den Text kaum lesen«, verkündete ich. »Wahrscheinlich wurden diese Zeilen in großer Eile geschrieben, oder ihr Verfasser war sehr aufgeregt.«

»Wahrscheinlich trifft beides zu«, entgegnete Holmes. »Was fällt Ihnen sonst noch alles auf?«

Zu meiner Schande musste ich passen.

Holmes schüttelte missbilligend den Kopf, bevor er weitere Beobachtungen zum Besten gab: »Diesen Text hat ohne jeden Zweifel ein Mann geschrieben. Das erkennt man an den kühnen Ts und den ausdrucksvollen Es. Dieser Mann ist ein Akademiker, der gewohnt ist, Schriftstücke einem Sekretär zu diktieren. Deshalb ist seine eigene Handschrift, wie Sie schon richtig festgestellt haben, inzwischen recht nachlässig geworden. Zu dieser Einschätzung passt auch, dass der Kalender teuer war. Es handelt sich um ein englisches Fabrikat, das hier wohl schwer zu beschaffen ist. Daher ist anzunehmen, dass der Schreiber Kontakte nach England hat.«

Wie so oft hatte Holmes es geschafft, mich tief zu beeindrucken. »Das grenzt an Zauberei!«, murmelte ich kopfschüttelnd. »Wann haben Sie eigentlich das letzte Mal in Ihre Tasche gegriffen?«, erkundigte ich mich dann, um von meiner schwachen Leistung abzulenken.

»Vor genau 105 Minuten, beim Kauf der Zeitungen«, entgegnete Holmes. »Danach haben wir auf dem Rückweg den Marktplatz überquert. Wahrscheinlich hat mir dort jemand die Nachricht in die Tasche gesteckt.«

Noch immer war mir das nächtliche Treffen auf dem Friedhof gar nicht geheuer. »Ich hoffe nur, dass sich nicht irgendein Schuljunge einen Scherz mit Ihnen erlaubt«, sagte ich, und unweigerlich sah ich vor meinem inneren Auge das arglose Gesicht des kleinen Alexander Schmitt. »Aber besser ein Lausejunge bestellt Sie vergeblich auf den Friedhof als ein geistesgestörter Mörder.«

»Jetzt fangen Sie nicht auch noch mit diesem Blödsinn an. In gewisser Weise sind alle Mörder wahnsinnig. Aber unser Täter ist nicht geistesgestört, sondern weiß genau, was er tut«, tadelte mich Holmes. »Und wie ich Ihnen eben vorhin mitgeteilt habe, ist der Verfasser dieser Zeilen ein erwachsener Mann und kein Schuljunge.«

»Aber denken Sie daran, dass es sich um das Blatt des 1. April handelt«, gab ich zu bedenken.

»Es hat erstaunlich lange gedauert, bis Ihnen das aufgefallen ist«, tadelte mich Holmes. »Aber ich glaube nicht, dass dieses Datum etwas zu bedeuten hat. Der Verfasser des Textes wird wohl wahllos irgendein Blatt aus dem Kalender gerissen haben. Wenn er vorgehabt hätte, mich zum Narren zu halten, hätte er bestimmt ein anderes Datum gewählt.«

»So wahllos, wie unser Mörder irgendwelche Menschen umbringt«, bemerkte ich, um Holmes zu necken.

Dieser griff sich in komischer Verzweiflung an den Kopf, zog dann seine Taschenuhr heraus und klappte sie auf.

»Es ist erst halb elf Uhr«, sagte er nachdenklich. »Wir können also in aller Ruhe auf den Friedhof gehen, um das Gelände schon einmal bei Tageslicht in Augenschein zu nehmen und nach dem Grab dieses Pfarrers zu suchen.«

»Das ist eine gute Idee«, sagte ich, und wir gingen zur Garderobe, um unsere Mäntel zu holen.

Dabei begegnete uns die Hausherrin, die sich besorgt erkundigte, ob wir zum Mittagessen zurück sein würden. Ich sagte es ihr zu, und dann gingen wir durch enge Gassen, in denen nur wenige Menschen unterwegs waren, den Hang hoch bis zur St.-Ludwinus-Kirche. Der Friedhof befand sich nahe der Kirche und war von einer aus rotem Sandstein gefügten Mauer umgeben, die mir nur bis zur Hüfte reichte. Es würde ein Kinderspiel sein, nachts darüber zu klettern, wenn das Metallgitter zwischen den beiden hohen Sandsteinpfosten des Eingangs geschlossen war.

Hinter dieser Pforte führte ein Weg mit langen, sehr niedrigen Stufen einen terrassierten Hang hinauf. Zwischen alten Bäumen standen zu beiden Seiten einfache Grabsteine auf dem Rasen. Manche Parzellen waren mit blühenden Pflanzen begrünt, vor anderen Gräbern hatten die Hinterbliebenen Kränze, Gebinde und Blumensträuße niedergelegt.

Während wir auf kiesbelegten Wegen ziellos über das Gelände schlenderten, las ich hier eine Jahreszahl und dort einen Namen, den man noch heute im Ort häufig fand, aber ein Pfarrer Lenarz war bisher nicht darunter gewesen.

Kopfschüttelnd betrachtete ich eine Schautafel, die am Wegrand angebracht war. Unter der Überschrift *Leben auf dem Friedhof* war dargestellt, wie eine Schleiereule einen Singvogel schlägt.

Als wir um die Ecke bogen, sah ich eine noch junge Frau, die etwas verloren mit gesenktem Rücken vor einem hölzernen Kreuz stand. Beim Näherkommen erkannte ich sie. Es war Katharina Laub, in der Hand einen Strauß weißer Rosen. Sie trug einen kurzen, schwarzen Umhang über einem schwarzen Samtkleid, was sie noch blasser wirken ließ, und einen schwarzen, breitkrempigen Hut. Um ihren Hals hingen mehrere Schnüren Jett-Perlen. Offenbar hatte sie inzwischen einen Sinn für dramatische Auftritte entwickelt.

An wessen Grab mochte sie wohl stehen, überlegte ich, bevor ich begriff, dass es natürlich die letzte Ruhestätte ihres Bruders war. Ich wollte mich schon dezent zurückziehen, aber die Lehrerin hatte uns bereits bemerkt, und nun wäre es unhöflich gewesen, ihr auszuweichen. Holmes und ich schritten also auf sie zu und begrüßen sie.

»Ich dachte, Sie wollten Ihren Bruder umbetten lassen, weil Sie nicht in Mettlach bleiben möchten«, sagte ich, nachdem wir einige belanglose Sätze über das unbeständige, aber ausgerechnet an diesem Tag recht angenehme Wetter gewechselt hatten.

»Ich habe meine Meinung geändert«, sagte sie und zuckte mit den Schultern. »Es ist eigentlich egal, wo ich wohne. Ich bin eine einunddreißigjährige Lehrerin ohne Ehemann, ohne Familie und ohne Freunde. Ich habe in Mettlach nicht gerade meine Traumstelle gefunden, aber es ist doch eine deutliche Verbesserung zu meiner letzten Anstellung, zumindest, was das Gehalt betrifft.« Das Band ihres Hutes hatte sich gelockert, und sie nahm ihn ab. Der Wind wehte durch ihre braunen Locken, sie strich sich eine Strähne aus dem Gesicht und setzte den Hut wieder auf.

»Ich kann Sie ja verstehen«, begann Holmes. »Aber …«

»Nein, das können Sie nicht«, unterbrach sie ihn scharf und musterte ihn vom schwarzen Hut bis zu den glänzenden, ebenfalls schwarzen Schuhen. »Dass man nicht einmal auf dem Friedhof vor Ihnen sicher ist! Sind Sie mir gefolgt oder wollen Sie die Toten befragen? Stattdessen sollten Sie besser endlich den Mörder meines Bruders ausfindig machen.«

»Das ist nur eine Frage der Zeit. Heute sind wir jedoch nur etwas spazieren gegangen. Auf einsamen Friedhöfen kommen mir immer die besten Gedanken«, behauptete Holmes. »Aber wo ich Sie hier zufällig treffe: Haben Sie inzwischen das Tagebuch Ihres Bruders gefunden?«

»Das ist jetzt schon das dritte Mal, dass Sie mir diese Frage stellen. Dabei habe ich Ihnen doch bereits zweimal gesagt, dass ich Sie in diesem Fall sofort informieren würde«, entgegnete Katharina Laub spitz.

»Dann wollen wir Sie nicht länger mit unserer Anwesenheit behelligen«, entgegnete Holmes und lüftete höflich seinen Hut.

Wir verabschiedeten uns und stiegen weiter den Hang hinauf. Obwohl ich mich nicht umdrehte, spür-

te ich beim Gehen geradezu körperlich die vorwurfs-
vollen Blicke der Lehrerin in meinem Rücken, und ich
musste mich beherrschen, um meine Schritte nicht un-
gebührlich zu beschleunigen.

Ganz oben, halb verdeckt von einem Busch, fanden
wir endlich die gesuchte Grabstätte. Es handelte sich
um einen Block aus rotem Sandstein, bekrönt von einer
quadratischen Platte, drei Wülsten und einer Art Wür-
felkapitell. Auf dem Block war eine weiße Tafel mit fol-
gender Inschrift angebracht:

Heinrich Aloys Lenarz
* 25. August 1823 in Polch
Priesterweihe 1840 in Trier
1860-1885 Pfarrer in Mettlach
† 15. Dezember 1891 in Mettlach

Offenbar handelte es sich um das Grabmonument des
letzten Pfarrers von St. Lutwinus. Warum hatte der Verfasser der Nachricht ausgerechnet diesen Treffpunkt ausgewählt? Ob es sich um den derzeitigen Pfarrer handelte,
den wir noch immer nicht kennengelernt hatten, obwohl
man ihn oft erwähnt hatte?

Missmutig bemerkte ich die vielen Büsche zu beiden Seiten des Grabes. Dieser Ort sagte mir überhaupt nicht zu.
Für meinen Geschmack war er zu unübersichtlich, zu abgelegen und selbst tagsüber zu dunkel. »Dieser Treffpunkt
ist ideal für einen Hinterhalt«, entfuhr es mir, aber Holmes
ging wieder einmal nicht auf meine Bemerkung ein.

Ich versuchte, das nicht persönlich zu nehmen, denn
wenn er eine heiße Spur verfolgte, nahm er weder

Rücksicht auf seine eigene Sicherheit noch auf die seiner Mitarbeiter.

Als wir den Rückweg antraten, hatte schon die mittägliche Ruhepause im Ort begonnen. Die meisten Geschäfte waren geschlossen, und die Menschen gingen zum Essen nach Hause. Holmes legte den ganzen Weg mit den Händen in den Manteltaschen und hochgezogenen Schultern zurück, als fröre er. Dabei war es an diesem Vormittag viel milder als am Vortag. Während er mit großen Schritten den Hang hinabging, schaute Holmes auf das Pflaster und schien tief in Gedanken versunken. Sein finsteres Grübeln war nicht gerade dazu angetan, mich von der Ungefährlichkeit unseres für diese Nacht geplanten Besuchs auf dem Friedhof zu überzeugen.

17. Die nächtliche Verabredung

Da wir nicht mitten in der Nacht heimlich aus dem Haus schleichen wollten, hatten wir beschlossen, den Abend wieder einmal in der Alten Post zu verbringen.

»Meine Herren, passen Sie auf, wenn Sie in der Dunkelheit durch die engen Gassen laufen. Nicht, dass Sie auch noch dem Mörder in die Hände fallen«, warnte uns Frau Doktor Schmitt, als wir um halb acht aufbrachen.

So weit war es schon gekommen, dass man uns nicht mehr zutraute, den Mörder zu fassen, sondern im Gegenteil befürchtete, er könne uns etwas tun.

»Wir werden vorsichtig sein. Außerdem sind wir ja zu zweit«, versprach Holmes mit einem zuversichtlichen Lächeln.

Nach der Dämmerung war die Temperatur deutlich gesunken. Zum Glück war der Weg in die Gastwirtschaft nicht weit, doch war davon auszugehen, dass es nachts noch eisiger werden würde. Normalerweise hätte ich keinen Schritt vor die Tür gesetzt.

In der Alten Post waren bei unserer Ankunft bereits die Gäste vom letzten Mal versammelt, aber auch einige Männer, die wir noch nicht kannten.

»Schon zwei Tote, und noch immer tappt die Polizei im Dunkeln, und diese beiden Engländer haben bisher auch überhaupt nichts zustande gebracht,« hörte ich den stämmigen Wirt bei unserem Eintreten sagen.

Dasselbe hatte uns ja bereits Doktor Schmitt vorgeworfen. Aber im Gegensatz zu den Einheimischen war ich felsenfest davon überzeugt, dass Holmes den Fall lösen würde.

»Wenn man den Deifel nennt …«, stieß der Wirt aus, als er uns bemerkte, und verscheuchte schon wieder eine Fliege, die wohl hier vor der Kälte Asyl gesucht hatte. »Aber nichts für ungut, meine Herren! Schön, dass Sie unsere bescheidene Gastwirtschaft wieder mit Ihrem Besuch beehren.«

Mittlerweile gehörten wir ja hier zum lebenden Inventar.

»Ich bin übrigens Norweger«, betonte Holmes zum wiederholten, aber bestimmt nicht letzten Mal.

»Wahrscheinlich sind es sogar drei Tote. Der Fritz ist ja noch immer verschwunden. Den sehen wir nicht mehr lebend wieder«, verkündete ein behäbig wirkender Gast mittleren Alters, als wir an ihm vorbeigingen. Er leerte sein Bierglas in einem Zug und verkündete dann, dass er zahlen wolle.

»Der Pfarrer sagt, das sei die Strafe für unsere Sünden«, murmelte ein älterer Zecher, der an der Theke stand. Trotz seines weißen Haars und eines leicht gebeugten Rückens macht er einen lebenslustigen Eindruck, zu dem dieser Kommentar nicht recht passte. Unweigerlich musste ich an die alte Frau denken, die beim Fund von Josef Bruckners Leiche den Leibhaftigen ins Spiel gebracht hatte.

»Welche Sünden meinen Sie genau?«, fragte Holmes mit interessierter Miene, während wir an der Theke Platz nahmen, aber er erhielt keine Antwort.

»Wenigstens hat man einen Oberkommissar aus Trier zu uns geschickt. Er hat sogar einen jungen Assistenten mitgebracht. Wenn uns nur der Gendarm beschützen würde, lägen wir längst alle tot im Wald«, sagte jemand, und alle Anwesenden lachten.

Zwei Stunden und drei Biere später beglichen wir unsere erstaunlich moderate Rechnung. Nachdem er uns abkassiert hatte, rief der Wirt in die Runde: »Wer noch etwas trinken möchte, sollte es jetzt bestellen, denn ich muss das Lokal heute in einer halben Stunde schließen!«

Das fand ich sehr verdächtig. Ob es der Wirt war, der Holmes den Zettel zugesteckt hatte?

Ein allgemeines Murren ging durch den Schankraum, doch der stämmige Wirt erklärte nicht, warum er an diesem Abend vorzeitig seine Wirtschaft zu schließen gedachte.

Als wir ins Freie traten, wehte uns von der Saar her ein scharfer Wind entgegen. Ich stellte meinen Mantelkragen hoch und vergrub die Hände in den Taschen, fröstelte aber trotzdem.

»Wollen Sie nicht doch lieber allein auf den Friedhof gehen? Nicht, dass der Unbekannte wieder verschwindet, weil Sie nicht allein sind«, fragte ich, ein Gedanke, der mir seltsamerweise erst in diesem Augenblick gekommen war.

»Nein, Sie kommen besser mit. Vier Augen sehen mehr als zwei. Außerdem kann ich einen Zeugen gebrauchen«, entgegnete Holmes. »Auf dem Zettel stand schließlich nicht: Kommen Sie allein.«

»Davon war sein Verfasser aber bestimmt ausgegangen«, wandte ich vergeblich ein; Holmes quittierte diese Bemerkung nur mit einem verächtlichen Schnauben.

Der Weg von der Alten Post zum Friedhof war rasch zurückgelegt. Als wir das Portal mit dem Eisengitter erreichten, schauten wir uns vorsichtig in alle Richtungen um. Aber kein Schatten huschte durch die dunklen Gassen, und man hörte keinen Laut. Offenbar war zu dieser nächtlichen Stunde niemand unterwegs, kein Nachtwächter, kein heimkehrender Zecher und auch kein Hundehalter, der seinen vierbeinigen Liebling ausführte. Ein paar schwarze Rauchfahnen über den Dächern waren der einzige Hinweis darauf, dass hier Menschen lebten. In diesem Augenblick wünschte ich, ich wäre wieder in Florenz zurück. Ich habe nichts für das Landleben und für kleine Ortschaften übrig. Die mich umgebende Stille war mir unheimlich.

Holmes stieg leichtfüßig über die Mauer und riss mich damit aus meinen trübsinnigen Gedanken. Ich folgte etwas schwerfälliger.

Bestrebt, keine Geräusche zu verursachen, gingen wir auf Zehenspitzen die Stufen hoch, die den Hügel hinaufführten. Als ich an Thomas Laubs Grab vorbeikam, hielt ich automatisch inne. Ich stand nun genau an der Stelle, an der Katharina Laub vor einigen Stunden gestanden hatte. Es war eine klare Nacht, der Mond war fast voll und spendete genug Licht, dass ich die Inschrift auf dem Holzkreuz lesen konnte. Thomas Laub war nur dreißig Jahre alt geworden, wie ich voller Mitgefühl feststellte.

Holmes war ein paar Schritte weitergegangen, dann aber ebenfalls stehen geblieben und schaute mich nun missbilligend an. »Statt die Toten zu beklagen, sollten wir besser dafür sorgen, dass es hier nicht noch mehr derartige Gräber gibt«, raunte er mir zu und bedeutete mir mit einer ungeduldigen Geste, endlich weiterzugehen, was ich auch tat, wenngleich widerwillig.

Alles in mir sträubte sich, tiefer in den nächtlichen Friedhof vorzudringen. Was war, wenn auch der Unbekannte bereits vor uns hierhergekommen war? Das Gelände war voller Büsche, hinter denen er verborgen sein konnte. Und was war, wenn er ein Gewehr oder eine Pistole mit sich führte? Im hellen Mondlicht kam ich mir wie eine wandelnde Schießscheibe vor.

Ich hatte nur zwei Gräber passiert, als ich das Gefühl hatte, dass man uns folgte. Ich drehte mich um, konnte aber keine andere Person sehen. Sei nicht so ein Hasenfuß, ermahnte ich mich, während ich zügig hinter Holmes herging. Aber ich fühlte mich weiterhin wie ein Todeskandidat. Bloß nicht darüber nachdenken, was ich tun würde, wenn man auf uns schoss.

Beim Aufsetzen der Füße gab ich mir noch mehr Mühe als zuvor, keinen Laut zu verursachen, konnte jedoch nicht vermeiden, ab und zu auf einen knackenden Zweig zu treten, vom raschelnden Laub unter meinen Schuhsohlen ganz zu schweigen. Noch immer hatte ich das Gefühl, verfolgt zu werden, und schaute häufiger zurück, vermochte aber nicht einmal Schemen in der Dunkelheit auszumachen.

Als wir das Grab von Pfarrer Lenarz erreichten, schlug die Uhr von St. Lutwinus zehn Mal, noch eine Stunde bis zum Eintreffen des Unbekannten.

Holmes ging noch einige Yards weiter den Hang hoch bis zu einem Busch, hinter dem wir das Grabmonument des Pfarrers einsehen konnten. Hier bezogen wir Stellung. Es roch nach modriger Erde, aber Holmes ließ sich ohne weitere Umstände auf dem feuchten Boden nieder. Ich polsterte mir erst den kalten Boden mit trockenem Laub, bevor ich mich ebenfalls setzte.

Holmes zog ein Kartenspiel aus der Innentasche seines Mantels. Als er die oberen beiden Knöpfe öffnete, bemerke ich, dass er eine Pistole mit sich führte. Wahrscheinlich hatte er sie, wie die Angelrute, von Doktor Schmitt ausgeliehen.

Er teilte die Karten aus und erklärte mir dann mit leiser Stimme, wie man Écarté spielte, ein Kartenspiel, dessen Regeln ihm seine französische Großmutter als Kind beigebracht hatte. Ich hätte eine ordentliche englische Whist-Partie vorgezogen, aber dafür brauchte man bekanntlich vier Spieler. Beim Kartenspiel verging die nächste Dreiviertelstunde wie im Fluge. Obwohl ich die Regeln gut verstanden hatte, gewann Holmes jede einzelne Partie haushoch. Mit der Zeit konnte ich mich des Verdachtes nicht erwehren, dass er falschspielte. Aber in der derzeitigen Situation war mir das herzlich egal. Hauptsache, wir gerieten nicht in die Schusslinie des Mörders.

Um Viertel vor elf beendeten wir das Spiel. Holmes steckte die Karten wieder ein, und wir lauschten in die nächtliche Dunkelheit nach Schritten. Aber das einzige Geräusch, das an mein Ohr drang, war der Kiwitt-Ruf eines Kauzes. Wenige Sekunden später hörte man in der Nähe Zweige knacken, doch das Geräusch verebbte sofort wieder. Es war wohl nur ein kleines Tier gewesen.

Mit quälender Langsamkeit vergingen die nächsten fünfzehn Minuten, ohne dass irgendetwas geschah, außer dass ein zweiter Kauz sich zu dem ersten gesellte. Die Turmuhr schlug elf Uhr in der Nacht, dann Viertel nach elf und schließlich halb zwölf, und noch immer war der Verfasser der an Holmes gerichteten Zeilen nicht erschienen.

Ich muss irgendwann eingenickt sein, fuhr aber erschrocken hoch, als jenseits der Friedhofsmauer ein Fuhrwerk durch die nächtliche Stille polterte. Ein Hund protestierte über den Lärm. War es ein Hund, oder gab es hier etwa noch Wölfe? Plötzlich war ich wieder hellwach.

»Es macht wohl keinen Sinn, noch länger unsere Zeit an diesem trostlosen Ort zu verschwenden«, raunte Holmes mir zu. »Aber seien Sie beim Durchqueren des Friedhofs ganz leise. Man kann nicht wissen, ob sich der Unbekannte nicht irgendwo hinter einem Grabmonument versteckt hat.«

Dieser Kommentar war nicht gerade dazu angetan, meine angespannten Nerven zu beruhigen.

Wir schlichen wie die Diebe durch das Gelände, und wieder hatte ich das Gefühl, dass man uns folgte, weshalb ich mich immer wieder umdrehte. Doch wieder regte sich nichts auf dem Gottesacker, und wir erreichten ohne weitere Zwischenfälle das Friedhofstor. Falls jemand uns verfolgt haben sollte, so hatte er sich in dieser Nacht mit der Rolle des Beobachters begnügt.

Kaum hatten wir endlich die niedrige Sandsteinmauer überstiegen, grub Holmes in seiner Jackentasche nach dem Zigarettenetui. Neidlos stellte ich fest, dass seine Kleidung, im Gegensatz zu meiner, noch in tadellosem Zustand war. Schließlich fand Holmes das Etui, zog eine Zigarette heraus und zündete sie an, worum ich ihn insgeheim beneidete, denn ich war maßlos enttäuscht. Es gibt kaum etwas Frustrierenderes, als von einem wichtigen Zeugen versetzt zu werden – und das mitten in der Nacht!

Holmes wandte sich wieder um, verschränkte die Arme vor der Brust und schaute in Richtung Ortszentrum. »Irgendwo da unten wohnt ein Mörder, der wahrscheinlich längst nicht nur über die Polizei, sondern auch über uns lacht«, sagte er grimmig. »Umso ärgerlicher, dass wir mit dieser falschen Fährte so viel Zeit und Energie verschwendet haben.«

»Könnte Doktor Schmitt uns hierhergelockt haben? Sie sagten ja, ein Akademiker habe die Nachricht verfasst, und Ärzte haben bekanntlich alle eine schreckliche Sauklaue«, überlegte ich, ein Gedanke, der mir schon den ganzen Abend immer wieder durch den Sinn gegangen war.

»Dafür hat er viel zu viel Respekt vor uns«, sagte Holmes und betrachtete das glühende Ende seiner zur Hälfte abgebrannten Zigarette. Ich musterte ihn von der Seite, um mich zu vergewissern, ob er sich über mich lustig machte, als er den Plural verwendet hatte. Aber es hatte nicht den Anschein.

»Jetzt sollten wir aber endlich zurückgehen«, sagte Holmes dann und trat seine Zigarette auf der Fahrbahn aus.

Ich brauchte keine weitere Aufforderung, um diesen schaurigen Ort zu verlassen, denn ich sehnte mich nach meinem schönen, warmen Bett.

18. Die Angelpartie

Am nächsten Morgen wollte Holmes wieder angeln gehen, und diesmal begleitete ich ihn. Ich hatte nämlich weder Lust, schon wieder spazieren zu gehen, noch meine Zeit in Doktor Schmitts Haus zu vertrödeln, wo ich mich zunehmend von der Hausherrin argwöhnisch beäugt fühlte, vom unerquicklichen Englischunterricht, den ich geben musste, ganz zu schweigen.

Noch immer nahm ich Holmes seine vermeintliche Leidenschaft für den Angelsport nicht ab. Zwar besaß er zweifelsohne einen ausgeprägten Jagdinstinkt, doch seine bevorzugte Beute waren nicht Fische, selbst wenn es Riesenwelse waren, sondern Verbrecher.

»Wenn wir doch wenigstens das Tagebuch von Thomas Laub gefunden hätten«, bedauerte ich unterwegs.

»Er hat es offenbar gut versteckt. Wahrscheinlich sind wir nicht die Einzigen, die es suchen. Vor allem möchte der Mörder es unbedingt finden, da es einen Hinweis auf seine Identität enthalten könnte. Deshalb ist auch direkt nach Thomas Laubs Tod im Schulhaus eingebrochen worden«, entgegnete Holmes, blieb stehen und zog eine Zigarette heraus. »Ich hingegen wüsste zu gern, wie der goldene Becher ins große Ganze passt.«

»Sollten wir ihn nicht einfach der Polizei überreichen?«, fragte ich, während Holmes ein Zündholz an seiner Schuhsohle anriss.

»Das hätte Doktor Schmitt tun sollen, und zwar direkt nachdem er ihn erhalten hat. Später hätte das allerdings auch Schaden anrichten können, weshalb ich den Arzt nicht zu diesem Schritt gedrängt habe«, sagte er, als seine Zigarette brannte, und wir setzten unseren Weg zu seinem Lieblingsplatz fort.

Es war ein einsamer Flecken. Im Wind zitterten die Weidenbäume am Ufer des Flusses, der bleifarben und voller Schlamm dahindümpelte, die Wasseroberfläche von Wind gekräuselt. Es hatte in der Nacht einen heftigen Sturm gegeben, und in der Saar trieben abgerissene Äste und altes Laub vom Vorjahr. Nun aber schien die Sonne wieder, und über den Himmel zogen weiße Schäfchenwolken. Wenigstens das Wetter war an diesem Morgen auf unserer Seite.

»Haben Sie eigentlich absichtlich eine Stelle ausgewählt, an der nach Auskunft der Einheimischen nie ein Fisch anbeißt?«, fragte ich Holmes, während ich mich umblickte. Unfassbar, dass in dieser Idylle ein Mörder umherging, der schon zwei Menschen heimtückisch umgebracht hatte.

»Ich gehe hierher, wenn ich in Ruhe nachdenken möchte. Wenn ich hingegen wissen möchte, was man im Ort so redet, setze ich mich neben die Brücke, wo ständig jemand vorbeikommt«, erhielt ich als Antwort.

Ich beschloss, diesen menschenfeindlichen Kommentar nicht auf mich zu beziehen, schwieg aber lieber erst einmal.

Holmes ließ sich am Ufer nieder, leider nicht unter einem Baum, denn die Sonne stand so, dass wir hineinschauen mussten.

Laut polternd fuhr ein schwer beladenes Gespann auf der Straße hinter uns vorbei. In einiger Entfernung flog ein Schwarm pechschwarzer Krähen auf, der sich wohl auf einem Aas niedergelassen hatte. Ich drehte mich nach dem Gespann um, hatte aber den Fuhrmann noch nie gesehen. Als das Gepolter verebbt war, ließen sich die Vögel wieder nieder, und ich wandte mich an Holmes.

»Wir sind noch immer kein Stück weitergekommen«, entfuhr es mir heftiger als beabsichtigt. Holmes erhob keinen Einwand. »Irgendwann sollten wir einfach abreisen, wenn wir nicht für den Rest unseres Lebens hier festsitzen wollen«, fuhr ich fort. Diese Vorstellung hatte mir in der vergangenen Nacht den Schlaf geraubt.

Holmes öffnete den Mund, aber ehe er seine Entgegnung formuliert hatte, sahen wir Herrn Backes, der auf uns zuschritt. Mit seinem bekümmerten Gesicht wirkte er so, als ob er etwas auf dem Herzen hätte. Doch als er uns erreicht hatte, sprach er uns nicht an, sondern blieb unschlüssig stehen. Mittlerweile fühlte ich mich in seiner Gesellschaft nicht wohl, denn der Insektenforscher stand weit oben auf meiner Verdächtigen-Liste. Auch wenn ich ihm vielleicht damit unrecht tat, hatte ich trotzdem die irrationale Befürchtung, dass man in seiner Nähe gefährlich lebte.

»Guten Morgen, Herr Sigerson! Guten Morgen, Herr Tristram«, begrüßte er uns schließlich, verstummte aber sofort wieder, weil Holmes' Angelrute in diesem Augenblick einen heftigen Ruck machte.

»Vielleicht haben Sie ja endlich einen Riesenwels am Haken«, sagte ich ganz aufgeregt und hielt die Hand schützend vor die Stirn, weil mich die Sonne noch immer blendete, und schaute auf die braune Wasserfläche.

Vorsichtig begann Holmes, die Leine einzuholen, kam aber nicht weit, denn bald ließ sich die Kurbel nicht mehr drehen.

Herr Backes hatte im Stehen eine bessere Übersicht und erkannte früher als wir, woran das lag. Plötzlich stieß er einen Schrei des Entsetzens aus, der mir durch Mark und Bein ging. Auf seinem Gesicht spiegelten sich die unterschiedlichsten Seelenregungen, von ungläubiger Fassungslosigkeit bis zu blankem Entsetzen. Jetzt bemerkte auch ich, dass sich Holmes Angelhaken in einer Leiche verfangen hatte, die halb von Zweigen bedeckt im trüben Wasser trieb. Der Tote lag auf dem Bauch und hatte einen Schuh verloren. Es handelte sich um einen fast kahlen Mann von mittlerer Größe. Seine dunkle Kleidung waberte sanft im Rhythmus der Wellen, die ihn langsam in Richtung Ufer trieben. Soweit sich das von seiner Rückenpartie her beurteilen ließ, war ich ihm zu Lebzeiten nie begegnet.

»Ziehen wir ihn heraus, damit wir sehen, wer das ist!«, forderte ich die beiden anderen Männer auf.

»Das gefällt dem Herrn Oberkommissar ganz bestimmt nicht«, gab Herr Backes zu denken. »Am besten hole ich ihn gleich her«, verkündete er dann und wandte sich augenblicklich zum Gehen, wohl um nicht mitansehen zu müssen, wie wir seinem Rat zuwiderhandelten.

»Inzwischen hat er ja Routine darin, der Polizei den Fund einer Leiche zu melden«, sagte ich und schaute dem Käferexperten kopfschüttelnd nach, der so schnell davoneilte, dass er fast rannte.

»Er hat recht! Wir sollten es uns nicht auch noch mit dem Oberkommissar verderben. Es genügt schon, dass wir den Gendarmen gegen uns aufgebracht haben«, sagte Holmes, dem anzusehen war, wie gern er seine Neugier befriedigt und den Toten aus der Nähe angeschaut hätte.

Auch ich konnte die Ungewissheit kaum ertragen, ob es nicht doch einer unserer neuen Bekannten war, der da tot in der Saar trieb.

Holmes ging es wohl ebenso. Er schaute finster auf den Toten im Wasser, während er sich die Wartezeit mit Rauchen verkürzte.

»Der Mörder hat offenbar schon wieder seine Methode gewechselt, oder wir haben es doch mit mehreren Tätern zu tun«, überlegte ich.

»Falls der arme Mann nicht zufällig ertrunken sein sollte. Immerhin hat es in der letzten Nacht ein schweres Unwetter gegeben. Auch könnte der Tote Selbstmord begangen haben«, widersprach Holmes, offenbar aus Prinzip. »Es gibt auch noch ein Problem: Der Leichnam wurde zwar hier angeschwemmt. Aber wir wissen leider noch nicht, wo er ins Wasser gefallen ist. Die starke Strömung könnte ihn von weit her transportiert haben. In diesem Fall besteht vielleicht gar kein Zusammenhang mit den anderen Todesfällen.«

»Denken Sie, was ich denke?«, fragte ich nach einer Weile.

»Gedanken lesen kann leider nicht. Diese Fähigkeit wäre bestimmt sehr nützlich bei der Ermittlungsarbeit«, entgegnete Holmes, obwohl er bestimmt wusste, was ich meinte.

»Ich habe den unguten Verdacht, dass der Tote der Mann ist, mit dem wir letzte Nacht auf dem Friedhof verabredet waren«, präzisierte ich. »Er hat uns nicht versetzt, sondern man hatte ihn umgebracht, bevor er mit uns sprechen konnte.«

»Falls sich dieser Verdacht bewahrheiten sollte, wäre das eine wichtige Wendung in unserem Fall. Dann hätten wir endgültig den Beweis, dass nicht ein Wahnsinniger irgendwelche beliebigen Menschen umbringt, sondern dass die Opfer in einer Beziehung zum Täter und vielleicht auch zueinander standen. Sonst hätte der Unglückliche nicht geahnt, dass er in Gefahr schwebt«, sagte Holmes. »Aber das sind zum jetzigen Zeitpunkt nur müßige Spekulationen.«

»Oder der arme Mann war ein Angler, der vor Langeweile gestorben ist, weil seit Tagen kein Fisch angebissen hat«, fügte ich hinzu, da ich den Angelsport totlangweilig fand.

»Momentan können wir nichts machen, als die Identifizierung und die ärztliche Untersuchung abzuwarten«, entgegnete Holmes. Es war ihm anzusehen, wie sehr es ihn wurmte, anderen bei der Recherche den Vortritt lassen zu müssen. Mir ging es leider ebenso.

Holmes hatte gerade seine fünfte Zigarette seit dem Fund der Leiche angezündet, als endlich eine Kutsche vorfuhr. Als ich bemerkte, dass das Fahrzeug vier Personen Platz bot, stockte mir vor Schreck der Atem. Ich atmete erleichtert wieder aus, als zuerst Oberkommissar Trost, dann sein Assistent und Doktor Schmitt ausstiegen und schließlich der Käferexperte. Der Gendarm war zum Glück nicht von der Partie. Nur ein kleiner, gefleckter Hund sprang zuletzt aus der Kutsche und rannte begeistert, aber planlos herum. Er konnte eigentlich nur dem Oberkommissar gehören.

»Schon wieder Sie!«, sagte Oberkommissar Trost anstelle einer Begrüßung zu Holmes und mir, aber offenbar fühlte Herr Backes sich angesprochen, obwohl er doch mit dem Oberkommissar in der Kutsche gekommen war.

»Ich bin eben oft unterwegs, um Käfer zu beobachten, aber diesmal habe nicht ich den Toten gefunden, sondern die beiden Engländer«, beteuerte er kleinlaut. Sein Blick war konzentriert auf seine Schuhspitzen gerichtet.

»Ich bin Norweger«, verbesserte Holmes beharrlich.

»Herr Backes! Am besten, Sie bleiben in der nächsten Zeit einfach zu Hause. Vielleicht muss dann niemand im Ort mehr eines gewaltsamen Todes sterben«, äußerte der Polizist einen ähnlichen Gedanken, wie er auch mir vorhin in den Sinn gekommen war. »Dieses Mal lasse ich Sie noch ohne eine eingehende Befragung gehen, aber das nächste Mal ...« Er vollendete die Drohung nicht, sondern machte sich daran, zusammen mit seinem Assistenten den Leichnam aus dem Wasser zu ziehen.

»Aber ich bin doch nur ein harmloser Naturfreund«, stammelte Herr Backes, noch immer ohne jemanden anzuschauen.

»Wenn jemand sich für Insekten interessiert, heißt das noch lange nicht, dass er nicht imstande ist, einen Säugling mit der Axt zu erschlagen«, sagte Holmes leise auf Englisch zu mir, während er aufmerksam die Bergung der Leiche beobachtete.

Endlich lag der Tote am Ufer. Es war ein vornehmer Herr mittleren Alters. Sein Gesicht war bleich, er hatte buschige Brauen, ein energisches Kinn und abstehende Ohren. Seine toten Augen blickten uns glasig an. Schaudernd erkannte ich an seiner rechten Schläfe eine große Wunde und wandte den Blick gleich wieder ab.

Dabei streifte mein Blick den Hund des Polizisten, der brav Platz genommen hatte und keine Anstalten machte, den Toten zu beschnuppern.

»Mein Gott, das ist ja der Anwalt Lutwinus Theobald! Noch am letzten Sonntag habe ich mich mit ihm über das in diesem Jahr doch arg unbeständige Wetter unterhalten«, entfuhr es Doktor Schmitt. »Ich kann mir gar nicht vorstellen, wer ihm etwas Böses wünschte. Er war ein untadeliger Angehöriger der besseren Gesellschaft.«

Und wahrscheinlich in Mettlach geboren, da er den Namen des verehrten Kirchenpatrons trug.

»Er wurde also nicht von Gott weiß wo angeschwemmt«, raunte ich Holmes zu.

Doktor Schmitt beugte sich hinunter, um den Toten aus der Nähe zu betrachten.

»Sie wollten uns doch vorhin etwas sagen«, wandte ich mich an Herrn Backes.

Doch dieser schüttelte vehement den Kopf. »Ich wollte nur nachfragen, ob Sie schon herausgefunden haben, wer Thomas Laub und Josef Bruckner umgebracht hat. Ich traue mich ja kaum noch ins freie Gelände«, gab er beschämt zu.

»Das hätten wir doch bestimmt nicht für uns behalten«, entgegnete ich befremdet.

Der Arzt richtete sich wieder auf und strich seinen Gehrock glatt. »Einen Kampf hat es offenbar nicht gegeben«, verkündete er in die Runde.

»Ist er an der Wunde an seinem Kopf gestorben, oder ist er ertrunken?«, erkundigte sich der Oberkommissar und fuhr sich ungeduldig mit der Hand über die Stirn.

»Das kann ich nicht ohne eine genauere Untersuchung in meiner Praxis sagen. Die Wunde hat geblutet. Herr Theobald hat also noch gelebt, als er sie sich zugezogen hat. Sie muss nicht unbedingt tödlich gewesen sein. Aber bevor ich festgestellt habe, ob der Tote Wasser in der Lunge hat, kann ich die Todesursache nicht feststellen«, entgegnete der Mediziner pompös.

»Sie sagten ›als er sie sich zugezogen hat‹. Ist denn ein Fremdverschulden auszuschließen?«, hakte Oberkommissar Trost nach.

»Wenn das hier eine Felsenküste wäre, würde ich auf einen tödlichen Unfall tippen, der sich folgendermaßen abgespielt haben könnte: Der Anwalt ist ausgerutscht oder hat vielleicht einen Schwächeanfall erlitten, schlägt sich den Kopf auf und fällt ins Wasser. Aber hier liegen keine Gesteinsbrocken am Ufer. Herr Theobald könnte sich zwar im Fluss irgendwie eine Kopfwunde zugezogen haben, aber ich halte es für wahrscheinlicher, dass er einen Schlag auf die Schläfe erhalten hat«, antwortete der Arzt mit wichtiger Miene. »Der Täter hat es offenbar eilig. Die Intervalle zwischen den Morden werden immer kürzer. Vielleicht handelt es sich doch um einen Wahnsinnigen, der auf den Geschmack gekommen ist.«

»Doktor Schmitt! Bitte überlassen Sie mir die Polizeiarbeit. Es reicht völlig, wenn Sie mir bis spätestens mor-

gen ein medizinisches Gutachten erstellen«, sagte Oberkommissar Trost und wandte sich an uns. »Herr Sigerson
und Herr Tristram, Sie kommen bitte mit mir ins Revier,
um eine schriftliche Aussage zu machen«, ordnete er an.
»Herr Schneider, Sie sorgen in der Zwischenzeit für den
Abtransport des Leichnams«, trug er dann seinem Assistenten auf. »Und Sie, Herr Backes, warten Sie bitte hier
neben dem Toten, bis mein Assistent wiederkommt, und
sorgen Sie in der Zwischenzeit dafür, dass niemand der
Leiche zu nah kommt«, instruierte er schließlich den Käferforscher, der die ganze Zeit nervös sein Gewicht von
den Zehen zur Ferse und zurück verlagert hatte.

Der junge Polizist, von dem wir jetzt wussten, dass er
Herr Schneider hieß, salutierte und marschierte mit langen Schritten in Richtung Zentrum. Wir hingegen stiegen mit seinem Vorgesetzten und dem Arzt in die Kutsche ein. Bevor der Schlag geschlossen wurde, sprang
der gescheckte Hund mit einem Satz in die Fahrgastka-
bine.

Nachdem wir zahllose Fragen beantwortet und anschließend unsere schriftliche Zeugenaussage unterschrieben hatten, verließen wir eine Stunde später das
Polizeirevier.

»Haben Sie Lust, noch einen kleinen Spaziergang an
der Saar zu machen?«, fragte Holmes, als wir endlich
diese lästige Pflicht hinter uns gebracht hatten.

»Selbstverständlich«, entgegnete ich, obwohl ich eigentlich für diesen Tag genug vom Flussufer hatte.
Aber ich ahnte, was Holmes vorhatte. »Ich nehme an,
Sie möchten die Stelle finden, wo man den Anwalt umgebracht hat?«, fragte ich unterwegs.

»Ja, und ich glaube nicht, dass es sehr weit von hier entfernt ist«, entgegnete Holmes. »Zwar habe ich Herrn Theobald zu Lebzeiten nicht kennengelernt, aber seine wenig muskulöse Beinmuskulatur ließ darauf schließen, dass er kein ausdauernder Fußgänger war.«

Als wir die Stelle erreichten, an der der Tote angeschwemmt worden war, streiften wir mit langsamen Schritten durch das hohe Gras am Ufer. Holmes schritt dabei voran und blieb immer wieder stehen, um Pflanzen aufmerksam zu betrachten. Um ehrlich zu sein, bezweifelte ich, dass Holmes finden würde, was er suchte. Vielleicht war der Anwalt auf dem anderen Ufer umgebracht worden oder in einem Nachbarort, wo er einen Klienten besucht hatte.

»Ich dachte, Sie wollen den wahnsinnigen Mörder fassen! Falls Sie hingegen auf der Suche nach einer Stelle sind, an der die Fische anbeißen, kann ich Ihnen nur das andere Ufer empfehlen«, sagte eine männliche Stimme zu uns, die mir bekannt vorkam.

Ich blickte hoch und erkannte Doktor Schmitt.

»Nein, ich interessiere mich momentan eher für die Botanik«, entgegnete Holmes« und bedachte den Arzt mit einem kurzen Nicken und einem sehr zurückhaltenden Lächeln. »Sollten Sie sich nicht um Ihre Patienten kümmern, nachdem Sie sie schon heute Morgen sträflich vernachlässigen mussten?«

»Es ist Mittwochnachmittag. Da müssen die Patienten so oder so ohne mich auskommen. Schade, dass Sie heute nicht mehr angeln. Meine Gattin und ich warten noch immer auf einen schmackhaften Fisch«, erwiderte der Arzt, tippte sich an den Hut und setzte seinen Weg fort.

»Mir ist er nicht mehr geheuer«, sagte ich. »Wenn er uns nicht gebeten hätte, ihn nach Mettlach zu begleiten, würde ich ihn für den Mörder halten.«

»Und was hätte er Ihrer Meinung nach davon?«, fragte Holmes konsterniert.

»Vielleicht will er berühmt und ein angesehener Pathologe werden«, sagte ich, aber mir selbst erschien meine Antwort etwas dürftig.

Nachdenklich betrachtete ich die Saar, die so friedlich und ruhig dahinfloss, als wäre nichts geschehen.

»Womit wir wieder bei dem Wahnsinnigen wären, der wahllos irgendwelche Leute umbringt«, entgegnete Holmes kopfschüttelnd und stapfte weiter am Ufer entlang. »Genau, wie ich erwartet habe«, sagte er plötzlich in einem triumphalen Tonfall und deutete auf einige umgeknickte Grasbüschel, an denen mit einem sehr guten Auge Blutstropfen zu sehen waren.

»Er muss doch den Täter bemerkt haben. Hier ist kein Busch, hinter dem sich der Mörder versteckt haben könnte«, wunderte ich mich und schaute mich um. Wir befanden uns an der rückwärtigen Seite einer herrschaftlichen Villa, etwas abseits des Ortes.

»Daher können wir davon ausgehen, dass er den Mörder kannte und keine Angst vor ihm hatte«, sagte Holmes, ging in die Hocke und begutachtete die lädierte Vegetation, stand aber bald wieder auf.

Schweigend kehrten wir in den Ort zurück. Unterwegs schaute ich immer wieder vorsichtig über die Schulter zurück, denn ich musste zugeben, dass ich mich langsam draußen unsicher zu fühlen begann.

19. Die Haushälterin

Viele hatten befürchtet, dass es noch einen Mord geben würde, aber als es tatsächlich geschehen war, saß trotzdem der Schock tief. Diesmal war es kein Bauarbeiter und kein zugereister Einzelgänger, der überall aneckte, sondern ein angesehener Bürger. Ich hatte gehofft, dass ein drittes Opfer etwas Licht in diese dunkle Angelegenheit bringen würde, aber das Gegenteil war der Fall. Was hatte der Anwalt mit den beiden anderen, viel jüngeren Männern zu tun gehabt, die obendrein einer anderen Bevölkerungsschicht als er angehörten?

Natürlich überschlug sich die Presse vor Empörung darüber, dass man dem Mörder noch immer nicht das Handwerk gelegt hatte. Und im Ort wimmelte es inzwischen vor Reportern. Eine Trierer Zeitung hatte ähnliche Fälle ausgegraben, die meisten hatten sich in amerikanischen Städten wie Chicago und New York ereignet und waren schon ein paar Jahre her.

Aus der lokalen Zeitung erfuhren wir mehr über den Toten. Es handelte sich um einen fünfundfünfzig Jahre alten Witwer mit zwei erwachsenen Söhnen, von denen der ältere nach Amerika ausgewandert war und der jüngere in Berlin lebte. In seiner Villa hatte Herr Theobald eine gut gehende Anwaltskanzlei betrieben.

Während wir morgens die Tageszeitungen in der Küche studierten, kam der Hausherr herein, wohl um einen kleinen Imbiss zu sich zu nehmen.

»Guten Morgen, Doktor Schmitt, schön, Sie zu sehen«, begrüßte Holmes ihn erfreut. »Sie haben doch bestimmt inzwischen den Toten untersucht?«

»Ja, das habe ich. Er hatte viel Wasser in der Lunge. Er ist also definitiv ertrunken. Aber möglicherweise hätte der Schlag auf den Kopf auch schon ausgereicht, um ihn umzubringen. Der Mörder wollte wohl auf Nummer sicher gehen«, entgegnete der Arzt, während er sich ein Brot schmierte.

»Haben Sie eine Idee, womit ihm der Schlag versetzt wurde?«, fragte Holmes.

»Leider nicht, es war irgendein stumpfer Gegenstand. Auch der Todeszeitpunkt lässt sich bei einer Wasserleiche nur schwer bestimmen. Der Tod ist irgendwann zwischen vorgestern Abend und gestern früh eingetreten«, sagte der Arzt und biss herzhaft in seine Stulle. Wahrscheinlich hätte es ihm auch nichts ausgemacht, uns sämtliche unappetitlichen Details der Obduktion beim Verzehr seines Imbisses ausführlich zu beschreiben. »Sie haben Glück«, fuhr er fort, als er den Bissen hinuntergeschluckt hatte. »Als erste Patientin war heute Morgen Herrn Theobalds Haushälterin Elfriede Kiefer in meiner Praxis, weil sie unter Kopfschmerzen leidet. Ich habe ihr gleich Ihren Besuch für den späten Vormittag angekündigt.«

Wahrscheinlich hatte der Arzt inzwischen ein schlechtes Gewissen, weil er uns am Vortag Vorwürfe gemacht hatte, denn er behandelte uns seitdem mit äußerster Zuvorkommenheit. Vielleicht hatte er aber auch Gefallen an der Ermittlungsarbeit gefunden.

»Das war sehr geistesgegenwärtig von Ihnen«, sagte Holmes und erkundigte sich nach der Anschrift von Herrn Theobalds Villa.

Doktor Schmitt diktierte sie ihm und beschrieb uns den Weg dorthin. Dann musste er in seine Praxis zurückkehren. Wir hingegen legten die Zeitungen beiseite und machten uns auf den Weg.

Auf dem Marktplatz beschwerte sich gerade in einer Menschenansammlung eine aus einem manierlich gekleideten Mann, einer wesentlich jüngeren Frau und einem heulenden Kleinkind bestehende Familie lautstark über die mangelnde Kompetenz der Polizei.

»Wozu zahlen wir Steuern, wenn der Staat es nicht einmal fertigbringt, rechtschaffene Bürger und ihre Kinder vor Wahnsinnigen zu beschützen? Wer weiß, welchem Tollhaus der entsprungen ist!«, ereiferte sich die Frau, und ich hoffte, dass sie uns nicht erkannte.

Aber wir überquerten unbehelligt den Marktplatz, und Doktor Schmitts exakter Wegbeschreibung folgend, gelangten wir nach einem kurzen Fußmarsch zu einer schmucken, von einem großen Garten umgebenen Villa am Flussufer.

»Ist das nicht das Anwesen, hinter dem der Anwalt ermordet worden ist?«, fragte ich verblüfft.

»Ja, der Mörder hat ihm hinter seinem eigenen Haus aufgelauert. Wahrscheinlich waren ihm Herrn Theobalds Gewohnheiten bekannt«, bestätigte Holmes, während er auf das Hauptgebäude zuschritt.

Alle Gebäude des Anwesens waren frisch verputzt, der Rasen und die Sträucher im Garten gepflegt, und in einer lauschigen Ecke stand ein Teepavillon im modernen Liberty-Stil. Neben dem Eingang hing ein blank poliertes Messingschild mit der Inschrift *Lutwinus Theobald, Anwalt und Notar.* Die Tür schmückte ein ebenfalls aus Messing gearbeiteter Türklopfer in Form eines Delfins.

»Ich kann mir nicht vorstellen, dass uns diese Haushälterin weiterhelfen kann«, sagte ich skeptisch, bevor Holmes mehrfach den Klopfer betätigte.

»Wenn man das immer schon vorher wüsste, könnte man sich eine Menge Arbeit ersparen«, meinte Holmes belustigt.

Ein verhuschtes, höchstens achtzehnjähriges Hausmädchen öffnete die Tür, wir äußerten unser Anliegen und überreichten unsere Visitenkarten. »Frau Kiefer erwartet die Herren in der Bibliothek«, verkündete sie daraufhin und ließ uns ein.

Wir betraten eine Halle, in der zwei imposante, lebensgroße Ölgemälde den Besucher begrüßten. Eines zeigte eine jüngere Variante von Herrn Theobald, das Gegenstück eine elegante Dame im Abendkleid mit langen, schwarzen Handschuhen. Der Effekt der Porträts war sehr theatralisch.

Wir gaben dem Mädchen unsere Mäntel und Hüte, die sie an einer schmiedeeisernen Garderobe aufhängte. Mein Blick schweifte staunend über den riesigen, leicht abgetretenen Perserteppich zum gepflasterten Dielenboden und die Marmorstufen der Treppe, die ins Obergeschoss führten. Auch der Handlauf war eine filigrane Schmiedearbeit im Liberty-Stil, genauso wie die Lampen, die wie die Blüten exotischer Blumen aussahen. Die Stufen bedeckte ein roter Läufer, und in der Ecke stand ein Biedermeier-Schrank. So ein herrschaftliches Anwesen hatte ich schon lange nicht mehr gesehen. Aber Notare nagten bekanntlich nicht am Hungertuch, allerdings nutzte dem verstorbenen Besitzer diese Pracht nicht mehr.

»Wenn die Herren mir bitte folgen möchten«, sagte das Mädchen höflich und stieg langsam die Treppe hinauf.

Wir gelangten in eine repräsentative Diele mit stuckierter Decke, wo das Hausmädchen eine mit Schnitzereien verzierte Tür öffnete. Wir betraten einen weiten, quadratischen Raum, dessen Wände mit Bücherregalen im neugotischen Stil überzogen waren. Darauf standen ledergebundene Bücher mit Goldschnitt. In einer Ecke stand ein Klavier, daneben ein uralter Lehnstuhl, der wohl ein Familienerbstück war.

Darin eingezwängt saß eine füllige Frau in den Sechzigern, die ein schwarzes Kleid mit Spitzenbesätzen trug. Sie hatte graues Haar, das zu einem schlichten Knoten zusammengefasst war, eine pergamentartige, helle Haut und streng dreinblickende, blaugraue Augen. An ihrem Gürtel hing als Zeichen ihres Amtes ein großer Schlüsselbund. Wahrscheinlich zitterte das gesamte Hauspersonal vor ihr. Offensichtlich bereitete es ihr momentan Freude, die Hausherrin zu spielen. Aber dieses Vergnügen würde wohl von recht kurzer Dauer sein.

»Herr Sigerson und Herr Tristram«, stellte das Hausmädchen uns vor und gab Elfriede Kiefer unsere Visitenkarten. »Möchten Sie eine Tasse Kaffee trinken?«, fragte das Mädchen uns dann.

»Das wäre sehr freundlich von Ihnen«, sagte ich und lächelte ihr aufmunternd zu.

Sie machte einen Knicks und huschte davon.

»Noch jemand, der mich mit Fragen malträtiert«, murrte die Haushälterin, kaum dass wir unter uns waren. »Zuerst der Gendarm, dann dieser Polizist aus Trier und jetzt auch noch zwei Ausländer! Ich empfange Sie wirklich nur, weil der Doktor mich darum gebeten hat. Aber Sie arbeiten doch bestimmt für irgendeine preußische Zeitung?«

Nein, für die Times hätte ich am liebsten erwidert, verkniff mir aber den boshaften Kommentar.

»Wir sind nicht von der Presse. Was Sie uns auch immer sagen, es bleibt unter uns«, beteuerte Holmes, der, wenn er wollte, sehr verbindlich sein konnte. »Wir waren hier rein zufällig in Urlaub, als der erste Tote in Mettlach gefunden wurde. Da wir von Beruf beratende Ermittler sind, helfen wir der hiesigen Polizei. Momentan versuchen wir natürlich herauszufinden, wer Herrn Theobald umgebracht hat. Sie könnten dabei eine große Hilfe sein.«

Die schwarz gekleidete Frau erwiderte nichts, protestierte aber auch nicht, sondern schien geschmeichelt zu sein. Holmes zog den unglückseligen Zettel, der uns auf den Friedhof gelockt hatte, aus der Jackentasche.

»Ist das die Handschrift Ihres Arbeitgebers?«, fragte er und zeigte der Haushälterin die Nachricht.

»Ja, ohne jeglichen Zweifel«, sagte die Frau, ohne zu zögern. »Wo haben Sie das denn her? So ein …«, sie suchte vergeblich nach einem passenden Wort, »Zettel passt gar nicht zu Herrn Theobald, wo er doch immer so auf Ordnung bedacht war.«

»Diese Nachricht muss mir Herr Theobald vorgestern heimlich zugesteckt haben, ich vermute, auf dem Marktplatz«, antwortete Holmes. »Jedenfalls fand ich sie plötzlich in meiner Manteltasche.«

Die Haushälterin schaute empört zu Holmes hoch, der noch immer neben ihr stand, während ich inzwischen auf einem Stuhl neben einem kleinen, runden Tisch Platz genommen hatte. Dann wanderte ihr vorwurfsvoller Blick zu mir.

»Und warum sind Sie dann nicht auf den Friedhof gegangen? Wenn Sie es getan hätten, würde er vielleicht noch leben!«, wurden wir beschuldigt.

»Selbstverständlich haben wir das getan, aber Herr Theobald ist nicht auf dem Friedhof erschienen. Wir müssen leider davon ausgehen, dass er zu diesem Zeitpunkt bereits tot war«, sagte Holmes und ließ sich nun ebenfalls auf einem Stuhl nieder. »Hat er Ihnen erzählt, dass er sich mit uns auf dem Friedhof treffen wollte?«, erkundigte er sich dann.

»Nein, aber er hat mir vorgestern beim Abendessen erzählt, dass er ahnt, wer den Bauarbeiter umgebracht haben könnte«, sagte Elfriede Kiefer, und mir stockte vor Überraschung der Atem.

Bevor Holmes auf diese ungeheuerliche Neuigkeit reagieren konnte, wurde die Tür ganz leise geöffnet und das Hausmädchen betrat mit unsicheren Schritten die Bibliothek, in der Hand ein silbernes Tablett mit zwei Tassen dampfendem Kaffee, einer kleinen Zuckerdose und einem dazu passenden Milchkännchen, alles aus Meissener Porzellan und mit Streublumen dekoriert. Das Mädchen stellte das Kaffeegeschirr auf den kleinen Tisch, legte zwei Löffelchen auf die Untertassen, machte einen Knicks und zog sich wieder fast lautlos zurück.

»Hat Herr Theobald einen Namen genannt?«, fragte Holmes, kaum dass sich die Tür der Bibliothek geschlossen hatte.

»Leider nicht«, musste unsere Gesprächspartnerin zugeben. »Im Nachhinein ärgere ich mich, dass ich nicht nachgefragt habe. Aber es erschien mir unhöflich.«

»Meinen Sie, dass er sich jemand anderem anvertraut hat, einem engen Freund vielleicht?«, fragte Holmes.

Die Haushälterin schüttelte den Kopf. »Das kann ich mir wirklich nicht vorstellen. Herr Theobald war ein sehr zurückhaltender Mann.«

»Oder könnte er seiner Familie etwas erzählt haben?«, hakte Holmes nach.

Elfriede Kiefer seufzte tief und blickte auf vier Familienfotos, die auf dem Kaminsims standen. Sie zeigten einen mindestens zwanzig Jahre jüngeren Lutwinus Theobald mit einer traurig dreinblickenden, dunkelhaarigen Frau und zwei Jungen mit den abstehenden Ohren ihres Vaters. Es gab auch ein aktuelleres Foto des Juristen, auf dem er das dünne, strähnige Haar quer über seine Glatze gelegt hatte, was diese aber auch nicht kaschierte.

»Seinen älteren Sohn hatte Herr Theobald seit einem halben Jahr nicht mehr gesehen. Er wohnt ja in Neu York. Bei dem anderen ist es auch mindestens zwei Monate her«, erklärte die Haushälterin schließlich. »Es ist schrecklich, wenn die Kinder so weit weg wohnen.«

Es stellte sich also die Frage, woher der Mörder trotzdem wusste, dass er erkannt war.

»Und wem haben Sie selbst vom Verdacht Ihres Arbeitgebers erzählt?«, fragte Holmes, der sich offenbar die gleichen Gedanken machte.

»Nur meiner Tochter. Sie ist zum Glück in Mettlach geblieben«, beteuerte Elfriede Kiefer und richtete sich kerzengerade in ihrem Lehnstuhl auf.

Holmes fehlten einen Augenblick lang die Worte, was nicht oft geschah. »Ich hoffe, Sie haben nicht der Polizei gegenüber erwähnt, dass Ihr Arbeitgeber Ihnen anvertraut hat, dass er den Mörder kennt?«, fragte er dann.

»Ich war so durcheinander, dass ich daran überhaupt nicht gedacht habe«, antwortete die Haushälterin und sank wieder zur Lehne des Stuhls zurück. »Aber diesem hochnäsigen Polizisten aus Trier hätte ich sowieso nichts erzählt.«

»Frau Kiefer, ich rate Ihnen im eigenen Interesse dringend, in Zukunft absolut niemandem gegenüber den Verdacht Ihres Arbeitgebers zu erwähnen. Erzählen Sie es auch nicht den Dienstboten der Nachbarn, Ihrer kleinen Enkelin oder dem Briefträger. Sonst schweben Sie womöglich in Lebensgefahr. Nicht nur Sie, sondern auch Ihre Lieben. Denken Sie immer daran, dass wir es mit einem skrupellosen Mörder zu tun haben, der schon drei Menschen getötet hat«, sagte Holmes eindringlich und blickte dabei Elfriede Kiefer ins Gesicht. »Und dieser Mörder muss kein Fremder sein! Vielleicht ist es ein angesehener Bürger wie Herr Theobald, den Sie schon seit Jahren kennen.«

»Sie glauben also nicht, dass es ein Wahnsinniger ist, der hier sein Unwesen treibt?«, entfuhr es unserer Gesprächspartnerin. Ungläubiges Staunen lag in ihrer inzwischen leicht schrillen Stimme.

»Das habe ich nie angenommen«, erwiderte Holmes. »Inzwischen hat man aber sogar in der nächsten Nervenheilanstalt nachgefragt. Doch der Einzige, der dort vermisst wird, ist ein verwirrter Greis von neunzig Jahren, der wahrscheinlich den Rückweg nicht mehr gefunden hat.«

Dieses Detail hatte Holmes mir wieder einmal verschwiegen. Oder hatte er diese Geschichte nur erfunden, damit die Haushälterin begriff, dass der Mörder kein Verrückter war?

»Vielleicht war es ein Auftragsmord!«, schlug unsere Gesprächspartnerin in einem verschwörerischen Tonfall vor, und trotz des traurigen Anlasses musste ich mir bei diesem absurden Vorschlag mühsam das Lachen verkneifen.

»Und wer könnte Ihrer Meinung nach diesen Auftrag gegeben haben?«, griff Holmes, ohne die Miene zu verziehen, diesen Gedanken auf. »Hatte Ihr Arbeitgeber irgendwelche Feinde?«

»Es gibt einen Staatsanwalt, der ihm vor Gericht das Leben schon oft schwer gemacht hat«, sagte die Haushälterin, nachdem sie kurz über die Frage nachgedacht hatte.

»Juristen bringen einander selten aus beruflichen Gründen um. Sonst wäre dieser Berufsstand längst ausgestorben«, meinte Holmes trocken. »Gab es in Herrn Theobalds privatem Umfeld vielleicht jemanden, der ihn überhaupt nicht leiden konnte, mit dem er zum Beispiel seit seiner Zeit beim Militär verfeindet war oder dergleichen?«

»Nein, ganz bestimmt nicht«, erwiderte unsere Gesprächspartnerin vehement.« Herr Theobald war überall beliebt und angesehen, auch im Gesangsverein, wo er Kassenwart war.«

»Oder grollt ihm ein ehemaliger Mandant, weil er trotz Herrn Theobalds Verteidigung einen Prozess verloren hat?«, erkundigte sich Holmes. »Vielleicht ist er sogar im Gefängnis gelandet und hat jetzt die Gunst der Stunde genutzt, um sich zu rächen. Er konnte ja davon ausgehen, dass für das Verbrechen der vermeintliche Verrückte verantwortlich gemacht wurde.«

»Nein, Herr Theobald hat alle Prozesse gewonnen«, behauptete die Haushälterin im Brustton der Überzeugung.

»Das müssen wir noch überprüfen«, sagte Holmes leise auf Englisch zu mir, bevor er sich wieder an Elfriede Kiefer wandte. Ich ahnte schon, wen er mit »wir« meinte.

»Sie haben also niemanden in Verdacht, Herrn Theobald umgebracht zu haben?«, hakte er nach.

»Nein! Ich habe nicht den geringsten Verdacht. Ich bin mir ganz sicher, dass dieser Verrückte ihn umgebracht hat! Er hat ja schon zwei Menschen auf dem Gewissen, die nicht das Geringste mit Herrn Theobald zu tun hatten, wie ich doch mit Nachdruck betonen möchte.«

Holmes setzte an, seine Frage zu wiederholen.

»Wieso sollte ausgerechnet ich einen Verdacht haben, wer Herrn Theobald umgebracht haben könnte?«, kam ihm die Haushälterin zuvor.

»Weil Sie ziemlich viel Zeit mit ihm verbracht haben. Da müssen Sie doch das eine oder andere mitbekommen haben. Vielleicht hat Herr Theobald ja manchmal einen Fall mit Ihnen besprochen«, machte Holmes einen neuen Versuch.

»Nein, niemals! Er hat nie mit mir über seinen Beruf geredet«, betonte unsere Gesprächspartnerin.

Ich konnte es dem verstorbenen Anwalt wirklich nicht verdenken.

»Außerdem wurde inzwischen festgestellt, dass keiner der beiden anderen Toten in kriminelle Machenschaften verwickelt war«, fuhr Holmes fort. »Es wäre also für Herrn Theobald keine Schande gewesen, sie gekannt zu haben.«

Jedenfalls hatte sich keiner von beiden erwischen lassen, dachte ich.

»Ich würde auch nicht vermuten, dass ein Bauarbeiter in kriminelle was auch immer verwickelt ist«, brummelte die Haushälterin. Ihr eigentlich runder Mund war zu einem schmalen Spalt verengt. Sie wirkte, als wären die Morde nur begangen worden, um ihr Unannehmlichkeiten zu bereiten.

»Ich habe noch eine ganz andere Frage. Wissen Sie zufällig, was Ihren Arbeitgeber gestern an das Saarufer geführt hat?«, fragte Holmes dann.

»Er hatte früher einen Mops, den er immer frühmorgens und am Abend am Ufer ausgeführt hat. Leider ist der Hund letzten Monat gestorben. Er war auch schon vierzehn Jahre alt. Aber Herr Theobald hatte sich so an diese Spaziergänge gewöhnt, dass er diese Sitte beibehalten hat.«

»Was das allgemein bekannt?«

»Ja, das wusste jeder. Alle haben ihm ans Herz gelegt, sich doch wieder einen Hund anzuschaffen ...«

Sie machte eine hilflose Geste, die wohl zeigen sollte, dass ihr Arbeitgeber sich keine Ratschläge geben ließ.

»Das hätte er tun sollen«, stimmte ich ihr zu. »Am besten eine Dogge, einen Schäferhund oder einen Rottweiler. Dann wäre er vielleicht noch am Leben.«

»Wir sollten uns doch besser nicht in Spekulationen verlieren«, tadelte mich Holmes und wandte sich dann erneut an die Haushälterin. »Wenn Ihnen doch noch einfällt, wen Ihr Arbeitgeber im Verdacht hatte, so finden Sie mich bei Doktor Schmitt«, sagte Holmes und verabschiedete sich.

»Sagen Sie doch bitte dem Doktor, dass seine Tabletten nicht gegen mein Kopfweh geholfen haben«, trug uns die Haushälterin auf, als wir schon mit Hut und Mantel in der Tür standen.

Draußen auf der Straße war ich kurz davor, Holmes um eine Zigarette zu bitten, so zermürbend fand ich das Gespräch mit der gleichermaßen beschränkten und dünkelhaften Haushälterin.

»Ich finde es ja seltsam, dass Herr Theobald weiterhin einsame Spaziergänge gemacht hat, obwohl er wusste, dass er in Gefahr schwebte«, wunderte ich mich.

»Er war eben ein Mann mit festen Grundsätzen«, entgegnete Holmes nüchtern.

»Aber warum hat Herr Theobald sich nicht der Polizei anvertraut? Dann wäre er vielleicht noch am Leben!«, entfuhr es mir, ein Gedanke, der mich während des Gespräches verfolgt hatte.

»Ja, das hätte er tun sollen. Oder mir wenigstens sofort alles mitteilen, was er wusste, statt dieses melodramatische Treffen auf dem Friedhof vorzuschlagen«, meinte Holmes und schüttelte verärgert den Kopf. »Dabei ist es noch nicht einmal sicher, dass Herr Theobald tatsächlich den Richtigen in Verdacht hatte.«

»Falls Herr Theobald den Richtigen verdächtigt haben sollte, wie ist er ihm auf die Schliche gekommen?«, fragte ich mich.

»Das ist eine gute Frage, auf die es viele mögliche Antworten gibt«, begann Holmes und zählte dann die Möglichkeiten an den Fingern ab. »Vielleicht besteht irgendeine Verbindung zwischen dem Mörder und dem Anwalt. Vielleicht hat Herr Theobald aber auch Detektiv gespielt, weil er sich als Jurist dazu berufen gefühlt hat, der Gerechtigkeit zum Sieg zu verhelfen oder dergleichen. Vielleicht war er durch seinen Beruf auf den Mörder aufmerksam geworden. Vielleicht war er ihm schon länger auf der Spur, was dieser gemerkt hat. Vielleicht hat Herr Theobald aber ganz zufällig etwas herausgefunden ...«

»Das Sie nicht bemerkt haben? Niemals«, unterbrach ich Holmes, der wieder im Begriff war, sein Zigaretten-Etui herauszuziehen.

Er widersprach nicht, was ich auch nicht erwartet hatte, denn er war nicht ohne Eitelkeit.

Wortlos hielt er mir das Etui hin, nachdem er ihm eine Zigarette entnommen hatte. Mein Blick war wohl zu sehnsuchtsvoll gewesen. Ich bedankte mich und zog ebenfalls eine Zigarette heraus. Holmes riss ein Streichholz an der Schuhsohle an, zündete beide Zigaretten an, und ich versuchte vergeblich, einen Rauchkringel zu blasen.

»Ich wäre Ihnen sehr verbunden, wenn Sie nachher im Archiv der hiesigen Zeitung die letzten zehn Jahrgänge danach sichten würden, ob darin über Prozesse berichtet wird, an denen Lutwinus Theobald beteiligt war und wie diese ausgegangen sind«, trug Holmes mir wie erwartet auf, nachdem ich meine erste Zigarette seit zehn Jahren zu Ende gepafft hatte.

Wir hatten bereits mehrere Häuserblocks hinter uns gebracht und strebten dem Ortszentrum zu.

»Ein Klient, der sich schlecht vertreten gefühlt hat, wird doch wohl kaum zehn Jahre warten, bis er sich rächt«, protestierte ich und blieb vor einem Lebensmittelgeschäft stehen.

»Falls er im Gefängnis sitzt, bleibt ihm gar nichts anderes übrig«, entgegnete Holmes. »Wenn ich es mir recht überlege, sollten Sie vielleicht besser die letzten zwanzig Jahre durchsehen. Der Betreffende hatte vielleicht eine sehr lange Haftstrafe zu verbüßen, was seine Wut erklären würde.«

Ich hätte nicht aufmucken sollen.

»Ich komme spätestens zum Abendessen zurück«, erklärte Holmes nebulös, und schon war er verschwunden.

Ich hätte zu gern gewusst, womit er sich in der Zwischenzeit zu beschäftigen gedachte. Jedem anderen wäre erst einmal die Freude am Angelsport verleidet worden, aber bei Holmes war ich mir da nicht so sicher.

20. Das Archiv

So verbrachte ich also den Rest des schönen, sonnigen Tages in einem dunklen Archiv im Untergeschoss eines Verlagshauses. Mit wachsender Ungeduld blätterte ich mehrere Jahrgänge der Lokalzeitung durch, ohne auf den Namen Lutwinus Theobald zu stoßen, zumindest wenn man davon absah, dass etwa ein Jahr zuvor berichtet worden war, dass der Anwalt als Kassenwart des Gesangsvereins bestätigt wurde. Vielleicht war er überwiegend in Scheidungsfälle verwickelt gewesen, oder in Mettlach wurden nur Bagatellfälle verhandelt, die zu banal für eine Zeitungsmeldung waren. Letzteres war wahrscheinlicher, denn es wurde überhaupt nur selten über Gerichtsverhandlungen berichtet.

Ich hatte schon jede Hoffnung aufgegeben, mit irgendeinem Resultat aufwarten zu können, als ich doch noch fündig wurde. Etwas mehr als acht Jahre zuvor hatte es im Ort einen Banküberfall gegeben. Man hatte einen Gelegenheitsarbeiter verhaftet und in einem Indizienprozess zu zehn Jahren Haft verurteilt, obwohl das geraubte Geld nicht sichergestellt werden konnte. Der Angeklagte hatte bis zum Schluss seine Unschuld beteuert. Sein Anwalt war Lutwinus Theobald gewesen, wie ich vermutete, als Pflichtverteidiger. Man hatte dem Angeklagten Strafminderung versprochen, wenn er das Versteck seiner Beute verraten würde. Aber er hatte immer wieder beteuert, dass er unschuldig sei und keine Ahnung hätte, wo das Geld sei. Das wurde ihm vom Richter als Verstocktheit ausgelegt, weshalb der Gelegenheitsarbeiter so eine hohe Strafe erhielt. Nach der Urteilsverkündung hatte der Verurteilte lauthals Rache geschworen. So stand es jedenfalls in der Zeitung.

Das war genau, was ich gesucht hatte! Bei guter Führung konnte der Mann durchaus wieder auf freiem Fuß sein, zumindest, falls er keine weiteren Morddrohungen ausgestoßen haben sollte.

Ich war so stolz auf meinen Fund, dass ich nur mühsam der Versuchung widerstand, den Artikel aus der Zeitung zu reißen. Aber ich begnügte mich damit, den Namen des Verurteilten und das Datum des Prozesses für Holmes zu notieren.

Damit endete allerdings leider meine Glückssträhne. Obwohl ich sehr gewissenhaft weitere zwölf Jahrgänge sichtete, wurde ich kein zweites Mal fündig. Vielleicht war Herr Theobald ja tatsächlich als Anwalt so erfolgreich gewesen, wie seine Haushälterin behauptet hatte.

Nach dieser unerquicklichen Arbeit hatte ich mir ein Stück Kuchen verdient. Aber leider war es bereits Viertel vor sechs. Mit schnellen Schritten steuerte ich meinen Lieblingsbäcker an und schaffte es gerade noch, vor Ladenschluss durch die Tür zu schlüpfen. Die Glocke ertönte, und die Verkäuferin mit den blauen Augen sah mich mit verschwörerischer Miene an. Aber ich sah mit einem Blick, dass es kaum noch Backwaren gab.

»Guten Abend, Herr Tristram, schön, dass Sie wieder vorbeikommen«, begrüßte das Mädchen mich unerwartet herzlich. »Das letzte Mal konnte ich nicht über alles sprechen, da der Bäcker im Hinterzimmer war und jedes Wort mithören konnte.«

Diese Bemerkung ließ mein Herz schneller schlagen. Ahnte die Verkäuferin am Ende doch, warum man ihren Verlobten umgebracht hatte? »Was hätten Sie uns denn sonst noch gesagt?«, fragte ich voller Ungeduld. Unwillkürlich senkte ich meine Stimme.

»Ihnen, nicht Ihrem Freund«, sagte die Verkäuferin und presste die Lippen zusammen. »Der ist mir irgendwie unheimlich. Wenn er mich anblickt, fühle ich mich durchschaut. Dabei habe ich gar nichts begangen.«

»Das geht vielen so«, entgegnete ich belustigt. »Aber spannen Sie mich nicht länger auf die Folter. Nicht, dass noch eine Kundin den Laden betritt oder der Bäcker vorbeikommt, um das Geschäft abzuschließen.«

»Vor dem sind wir sicher. Der ist auf einer Trauerfeier.«

Der Pfarrer dieses idyllischen Ortes musste ja in letzter Zeit recht viele Trauerfeiern ausrichten.

»Wer wird denn begraben?«, fragte ich in der Annahme, es könne Lutwinus Theobald sein.

»Die alte Mutter des Bäckers. Während des Gottesdienstes war das Geschäft für eine Stunde geschlossen, aber danach musste ich gleich wieder arbeiten«, sagte die Verkäuferin und gab mir ein Blatt mit dem Programm der Trauerfeier.

Ich bedankte mich und steckte die Druckschrift gedankenverloren in die Manteltasche. »Therese! Was haben Sie denn nun letztes Mal vorsichtshalber nicht erzählt?«, hakte ich nach und blickte ihr forschend in die blauen Augen.

»Das Wochenende vor seinem Tod ist Josef samstags mit der Bahn nach Metz gefahren. Allein! Natürlich wäre ich gern mitgekommen, denn ich war noch nie da. Metz ist ja immerhin siebzig Kilometer entfernt. Aber der Josef wollte mich partout nicht mitnehmen, und wir haben uns deshalb gestritten. Damals hatte ich gedacht, dass er bestimmt dort ein Mädchen kennt. Aber ich glaube, ich habe ihm unrecht getan«, sagte sie und begann zu schniefen.

Ich war etwas irritiert, denn für meinen Geschmack war das letzte Gespräch mit der Verkäuferin sehr privat gewesen, während die Fahrt nach Metz doch recht banal war. Warum durfte der Bäcker das nicht wissen? »Und Sie haben keine Idee, was ihn nach Metz geführt haben könnte?«, erkundigte ich mich.

»Er hat dort jedenfalls nichts gekauft. Dabei sagt man: Wenn mir Frankfurt gehören würde, würde ich mein Geld in Metz ausgeben«, entgegnete das Mädchen, noch immer leicht schniefend. »Ich habe ihn abends am Zug abgeholt, und er hatte keine Schachtel oder dergleichen mitgebracht, nicht einmal ein kleines Mitbringsel für mich. Als ich ihm das vorgeworfen habe, hat er gemeint, dass er daran gar nicht gedacht hätte. Am nächsten Tag hat er mir diese Brosche geschenkt.« Sie zog ihre weiße Schürze aus und deutete auf eine kleine, goldene Brosche in der Form einer Orchidee, die an ihrer Bluse befestigt war.

»Vielen Dank, dass Sie mir das noch mitgeteilt haben. Möglicherweise ist es sehr wichtig«, sagte ich keinen

Augenblick zu früh, denn die Glocke über der Tür bimmelte und eine ältere Kundin betrat auf einen knotigen Stock gestützt den Laden.

Das Mädchen errötete und streifte blitzschnell ihre Schürze wieder über. Sie hätte besser die Tür abschließen sollen, denn inzwischen war es schon nach Ladenschluss. Ich hingegen verließ das Geschäft, von den Blicken der alten Dame durchbohrt, die sich bestimmt Gott weiß was dachte.

Auf schnellstem Weg eilte ich in unser Quartier zurück, um Holmes mitzuteilen, was ich alles herausgefunden hatte. In der Diele bemerkte ich einen geflochtenen Papierkorb, der mir vorher gar nicht aufgefallen war. Achtlos warf ich das Programm hinein und zog meinen Mantel aus.

»Was ist denn das?«, fragte Holmes, der wieder einmal unbemerkt herangetreten war.

»Das Programm der Trauerfeier für die Mutter meines Lieblingsbäckers. Seine Verkäuferin Therese hat es mir überreicht«, entgegnete ich achselzuckend.

Holmes bückte sich, fischte die Druckschrift aus dem Papierkorb und studierte sie aufmerksam. »Das ist hochinteressant«, murmelte er zu meinem nicht geringen Erstaunen.

»Sie können den Namen des Mörders aus der Wahl der Kirchenlieder oder dem Thema der Predigt schließen?«, fragte ich amüsiert.

»Nein, der Name des Pfarrers ist interessant. Er heißt Robert Schmitt.«

Enttäuschung stieg in mir auf, denn ich hatte einen Augenblick lang wirklich geglaubt, dass Holmes der

Durchbruch in unserem Fall gelungen sei. »Schmitt ist in Deutschland sehr verbreitet, wie Sie ja selbst schon bemerkt haben«, gab ich zu bedenken und berichtete, was ich im Archiv herausgefunden hatte. »Aber würde sich der Mann nicht eher am Richter rächen wollen, falls er die Drohung nicht nur aus Enttäuschung und hilfloser Wut ausgestoßen hat?«, überlegte ich dann, eine Frage, die Holmes nicht beantwortete.

»Ich werde der Sache nachgehen«, versprach er ohne große Begeisterung. »Aber der ehemalige Häftling kann natürlich nur Herrn Theobald umgebracht haben, nicht aber die beiden anderen.«

»Es wäre natürlich ein ziemlicher Zufall, wenn in diesem idyllischen Städtchen vorher zwei Männer von jemand anderem ermordet worden wären«, ergänzte ich nachdenklich.

Dann berichtete ich stolz von meinem Gespräch in der Bäckerei. Dabei zitierte ich auch das Sprichwort über Frankfurt und Metz.

»Ach, tatsächlich«, war alles, was Holmes dazu einfiel.

Ich konnte mich des Verdachtes nicht erwehren, dass er die Tatsache, dass der Pfarrer den Allerweltsnamen Schmitt trug, noch immer interessanter fand als meine bahnbrechenden Neuigkeiten.

21. Der Pfarrer

Das Pfarrhaus stand direkt neben der Lutwinus-Kirche und war wohl vom selben Architekten entworfen worden. Holmes hatten unseren Besuch am Vorabend schriftlich angekündigt, und an diesem Morgen fanden wir eine Einladung zum zweiten Frühstück um elf Uhr vor. Der Zeitpunkt behagte mir nicht, denn Frau Doktor Schmitt hatte uns eindringlich gewarnt, dass die Haushälterin des Pfarrers eine miserable Bäckerin sei. Sie sei wirklich eine treue Seele und eine akzeptable Köchin, aber Backen könne sie einfach nicht, weshalb die Frauen im Ort den Pfarrer nicht am späten Vormittag oder am frühen Nachmittag besuchten.

Die Haushälterin war es, die uns die Tür öffnete. Ihr Äußeres strafte die eindringliche Warnung vor ihrem ungenießbaren Kuchen lügen. Die Dame mochte um die fünfzig sein, war mollig, hatte ein rundes Gesicht mit Lachfalten in den Augenwinkeln und ein hübsches, weißes Häubchen auf dem Kopf. Man hätte sie als Modell für eine Backwaren-Reklame engagieren können.

»Guten Tag, gnädige Frau! Mein Name ist Sven Sigerson, und das ist David Tristram. Der Herr Pfarrer erwartet uns«, erklärte Holmes, worauf wir hineingebeten wurden.

»Ich weiß, Sie sind wegen dieser schrecklichen Morde hier. Man begegnet im Ort ja inzwischen auf Schritt und Tritt Polizisten. Und jetzt stehen auch noch zwei leibhaftige Privatermittler aus England vor der Tür«, lamentierte sie, während sie unsere Mäntel und Hüte in Empfang nahm.

»Ich bin kein Engländer, sondern Norweger«, sagte Holmes zu der Dame.

Dann wurden wir in einen großen, aber düsteren Raum mit sehr vielen Sitzgelegenheiten geleitete, in dem ein leichter Geruch von Weihrauch in der Luft lag.

Der Pfarrer entsprach nicht meiner Vorstellung von einem Geistlichen, außer dass er ein hagerer, älterer Mann mit der blassen Haut eines Stubenhockers war. Aber er machte, zumindest auf den ersten Blick, keinen besonders frommen Eindruck. Bezeichnenderweise studierte er auch bei unserem Eintreten keine erbauliche Schrift, sondern er saß am Fenster, über einen Beistelltisch gebeugt, auf dem ein Schachbrett mit einer angefangenen Partie aufgebaut war, bei der Schwarz offenbar Oberhand gewonnen hatte. Neben ihm standen auf einem niedrigen Schrank mit Gläsern ein großer Globus und eine hölzerne Madonna, die ich für mittelalterlich hielt.

Als der Pfarrer uns bemerkte, erhob er sich, schritt auf uns zu und streckte uns zum Gruß eine schmale, sehr gepflegte Hand entgegen.

»Guten Tag, Herr Schmitt, es ist sehr freundlich von Ihnen, dass Sie uns empfangen, obwohl Sie ja bestimmt viel zu tun haben«, sagte Holmes und schüttelte die Hand unseres Gastgebers.

Ich stutzte über das schlichte *Herr Schmitt.* In Italien hätte ein katholischer Pfarrer den Anspruch auf die Anrede »Hochwürden« gehabt. Abes es schien den Geistlichen nicht zu stören.

»Sie möchten doch bestimmt einen Tee?«, fragte die Haushälterin, die noch immer in der Tür stand, und wir entgegneten beide zugleich, dass wir gern eine Tasse Tee annehmen, aber nichts essen wollten.

»Das ist kein gesellschaftlicher Besuch«, betonte Holmes in einem entschuldigenden Tonfall.

»Nehmen Sie doch Platz, meine Herren«, sagte der Hausherr und zeigte auf ein elegantes, mit Chintz bezogenes Sofa, das viel zu zierlich für zwei erwachsene Männer aussah. Zum Glück erwies sich das elegante Möbel aber als stabil und bequem.

»Kennen Sie schon unsere schöne, neue Kirche?«, fragte der Pfarrer, der sich uns gegenüber niedergelassen hatte, kaum dass wir seiner Aufforderung Folge geleistet hatten.

Wenn er wüsste, dachte ich, dass wir schon nachts in den angrenzenden Friedhof eingedrungen waren!

»Noch nicht, nur die alte Lutwinus-Kapelle im Park haben wir besichtigt«, entgegnet Holmes. »Aber wir sind nicht katholisch. Ich bin übrigens Norweger, nur Herr Tristram ist Engländer.«

»Die Leute im Ort sehen da keinen großen Unterschied. Für die sind sie die zwei Engländer«, sagte der Pfarrer schmunzelnd. »Wissen Sie, dass Sie bereits richtige Berühmtheiten sind?«

»Das habe ich schon fast befürchtet«, entfuhr es mir, was mir einen tadelnden Blick von Holmes einbrachte.

»Wir wohnen übrigens bei Ihrem Namensvetter, dem Arzt Richard Schmitt«, berichtete dieser in einem beiläufigen Tonfall. Wahrscheinlich wollte er feststellen, welche Reaktion der Name in unserem Gegenüber auslöste.

»Der Nachname ist ja leider sehr verbreitet«, sagte der Pfarrer in dem gelangweilten Tonfall, in dem man einem Kind etwas zum zehnten Mal erklärt. »Es gibt im Ort noch etliche andere Schmitts. Mit den allerwenigsten bin ich auch nur weitläufig verwandt. Der Arzt bildet da keine Ausnahme.«

Die Tür öffnete sich, und die freundliche Haushälterin kam mit einer dreistöckigen, mit Backwaren jeder Art beladenen Gebäckplatte herein. Danach brachte sie eine geblümte Porzellankanne und dazu passende zierliche Tassen und Teller.

»Kannten Sie Thomas Laub?«, fragte Holmes, nachdem die Haushälterin uns eingeschenkt und sich dann zurückgezogen hatte.

»Nicht besonders gut. Er gehörte natürlich zu meiner Gemeinde, aber leider war er nicht gerade ein fleißiger Kirchgänger«, entgegnete Pfarrer Schmitt und trank einen Schluck Tee, bevor er mit der Feierlichkeit eines Erzbischofs verkündete: »In unserer schönen Lutwinus-Kirche ist übrigens jeder willkommen. Wir fragen nicht nach Konfession oder Taufschein. Ich würde mich wirklich sehr freuen, Sie am nächsten Sonntag im Gottesdienst begrüßen zu dürfen.«

Holmes ging nicht auf diesen Vorschlag ein. »Sie hatten also keinen persönlichen Kontakt zu Thomas

Laub?«, präzisierte er und nippte an seinem Tee. Ich hatte bereits festgestellt, dass dieser für deutsche Verhältnisse gar nicht schlecht war, und genehmigte mir jetzt einen größeren Schluck.

»Nein, und das bedaure ich inzwischen natürlich sehr. Er hatte wohl zu niemandem Kontakt. Er bewegte sich zwischen den anderen Menschen, schien aber nirgends dazuzugehören«, erwiderte der Pfarrer. »Seine Schwester Katharina Laub kenne ich etwas besser. Sie besucht fast jeden Sonntag die Messe, aber sie ist bisher leider nicht der Frauengruppe beigetreten. Dabei könnten wir dort eine junge, energische Frau gebrauchen. Aber ich fürchte, Katharina Laub hat einfach kein Gemeinschaftsgefühl. Und das, obwohl sie Lehrerin ist. Wenigstens beim unmittelbar bevorstehenden Kirchweihfest sollte sie bei der Organisation behilflich sein – oder besser noch, einen Stand übernehmen. Wenn ich da an ihre Vorgängerin Fräulein Josefine Groß denke. Die Arme ist leider letztes Jahr verstorben. Sie hat mir nicht nur geholfen, das Kirchensilber zu polieren, sondern hat in ihrer Freizeit unermüdlich für den Kirchenbasar Socken gestrickt und Topflappen gehäkelt.«

»Katharina Laub wohnt ja noch nicht lange in Mettlach. Vielleicht ändert sie noch ihre Meinung«, wandte ich ein, obwohl ich mir nicht vorstellen konnte, dass die Lehrerin Silber polieren und Socken für einen guten Zweck stricken würde.

»Ich habe mich beim Pfarrer ihrer früheren Gemeinde in Sankt Wendel erkundigt. Auch dort hat sie sich nicht in der Gemeindearbeit engagiert«, widersprach der Pfarrer finster. »Wahrscheinlich verbringt sie ihre gesamte Freizeit mit Schreiben. Sie hat nämlich einen gewissen Ruf als Romanautorin, zumindest hatte sie ihn bis zu ihrer letzten Veröffentlichung.«

Ich wollte nach diesem Buch fragen, als sich die Tür öffnete und die Haushälterin hereinschaute. »Ich habe zufällig Ihre letzte Bemerkung gehört«, behauptete sie mit allzu argloser Miene. »Der Herr Pfarrer hat völlig recht. Der zweite Roman *Die Kaltmamsell und der Wildhüter* ist mit Abstand der beste der Reihe. Der erste Band war nicht schlecht für ein Erstlingswerk, aber das dritte Buch *Das Geheimnis der Gouvernante von Schloss Hohenstein* ist so sentimental und langweilig, dass man gar nicht glauben möchte, dass es von der gleichen Autorin stammt«, verkündete sie empört.

Als niemand reagierte, hüstelte sie verlegen.

»Ich wollte mich ja eigentlich nur erkundigen, ob alles recht ist«, sagte sie dann, bevor ihr Blick auf der Etagere haften blieb. »Aber Sie haben ja noch gar keinen Kuchen gegessen«, beklagte sie sich dann.

»Sie können sich ruhig den Nachmittag freinehmen. Mit all den Backwaren werden wir schon nicht verhungern«, sagte Pfarrer Schmitt, dem es nicht zu behagen schien, dass sie offenbar gelauscht hatte.

Mit eingeschnappter Miene zog sich die Haushälterin zurück.

»Und wie sieht es mit Josef Bruckner und Lutwinus Theobald aus, den beiden anderen Mordopfern? Kannten Sie sie gut?«, fragte Holmes und leerte seine Tasse. Die Backwaren hatte er bisher noch nicht angerührt.

Der Pfarrer hob die Kanne, bewegte sie auf seine ebenfalls leere Tasse zu, setzte sie dann aber wieder ab.

»Ich kenne natürlich die ganze Familie Bruckner, vor allem die Mutter, die Mitglied unserer Frauengruppe ist. Und Herr Theobald war eine Stütze der hiesigen Gesellschaft. Die meisten im Ort kannten ihn«, antwortete er vorsichtig. »Er besuchte schon deshalb regelmäßig die Messe, um ein Vorbild für seine Bediensteten und seine Vereinskameraden zu sein.«

»Sie sind aber trotzdem nicht mit ihm warm geworden?«, erkundigte ich mich.

»Er war mir nicht gerade sympathisch«, gab Pfarrer Schmitt zu. »Ich glaube, er war nicht wirklich fromm, sondern hat nur wegen seiner Kanzlei so getan. Wenn er mir auf der Straße begegnete, hat er kaum meinen Gruß erwidert.«

»Ich überlege die ganze Zeit, was Thomas Laub, Josef Bruckner und Herrn Theobald verbunden haben könnte. Haben Sie vielleicht eine Idee, was das gewesen sein könnte?«, fragte Holmes, der sich wahrscheinlich nicht für die religiösen Überzeugungen des Anwalts interessierte.

»Diese Frage habe ich mir auch schon gestellt«, gab der Pfarrer zu. »Aber es will mir keine Antwort einfallen. Wenn das so weitergeht, wird meine Gemeinde immer kleiner.«

»Hat Ihnen zufällig einer der drei vor seinem Tod etwas anvertraut?«, fragte Holmes und schenkte sich dann nach.

»Niemand von ihnen hat in letzter Zeit bei mir gebeichtet, falls Sie das meinen. Und selbst wenn, unterliegt alles, was in der Beichte gesagt wird, strengster Geheimhaltung«, erwiderte der Pfarrer empört.

»Das ist mir natürlich bekannt, und ich möchte Sie auch nicht zum Bruch des Beichtgeheimnisses verleiten«, entgegnete Holmes. »Ich dachte eher an etwas Materielles.«

»Sie meinen die zerfledderte Familienbibel eines ausgestorbenen Familienzweigs oder ein Kruzifix aus dem Herrgottswinkel?«, fragte der Pfarrer mit einer vagen Handbewegung in Richtung Kirche, bevor sein Blick zu uns zurückwanderte. »Aber langen Sie doch endlich zu, meine Herren! Ich kann leider keinen Kuchen essen, denn ich muss auf meine Figur achten.«

Diese Worte waren etwas befremdlich aus dem Munde des äußerst schlanken Geistlichen. Ich zögerte kurz, ob ich eines der steinhart wirkenden Plätzchen von der Schale nehmen sollte, wagte es aber dann. Zum Glück schmeckte es besser, als es aussah, was aber nicht viel heißen mochte.

»Ich dachte an einen alten Gegenstand, der einen gewissen materiellen Wert besitzt«, präzisierte Holmes.

»Leider nicht. Dergleichen könnten wir gut gebrauchen. Unsere Kirche ist ja ganz neu und besitzt daher keine altehrwürdigen Kultbilder oder Altäre«, seufzte der Pfarrer und lehnte sich dann auf seinem Sessel zurück.

Holmes griff nach der Tortenschaufel und transportierte damit ein Stück Sandkuchen auf seinen Teller, das so aussah, als ob es seinem Namen alle Ehre machen würde, und betrachtete es so eingehend, als ob es vergiftet sein könnte. Dann stopfte er den stark krümelnden Kuchen gedankenverloren in sich hinein. »Lutwinus Theobald wusste offenbar, dass ihm Gefahr drohte.

Kurz vor seinem Tod wollte er mit uns sprechen, aber leider kam es nicht mehr dazu«, sagte er schließlich, ohne den Treffpunkt zu erwähnen.

»Das ist ja schrecklich«, entfuhr es dem Pfarrer.

Ich war gerade dabei, mir nachzuschenken, als eine unglaubliche Enthüllung kam. Fast hätte ich vor Überraschung die Tasse verfehlt.

»Mir ist etwas Ähnliches passiert. Ich habe lange überlegt, ob ich der Polizei das erzählen soll, habe es dann aber doch gelassen, weil es mir unglaublich peinlich war …« Die Stimme des Pfarrers klang auf einmal eine Oktave tiefer, und sein Blick hatte etwas Gehetztes. War er erschüttert oder rang er mit seinem klerikalen Gewissen?

»Tatsächlich?«, rief Holmes hocherfreut. »Herr Theobald wollte auch mit Ihnen sprechen?«

»Nicht Herr Theobald, sondern Thomas Laub wollte mich sprechen. Leider hatte ich gerade an diesem Tag einen vollen Terminkalender. Morgens fand eine Beerdigung statt, am Nachmittag sollte ein Kind getauft werden, und danach wollte ich noch einige Krankenbesuche machen. Also habe ich Thomas Laub gesagt, dass er doch besser ein andermal wiederkommen solle, wenn ich mehr Zeit hätte. Er kam aber nicht wieder, und ich habe das Gespräch vor lauter Arbeit ganz vergessen. Erst als man den Toten im Wald als die sterblichen Überreste von Thomas Laub identifiziert hat, ist mir wieder eingefallen, dass er mit mir sprechen wollte«, berichtete der Pfarrer mit bebender Stimme und schüttelte dann den Kopf. »Seitdem mache ich mir unentwegt Vorwürfe, ob Thomas Laub vielleicht noch am

Leben wäre, wenn ich ihn nicht weggeschickt hätte. Das war wirklich keine Ruhmestat von mir. Aber wer konnte denn ahnen, dass er in Lebensgefahr schwebte? In der Regel wenden sich meine Gemeindemitglieder wegen ganz banaler Dinge an mich. In diesem Fall dachte ich, dass Thomas Laub wohl ein Leumundszeugnis für eine Bewerbung braucht. Er hatte ja nur eine zeitlich befristete Stelle.«

»War er denn fromm?«, fragte Holmes und wischte sich einige Krümel vom Gehrock.

»Wohl nicht besonders. Er hat noch nicht einmal die Fastenzeit eingehalten«, sagte der Pfarrer und blickte zur Decke.

»Das war eine unglückliche Konstellation. Aber es lässt sich nicht mehr ändern. Sie sollten sich deshalb keine Vorwürfe machen. Oft erhalten die Dinge erst im Nachhinein eine Bedeutung«, sagte Holmes mit einem verbindlichen Lächeln.

»Hält Katharina Laub denn die Fastenzeit ein?«, erkundigte ich mich.

»Ich habe eigentlich den Eindruck, dass sie nie etwas Vernünftiges isst. Aber ich kann das nur vermuten, denn so gut kenne ich sie nicht«, entgegnete Pfarrer Schmitt und nahm sich dann doch eine Makrone.

»Vielen Dank, dass Sie uns mitgeteilt haben, dass Thomas Laub mit Ihnen sprechen wollte. Sie haben uns damit sehr geholfen«, sagte Holmes und packte sein Notizbuch ein. »Wir haben aber Ihre Gastfreundschaft schon lange genug in Anspruch genommen. Bestimmt haben Sie heute noch viel vor.«

Anstandshalber bedankte ich mich für die Bewirtung.

Der Pfarrer versuchte nicht, uns aufzuhalten, sondern begleitete uns sogleich zur Tür. »Ich kann nur wiederholen, dass in unserer Kirche jeder willkommen ist. Sie sollten wirklich nächsten Sonntag die Messe besuchen«, sagte er, als wir schon die Schwelle überschritten hatten, und versuchte zu lächeln, aber es wirkte nicht sehr überzeugend. Trotzdem schien er wieder ganz der Alte zu sein.

»Wir sind leider ebenfalls momentan sehr beschäftigt«, entgegnete Holmes, und wir verabschiedeten uns.

Der Pfarrer wirkte erleichtert, als er die Haustür zuzog. Wahrscheinlich sagte er uns innerlich die ewige Verdammnis vorher, weil wir seinem Gottesdienst auch in Zukunft fernzubleiben gedachten.

»Langsam fange ich an, jeden zu verdächtigen. Aber diesen Schach spielenden, älteren Geistlichen kann ich mir wirklich nicht als Dreifachmörder vorstellen«, sagte ich draußen.

»Wenn Sie wüssten, welche grässlichen Verbrechen ich schon aufgedeckt habe, die von Schach spielenden, älteren Herren begangen worden waren«, sagte Holmes düster.

»Können Sie sich vorstellen, wie der Pfarrer jemanden ins Wasser stößt oder einen kräftigen, jungen Mann ersticht?«, entgegnete ich belustigt. »Er ist doch eher jemand, den man selbst ins Wasser stößt.«

Was wäre wohl das Motiv des Pfarrers gewesen? Wahrscheinlich, dass alle drei Opfer seine Messe nicht regelmäßig besucht und womöglich in der Fastenzeit Wein getrunken hatten.

22. Die Porzellanfiguren

Vom Pfarrhaus begaben wir uns auf kürzestem Weg zu Herrn Theobalds Villa, um dort Genaueres über den rachsüchtigen Bankräuber herauszufinden.

»Es ist wirklich bedauerlich, dass Herr Theobald offenbar keine engen Freunde und keine in der Umgebung lebenden Verwandten hatte. Auch würde ich begrüßen, wenn er männliches Personal in einer Vertrauensstellung beschäftigt hätte, was aber leider nicht der Fall ist. So müssten wir wieder mit der Haushälterin vorliebnehmen«, sagte Holmes finster, bevor er mit dem Bronzedelfin, der als Türklopfer diente, so laut gegen die Tür pochte, dass man das Geräusch als Feueralarm hätte verwenden können.

Kaum war der hässliche Ton verhallt, öffnete bereits das schüchterne Hausmädchen die Haustür einen Spaltbreit. Ihre Wangen waren vom schnellen Laufen gerötet, und einige Haarsträhnen hatten sich gelockert und ragten aus ihrer Haube hervor. Bei unserem Anblick fuhr sie zusammen, trat unwillkürlich einen Schritt zurück und starrte uns an, als wären wir Gespenster.

»Sie möchten doch bestimmt mit Frau Kiefer sprechen«, stammelte sie dann, schob die widerspenstigen

Haarsträhnen unter die Haube zurück und huschte davon, bevor wir das auch nur bestätigt hatten.

Da sie die Haustür offen gelassen hatte, traten wir ein und brachten Mäntel und Hüte selbst zur Garderobe, wo momentan nur ein Spazierstock mit Elfenbeinknauf an der Wand lehnte. Die Haushälterin ließ sich mehrere Minuten Zeit, bevor sie sich endlich die Ehre gab und langsam die Treppe herunterstieg. Sie trug das gleiche dunkle Kleid wie bei unserem letzten Besuch, aber diesmal baumelte um ihren Hals eine Lorgnette an einer silbernen Kette. Vermutlich hatten wir sie bei der Lektüre unterbrochen.

»Guten Tag, Frau Kiefer. Wir haben nur noch eine kurze Frage an Sie«, begrüßte Holmes sie.

»Das haben Sie doch bereits neulich getan. Ein Massenmörder läuft frei im Ort herum, und Sie haben nichts Besseres zu tun, als rechtschaffene Bürger mit Fragen zu behelligen«, entgegnete diese, ohne den Gruß zu erwidern.

»Das machen wir nur, damit der Täter endlich gefasst wird«, entgegnete Holmes. »Außerdem hat Ihnen Doktor Schmitt ja bereits angekündigt, dass wir noch ein paar kurze Fragen haben.«

Unser Gegenüber widersprach nicht. Wie Holmes mir später mitteilte, hatte er festgestellt, dass sie leicht schwerhörig war, weshalb sie glaubte, den Hinweis des Arztes überhört zu haben.

»Ich habe schon bei unserem letzten Besuch diese eindrucksvollen Porträts bewundert«, sagte Holmes mit ausgesuchter Liebenswürdigkeit und deutete auf das Bildnis der Gattin des Anwalts. »Stammte eigentlich die reizende Frau Theobald ebenfalls aus Mettlach?«, erkundigte er sich dann.

»Nein, leider nicht, er hat sie während seines Studiums in München kennengelernt. Sie war die Tochter eines seiner Professoren. Leider ist sie hier nie richtig heimisch geworden«, erklärte Elfriede Kiefer, schon etwas umgänglicher.

Kein Wunder, dass die Anwaltsgattin so traurige Augen hatte.

»Wir sollten uns doch lieber in den Salon begeben. Im Sitzen lässt es sich besser sprechen«, schlug die Haushälterin endlich vor. Ich hatte schon befürchtet, dass sie uns in der Eingangshalle abfertigen wollte.

Wir folgten ihr diesmal nicht in die Bibliothek, sondern in einen eindrucksvollen Salon, in dem die Möbel teuer aussahen, doch so geschmackvoll in warmen Brauntönen gehalten waren, dass die Einrichtung nicht protzig wirkte. Auch der die Schritte dämpfende, dicke Teppich trug zur repräsentativen Wirkung des Raumes bei.

In einer Raumecke stand ein alter Sekretär mit Bronzebeschlägen an den Schubladen, auf dessen lederbezogener Arbeitsfläche sich Schriftstücke in unordentlichen Stapeln türmten.

»Ich nehme an, die Polizei hat das gesichtet?«, fragte Holmes und ging zu dem Schreibtisch. Neben den Papierstößen lagen ein teurer Federhalter und Büttenpapier, aber ich sah keine Familienfotos wie auf dem Kaminsims in der Bibliothek.

»Ja, ich konnte sie leider nicht davon abhalten. Vorher war der Tisch viel ordentlicher, aber man hat mir verboten, etwas anzurühren, solange der Fall nicht geklärt ist«, beschwerte sich die Haushälterin. »Sogar das Billardzimmer haben sie durchsucht!«

Holmes begnügte sich mit dieser Auskunft, und wir ließen uns auf bequemen Sesseln nieder, die um den Kamin standen, in dem aber trotz des kühlen Wetters leider kein Feuer brannte.

»Sie sagten bei unserem letzten Gespräch, dass Ihr Arbeitgeber sämtliche Prozesse gewonnen habe«, begann Holmes und blickte die Haushälterin scharf an. »Aber vor etwa acht Jahren hat er einen mutmaßlichen Bankräuber verteidigt, der verurteilt wurde, obwohl dieser bis zuletzt seine Unschuld beteuert hat. Die Presse hat damals ausführlich darüber berichtet.«

Unsere Gesprächspartnerin sah uns mit großen Augen an. Unwillkürlich veränderte sich etwas in ihre Haltung. Ihr Rücken krümmte sich leicht. Dann schlug sie sich mit der schmalen, feingliedrigen Hand auf den Mund. »Das habe ich ganz vergessen! Ich lese aber auch nur selten die Zeitung. Es stehen immer so furchtbare Dinge darin. Wir leben in schrecklichen Zeiten«, verkündete sie in einem entschuldigenden Tonfall. »Aber wo Sie es sagen, es gab vor einigen Jahren eine unerfreuliche Sache, die Herrn Theobald so zugesetzt hat, dass er danach fast nur noch als Notar tätig war. Ich bin noch immer der Überzeugung, dass der Angeklagte schuldig war. Schließlich hat ihn ein Bankangestellter eindeutig identifiziert. Er hätte sich sicher einen Gefallen getan, wenn er gestanden hätte. Dann hätte er keine so hohe Strafe erhalten. Da man die Beute nie gefunden hat, haben die Jugendlichen noch jahrelang im Wald und auf den Feldern danach gesucht.«

Dafür, dass sie den Vorfall angeblich vergessen hatte, fielen ihr erstaunlich viele Details ein – und das nach acht Jahren.

»Hat Herr Theobald Drohbriefe erhalten?«

»Nein, ganz bestimmt nicht! Nicht, dass ich die Post öffne, aber das hätte bestimmt einer der Dienstboten mitbekommen. Außerdem kann ich nur wiederholen, dass Herr Theobald ein angesehener Bürger war.«

In diesem Augenblick wurde die Tür geöffnet, und das Dienstmädchen servierte uns Kaffee. Ich schaute in meine Tasse und fand, dass das Getränk so gut zu der braunen Innendekoration passte, dass ich fast Skrupel hatte, Sahne hinzuzugeben.

»Auch die anständigsten Menschen können Drohbriefe erhalten«, sagte Holmes, als wir wieder unter uns waren.

»Nicht Herr Theobald«, widersprach die Haushälterin und erging sich in einer endlosen Lobeshymne auf ihren verstorbenen Arbeitgeber.

Bald hörte ich ihr nicht mehr zu, und mein Blick wanderte gelangweilt durch den Raum, von den Samtvorhängen über die teuren Möbel bis zum Kamin. Auf dem Sims bemerkte ich drei kleine Tierfiguren aus Porzellan, und ich erinnerte mich daran, dass man uns bei der Werksbesichtigung erzählt hatte, dass die Arbeiter derartige Figuren für ihre Kinder anfertigten.

»Was sind denn das für Figuren auf dem Kaminsims?«, unterbrach Holmes, der offenbar die gleiche Beobachtung gemacht hatte, den Redeschwall unserer Gesprächspartnerin.

Elfriede Kiefer griff nach ihrer Lorgnette und blickte mit zusammengekniffenen Augen hindurch.

»Das weiß ich auch nicht so genau. Sie stehen noch nicht lange dort. Minna sagt, dass Herr Theobald die Figuren seinen Enkeln schenken wollte.«

»Minna ist das Hausmädchen?«, vergewisserte sich Holmes, was unsere Gesprächspartnerin bestätigte.

»Könnten Sie vielleicht die Freundlichkeit besitzen, das Mädchen in den Salon zu rufen. Vielleicht weiß sie ja etwas Genaueres«, sagte Holmes.

Mit leicht irritierter Miene stand die Haushälterin auf und ging zu einem Lehnstuhl am Fenster, der wohl der Lieblingsstuhl des Anwalts gewesen war, und zog an einem Klingelzug, der daneben an der Wand angebracht war. Wortlos warteten wir, bis etwa eine Minute später das schüchterne Mädchen die Tür öffnete und einen artigen Knicks machte.

»Sie wünschen noch eine Kanne Kaffee?«, erkundigte sie sich.

»Die Herrschaften interessieren sich für die Figürchen auf dem Kaminsims. Du hast doch gesehen, wie Herr Theobald sie dort aufgestellt hat?«, fragte die Haushälterin, und Minna nickte.

»Wissen Sie zufällig, woher er die Figuren hatte?«, wollte Holmes wissen.

»Er hat gesagt, von einem Mitglied aus seinem Gesangsverein. Einem Herrn Mars oder so ähnlich.«

»Peter Marxen?«, fragten Holmes und ich zugleich.

»Ja, so hieß er«, bestätigte das Mädchen mit einem schüchternen Lächeln.

Holmes stellte ihr noch ein paar Fragen, aber sie

wusste keine weiteren Einzelheiten. Daher verabschiedeten wir uns von den beiden Frauen und stiegen die Treppe hinunter zum Ausgang.

»Richten Sie bitte dem Doktor einen schönen Gruß von mir aus, und sagen Sie ihm, dass mich heute wieder meine Kopfschmerzen fast wahnsinnig gemacht haben. Die Tabletten, die er mir verschrieben hat, taugen gar nichts. Ich werde morgen noch einmal in seiner Praxis vorbeischauen«, sagte die Haushälterin in einem gereizten Tonfall, als wir bereits in der Tür standen.

Wahrscheinlich hatte sie uns nur deshalb in den Salon gebeten, um uns das ausrichten zu lassen.

»Ich werde es Doktor Schmitt sagen. Mit Kopfschmerzen ist wirklich nicht zu spaßen«, sagte ich mit der mitfühlendsten Miene, die ich zustande brachte.

Die Tür wurde so lautstark hinter uns geschlossen, dass ich den unguten Verdacht hatte, dass Frau Kiefer mir nicht glaubte.

»Endlich scheint sich eine Verbindung zwischen Herrn Theobald und den anderen beiden Mordopfern zu zeigen«, sagte Holmes zufrieden, als wir uns auf den Weg ins Ortszentrum gemacht hatten. »Nur über den Bankräuber haben wir nichts Neues erfahren.«

»Und was machen wir jetzt?«, fragte ich voller Tatendrang.

»Mittagessen. Dann gehen wir ins Polizeirevier. Ich habe den Oberkommissar nämlich gestern über den rachsüchtigen Bankräuber informiert. Natürlich hat er behauptet, dass er das schon wisse, aber dann hätte er sich nicht den Namen des Angeklagten notiert«, antwortete Holmes finster. »Und jetzt möchte ich mich natürlich danach erkundigen, ob er etwas herausgefunden hat.«

Bestimmt hatte Holmes unterschlagen, dass er mir diese Erkenntnis zu verdanken hatte.

»Und warum haben Sie das der Polizei erzählt?«, wollte ich an der nächsten Straßenkreuzung empört wissen. In Italien käme kein Mensch auf die Idee, der Polizei freiwillig etwas zu erzählen, wonach er nicht gefragt worden war.

»Ich wollte mich dafür erkenntlich zeigen, dass er uns nicht verboten hat, weiter zu ermitteln«, entgegnete Holmes. »Außerdem wäre es für mich sehr mühsam herauszufinden, ob der Bankräuber bereits aus dem Gefängnis entlassen wurde. Für die Polizei ist das hingegen ein Kinderspiel.«

Dieses Argument ließ ich widerwillig gelten.

23. Der Bankräuber

Gestärkt durch ein üppiges Mittagsmahl betraten wir zwei Stunden später den Empfangsraum der Polizeiwache, wo uns der gescheckte Hund des Trierer Oberkommissars schwanzwedelnd begrüßte. Leider teilte sein Halter die Wiedersehensfreude seines Hundes nicht. Er war gerade damit beschäftigt, mit zwei Fingern einen Bericht auf einer Schreibmaschine zu tippen, die auf einem schmalen Stehpult stand, und würdigte uns keines Blickes. Aus dem Nebenraum hörte man das laute Klappern von Tassen und Untertassen. Vermutlich war der Gendarm zum Kaffeekochen oder zum Abwaschen abkommandiert worden.

»Guten Tag!«, grüßte ich gut gelaunt und kraulte den Hund.

»Was ist gut an diesem Tag, außer dass wir bisher keinen weiteren Toten gefunden haben? Aber selbst das kann sich ja noch ändern. Die Reporter sind wie ein Rudel Bluthunde hinter mir her, und die Einheimischen beäugen mich inzwischen so misstrauisch, als ob ich selbst der wahnsinnige Mörder wäre«, entgegnete Oberkommissar Trost mit zusammengekniffenen Augen. »Was ich gestern vergessen habe: Sie haben doch hoffentlich der Presse nichts von der Drohung gegen den Anwalt erzählt?«

»Ich rede nicht mit Journalisten, wenn es sich irgendwie vermeiden lässt«, beteuerte Holmes.

Mit finsterer Miene griff Oberkommissar Trost nach einem Aktendeckel, der neben seiner Schreibmaschine lag, ging zu dem Schreibtisch, hinter dem normalerweise die Besucher empfangen wurden, und knallte die Akte so vehement auf die Tischplatte, als wären wir für den lästigen Papierkram verantwortlich.

»Und wie sieht Ihre Erfolgsbilanz aus? Ich frage lieber gar nicht nach den Mordermittlungen. Aber haben Sie wenigstens einen Riesenwels aus der Saar gezogen?«, fragte er dann in einem bissigen Tonfall.

»Bisher haben sich leider nur die sterblichen Überreste von Herrn Theobald an meinem Angelhaken verfangen, und das führt mich momentan zu Ihnen«, entgegnete Holmes genauso muffig. »Er scheint ja ein äußerst erfolgreicher Anwalt gewesen zu sein, wenn man von dem Bankräuber absieht, von dem ich Ihnen berichtet habe.«

»Ich bin der Sache nachgegangen«, entgegnete der Oberkommissar mit einer wegwerfenden Handbewegung. »Das war eine höchst unerfreuliche Geschichte. Der arme Mann war tatsächlich unschuldig. Vorletztes Jahr hat man zufällig den wahren Täter gefunden. Es war der Angestellte am Bankschalter. Er hatte am Vorabend das Geld in einem Cellokasten aus der Bank geschafft. Den Überfall hat er dann erfunden und eine Personenbeschreibung des Gelegenheitsarbeiters abgegeben. Leider hatte dieser aber nichts mehr von seiner Rehabilitierung, denn er war kurz zuvor an einem Schlaganfall im Gefängnis gestorben.«

Ein Cellospieler, der seinen Arbeitgeber beraubte und einen Unschuldigen ins Gefängnis brachte. Das passte gar nicht zu meiner Vorstellung eines Musikliebhabers.

»Und wie ist die Wahrheit herausgekommen?«, wollte Holmes wissen.

»Ganz klassisch! Der Bankangestellte wollte sich von seiner Frau scheiden lassen, und sie hat ihn daraufhin aus Rache angezeigt.«

»Hat man auch das Geld sichergestellt?«, fragte ich.

»In gewisser Weise. Zumindest wissen wir jetzt, wo es ist«, sagte der Polizist. »Der Täter hatte seine Beute in Rebstöcke am Ruwer investiert, wo seine Familie seit mehreren Generationen Weinbau betreibt.«

»Jetzt muss er sich im Gefängnis mit Wasser begnügen«, entgegnete Holmes zufrieden.

Im gleichen Augenblick begann der Hund zu kläffen, was wohl daran lag, dass die Tür geöffnet wurde – und zwar von dem Gendarmen. Etwas von einem »blöden Köter« murmelnd, schien er sich nur mit Mühe zurückhalten zu können, dem Hund einen Fußtritt zu verpassen. Er durchquerte mit vorsichtig tastenden Schritten die Wachstube, damit er nichts aus den zwei Tassen mit frisch aufgebrühtem Kaffee verschüttete, die er zu dem Trierer Polizisten trug.

Meine Vermutung war also richtig gewesen, dass der Gendarm Kaffee kochte, während dem jungen Assistenten des Hauptkommissars wohl die Ermittlungsarbeit übertragen worden war.

»Jetzt sollten wir aber wirklich aufbrechen, sonst kommen wir schon wieder in einen Regenguss«, sagte ich beim Anblick des Gendarmen panisch, obwohl es wirklich nicht danach aussah.

Zum Glück kommentierte niemand meine unbedachte Bemerkung.

»Dafür wäre ich Ihnen sehr verbunden, denn wir haben noch eine Menge Arbeit«, sagte Oberkommissar Trost mit einem finsteren Seitenblick auf die Akte. Dann tätschelte er den Kopf seines Hundes, der sich noch immer nicht beruhigt hatte und leise Herrn Hauschild ankläffte.

»Finden Sie es nicht seltsam, dass Sie zum Angeln nach Mettlach fahren und daraufhin in diesem beschaulichen Ort drei Menschen eines gewaltsamen Todes sterben, etwas, das hier noch nie passiert ist?«, fragte der Gendarm scharf, bevor wir die Tür erreicht hatten.

»Das ist eine absurde Behauptung«, entgegnete Holmes und drehte sich kopfschüttelnd um.

»Und entgegen meinem ausdrücklichen Verbot greifen Sie ständig in die Ermittlungsarbeit ein. Das ist immer noch die Zuständigkeit der Polizei«, wetterte der Gendarm weiter und bedachte mich dabei mit finsteren Blicken. »Habe ich Sie etwa um Hilfe gebeten? Ich wäre Ihnen daher sehr verbunden, wenn Sie sich in Zukunft aus der Arbeit der Polizei heraushalten.«

Ich war drauf und dran, meinen Vorsatz zu brechen, niemals wieder das Wort an den Gendarmen zu richten. Aber ich nahm mir im letzten Augenblick ein Vorbild an Holmes, der sich nicht provozieren ließ.

»Es ist bezeichnend, dass Sie noch nicht einmal beim Angeln Erfolg haben, nicht zuletzt, weil Sie es an der falschen Stelle versuchen«, wetterte der Gendarm weiter.

»Die Stelle ich richtig. Ich habe es nur bisher mit dem falschen Köder versucht«, entgegnete Holmes siegesgewiss.

»Herr Hauschild! Ich fürchte, wir können momentan jede Hilfe gebrachen«, mischte sich endlich der Hauptkommissar ein und trank einen Schluck Kaffee.

Wir verabschiedeten uns und verließen endlich die Wache. Wenigstens hatte sich das Wetter gebessert. Zufrieden blinzelte ich in die Sonne und genoss ihre wärmenden Strahlen.

»Dieser Gendarm ist ein schrecklicher Mensch«, entfuhr es mir trotzdem.

»Mir tut er leid. Er ist frustriert, weil er zum Handlanger degradiert wurde, während wir weiterhin ermitteln dürfen«, sagte Holmes in einem für ihn seltenen Anfall von Mitgefühl.

»Es wäre auch zu schön gewesen, wenn wir wenigstens den Mord an Herrn Theobald hätten ad acta legen können«, seufzte ich und trat dann an eine Hauswand, weil uns eine Droschke entgegenkam.

Wie immer widersprach mir Holmes. »Der zu Unrecht Verurteilte hatte ein Motiv, Herrn Theobald umzubringen, nicht aber die beiden anderen Opfer. Wir wären daher auf der Suche nach dem Mörder von Thomas Laub und Josef Bruckner keinen Schritt weitergekommen«, entgegnete er, als das Fahrzeug vorbeigepoltert war.

»Und was machen wir jetzt?«, erkundigte ich mich, wobei ich das »wir« betonte. Ich hatte nämlich das ungute Gefühl, dass Holmes wieder einmal im Begriff war, sich ohne weitere Erklärung aus dem Staub zu machen.

»Ich möchte mit Peter Marxen über die Porzellanfiguren sprechen, aber ohne dass seine Frau zuhört. Sie ist mir etwas zu neugierig und mitteilsam. Also schauen wir am besten am frühen Abend in seiner Stammkneipe vorbei«, entgegnete Holmes und blieb an einer Kreuzung stehen. »Bis dahin sind noch einige Stunden Zeit, die ich nutzen möchte, um unseren nächsten und hoffentlich letzten Schritt vorzubereiten. Sie können ja in der Zwischenzeit dem kleinen Alexander Schmitt Englischunterricht geben.«

Manchmal hatte Holmes einen seltsamen Humor. Ich ging nicht auf diesen absurden Vorschlag ein, sondern wünschte ihm viel Erfolg und lenkte dann meine Schritte in die entgegengesetzte Richtung, zur Saar, um dort wieder einmal einen ausgedehnten Spaziergang zu machen.

24. Die Schachpartie

Um halb sechs Uhr steuerten wir also das Wirtshaus zur Alten Post an – ein Weg, der mir inzwischen wie meine Westentasche vertraut war. Auf halbem Weg passierten wir einen Kolonialwarenladen, der wohl bald schließen würde. Die Ladentür öffnete sich in diesem Augenblick, und ausgerechnet Herr Fischer, seines Zeichens Schulleiter, trat mit einem großen Paket in der Hand auf die Straße.

»Guten Abend, Herr Fischer, gibt es etwas Neues in der Schule?«, sprach Holmes ihn an und lüftete höflich seinen Hut.

»Das müssten Sie doch wissen, schließlich sind Sie Ermittler«, konterte der Lehrer und lachte über seinen eigenen Scherz. »Darf ich mir die Frage erlauben, wann Sie endlich die Mordserie aufklären werden?«

»Langsam fügen sich die Mosaiksteinchen zu einem Bild zusammen«, entgegnete Holmes salomonisch.

»Das hoffe ich auch in meinem eigenen Interesse«, sagte der Schulleiter, offenbar etwas gnädiger gestimmt. »Katharina Laub ist in letzter Zeit zu nichts zu gebrauchen. Vielleicht kommt sie wieder zur Ruhe, wenn der Mörder ihres Bruders dingfest gemacht ist.

Dabei ist sie eigentlich eine ausgezeichnete Lehrerin, die sehr gut mit Kindern umgehen kann.«

»Es dauert bestimmt nicht mehr lange«, behauptete Holmes, aber ich konnte seinen Optimismus nicht teilen.

»Statt ihren Unterricht vorzubereiten, hat sie das ganze Wochenende ihr Haus in Sankt Wendel vom Dachboden bis zum Keller nach dem Tagebuch ihres Bruders durchsucht. Wer weiß, ob dieses Tagebuch überhaupt existiert«, fuhr Herr Fischer fort und drehte sich um. Dann reckte er seinen Kopf hoch und schaute auf die Uhr am Kirchturm. Er musste sehr gute Augen haben, denn ich konnte die Uhrzeiger nicht erkennen.

»Erst wenn das Tagebuch gefunden ist, haben wir darüber Gewissheit«, bemerkte Holmes nachdenklich.

»Leider kann ich nicht länger mit Ihnen plaudern, denn ich habe es sehr eilig«, sagte der Lehrer entschuldigend und ging mit seinem Paket in der Hand hastig weiter.

Beim Betreten der Alten Post bemerkte ich erstaunt, dass diesmal das Lokal trotz der frühen Stunde voller Gäste war, darunter auch Peter Marxen. Er stand an der Theke und schlürfte genüsslich ein Bier in sich hinein. Er gab vor, uns nicht zu bemerken, obwohl er sich in unserem Blickfeld befand. Missmutig drehte er den Kopf nach rechts und schaute so angestrengt in Richtung Fenster, als erwartete er, es könnte jeden Augenblick sein Todfeind dahinter erscheinen.

Holmes ging nicht zielstrebig auf Peter Marxen zu, sondern sprach den ersten Gast an, der ihm begegnete. Es war ein kleiner, dicker Mann mit Halbglatze, der gerade im Begriff war, die Wirtschaft zu verlassen.

»Entschuldigen Sie, mein Herr, haben Sie zufällig Feuer?«, fragte er ihn, während er in der Jackentasche nach dem Zigarettenetui kramte.

»Ich rauche nicht. Vielleicht sollten Sie den Wirt fragen. Er raucht wie ein Schlot«, entgegnete der Mann, und sein Blick wanderte neugierig zwischen uns hin und her. »Meine Herren, sind Sie inzwischen mit Ihrer Mordermittlung weitergekommen?«, erkundigte er sich dann.

Offenbar wusste inzwischen jeder im Ort, wer wir waren und womit wir uns beschäftigten.

»Der Mörder dürfte bald gefasst sein, zumal ich inzwischen zu wissen glaube, wo sich Thomas Laubs Tagebuch befindet«, entgegnete Holmes leutselig und verabschiedete sich von dem korpulenten Herrn.

Ich hätte zu gern gewusst, ob er bluffte oder ob unser Fall tatsächlich bald gelöst sein würde.

Noch immer mit der Zigarette in der Hand bat Holmes vier weitere Männer um Feuer und führte dann mit ihnen ähnliche kurze Gespräche, bis ihm endlich der fünfte Feuer geben konnte. Vermutlich hatte Holmes vorzugsweise Nichtraucher angesprochen, die er am fehlenden Tabakgeruch und den nicht vorhandenen Nikotinflecken an den Fingern identifiziert hatte.

»Sehr freundlich von Ihnen«, bedankte sich Holmes, als seine Zigarette brannte, und hielt mir sein silbernes Etui hin. »Möchten Sie auch eine?«, fragte er mich.

Beim Anblick seiner vor Unternehmungslust leuchtenden grauen Augen konnte ich mich des Verdachtes nicht erwehren, dass er sich freute, mich auf Abwege gebracht zu haben. Meine Frau würde das bestimmt anders sehen. Leider konnte ich auch diesmal der Versuchung nicht widerstehen und griff zu. Holmes zündete meine Zigarette mit seiner an, und wir schlenderten weiter durch den Schankraum, bis wir endlich die Theke erreichten. Jetzt konnte Herr Marxen uns nicht länger übersehen, obwohl er geflissentlich versuchte, durch uns hindurchzublicken. Ich gab vor, seine abweisende Miene nicht zu bemerken, winkte ihm lächelnd zu und grüßte mit einem Kopfnicken.

»Sie schon wieder?«, brummte er ungesellig zurück.

Wie Holmes rauchte auch Peter Marxen, nur dass dessen Zigarette im Mundwinkel hing. Er roch nach einer Mischung aus Schweiß, Bier und Rauch, und im Vergleich zu unserer letzten Begegnung sah er blass und mitgenommen aus.

»Guten Abend, Herr Marxen! Ist der Stuhl noch frei?«, fragte Holmes und zeigte auf den leeren Hocker neben unserem zukünftigen Gesprächspartner.

»Ja, leider«, entgegnete dieser, nahm einen tiefen Zug an seiner Zigarette und kniff dann ein Auge zu.

»Guten Abend, meine Herren, schön Sie wieder hier begrüßen zu dürfen. Dasselbe wie beim letzten Mal?«, sprach der Wirt uns an, der diesmal nicht durch das Verscheuchen einer Fliege abgelenkt war.

Holmes grüßte zurück und bestellte für uns zwei Bier und zwei Leberwurstbrote. Dann ließ er sich auf dem freien Barhocker nieder, während ich einen weiteren Stuhl heranzog.

»Ich habe eigentlich nur eine Frage«, kam Holmes gleich zur Sache. »Stimmt es, dass Sie Herrn Theobald drei kleine Porzellanfiguren überlassen haben?«

»Ich wüsste nicht, was Sie das angeht!«, entgegnete unser Gesprächspartner unerwartet heftig. »Oder arbeiten Sie neuerdings auch noch für *Villeroy & Boch*?«

»Es stimmt also. Ich war mir nicht sicher, ob Herrn Theobalds Haushälterin den Namen richtig verstanden hat«, entgegnet Holmes erfreut. »Aber keine Sorge. Ich interessiere mich nicht dafür, wie Sie die Figuren besorgt haben und was Sie dafür erhalten haben. Was mich interessiert, ist, dass Sie offenbar mit Lutwinus Theobald verkehrt haben. Sie haben ja auch Josef Bruckner und Thomas Laub gekannt, auch wenn Sie kein besonders gutes Verhältnis zu Letzterem hatten. Dadurch sehe ich endlich eine Verbindung zwischen den drei Toten.«

»Und jetzt halten Sie mich für deren Mörder?«, fragte Herr Marxen. Allein sein Tonfall verriet, wie absurd er diese Vorstellung fand. Trotzdem konnte er nicht verbergen, dass er beunruhigt war. »Bitte versuchen Sie nicht, mich in die Sache hineinzuziehen. Ich habe nichts mit diesen Morden zu tun!«

»Wohl bekomm's«, sagte der Wirt und stellte zwei frisch gezapfte Biere vor uns auf die Theke.

Seine Tochter, ein stämmiges Mädchen mit einem dicken, braunen Zopf, platzierte zwei runde Holzbretter mit den Leberwurstbroten daneben.

»Wie gut haben Sie Herrn Theobald gekannt?«, fragte Holmes, als der Wirt außer Hörweite war.

»Ich hatte früher einmal beruflich mit ihm zu tun. Worum es ging, braucht sie nicht zu kümmern, eine juristische Angelegenheit meines Arbeitgebers«, meinte Herr Marxen mit finsterer Stimme. »Seitdem kannte ich Herrn Theobald, wenn auch nur flüchtig.«

»Seine Haushälterin sagte, dass die Figuren noch nicht lange auf dem Kaminsims des Anwaltes standen. Sie haben also vor nicht zu langer Zeit mit Herrn Theobald zu tun gehabt«, sagte Holmes und dämpfte seine ohnehin schon leise Stimme. »Ich arbeite nicht für das Finanzamt und auch nicht für Ihren Arbeitgeber. Mich interessieren einzig die drei Morde.«

»Die Arbeiter dürfen diese Figuren als Geschenke für ihre Kinder herstellen, aber es kommt schon ab und zu vor, dass sie danach gegen Bezahlung ihren Besitzer wechseln.«

Die Bedienung trat an uns heran. »Noch ein Bier?«, fragte sie, schnappte sich den leeren Humpen unseres Begleiters und warf ihren langen Zopf über die Schulter. Das war offenbar eine rhetorische Frage, denn obwohl der Angesprochene nicht reagierte, brachte ihm der Wirt kurze Zeit später einen gefüllten Bierkrug.

»Wenn ich das richtig verstanden habe, hat ein Arbeiter Sie gebeten, ihm einen Käufer zu vermitteln. Aber warum haben Sie die Figuren ausgerechnet Herrn Theobald angeboten?«, fragte Holmes, als der Wirt sich endlich in die andere Ecke der Theke zurückgezogen hatte.

»Es war umgekehrt. Der Anwalt hat mich danach gefragt, weil er solche Figuren irgendwo gesehen hatte. Er wollte seinen Enkeln etwas Typisches aus Mettlach schenken.«

Ich sah, wie ein Schatten über Herrn Marxens Gesicht huschte. Er zögerte einen Augenblick, bevor er mit gedämpfter Stimme weitererzählte. »Da Sie ja nach einer Verbindung zwischen Josef Bruckner und Herrn

Theobald suchen: Der Anwalt hat sich vor Kurzem einen Teepavillon im Garten bauen lassen und hat daher mich gefragt, ob ich ihm jemand Zuverlässiges empfehlen könne. Ich habe sofort an den Josef gedacht, weil er auf mich einen sehr ordentlichen Eindruck gemacht hat. Immer hat er die Baustelle der Kapelle als Letzter verlassen und vorher noch aufgeräumt.«

»Warum haben Sie mir das nicht früher gesagt?«, fragte Holmes konsterniert.

»Danach hat mich niemand gefragt.«

Holmes kapitulierte vor so viel Sturheit.

»Und wer war noch mit von der Partie?«, fragte er und trank einen Schluck Bier.

»Das weiß ich nicht«, entgegnete Peter Marxen und starrte trübsinnig in seinen Krug. »Es würde mich jedoch nicht wundern, wenn Lutwinus Theobald auch Thomas Laub angeheuert hat. Der war ja immer auf der Suche nach einem Nebenerwerb und hat auch Hilfsarbeiten angenommen. Aber diese Informationen bleiben bitte schön unter uns! Ich glaube kaum, dass die Arbeitgeber der beiden, geschweige denn das Finanzamt etwas von der Baumaßnahme wussten.«

Diese Information trug nicht dazu bei, das negative Bild zu revidieren, welches ich ohnehin schon von Juristen hatte. Dabei sollte man eigentlich von einem Anwalt ein gesteigertes Rechtsempfinden erwarten.

»Hat Thomas Laub auch mit Herrn Theobald Streit angefangen?«, fragte ich.

»Warum sollte er bei ihm eine Ausnahme gemacht haben? Ein unmöglicher Mensch, immer schlecht gelaunt, aber irgendwie hat er es fertiggebracht, dass immer jemand seine Zeche bezahlt hat«, brummte Peter Marxen und hob seinen Bierkrug.

Einen Augenblick dachte ich, dass er ihn Holmes auf den Kopf schlagen wollte, aber er bestellte nur ein weiteres Bier, bevor er sich demonstrativ von uns abwandte.

»Vielen Dank für die aufschlussreiche Unterhaltung. Sie waren wirklich eine große Hilfe«, sagte Holmes und wandte Herrn Marxen ebenfalls demonstrativ die Schulter zu. Dann konsultierte er seine Taschenuhr. »Es ist noch früh am Abend. Um diese Zeit kann man bestimmt noch beim Pfarrer vorbeischauen«, sagte er auf Englisch zu mir, und ich nickte.

Hastig verspeisten wir unsere Brote, spülten den fettigen Nachgeschmack mit dem Rest des Bieres herunter und beglichen unsere Rechnung. Dann verließen wir das Lokal, aber nicht ohne vorher noch den Schnaps hinunterzukippen, den der Wirt uns ausgab.

Draußen hörte man aus der Ferne das Rumpeln eines Zuges und das Quietschen seiner Bremsen. Im fahlen Licht der Dämmerung waren die Straßenlaternen bereits angegangen, und die Häuser warfen lange Schatten auf das Pflaster.

»Jetzt haben wir endlich eine Verbindung zwischen den drei Toten, aber wir wissen immer noch nicht, wer sie so sehr hasste, dass er sie umgebracht hat. Und es geschah doch bestimmt nicht wegen eines Teepavillons«, sagte ich und atmete genüsslich die kühle Abendluft ein.

»Es sind schon aus weit geringeren Anlässen Menschen umgebracht wurden«, entgegnete Holmes finster. »Offenbar hat Peter Marxen Angst um seinen Arbeitsplatz. Kein Wunder, bei den vielen krummen Geschäften, die er nebenbei betreibt.«

Sonst fiel kein Wort mehr auf dem Weg zum Pfarrhaus. Ich hätte zu gern gewusst, was Holmes im Schilde führte, wagte es aber nicht zu fragen.

Der Pfarrer öffnete selbst die Tür, da die Haushälterin ihren freien Tag hatte, weshalb wir diesmal keinen Kuchen angeboten bekamen, sondern ein Glas Wein, was Holmes aber leider ablehnte.

Falls der Hausherr über unseren Besuch erstaunt oder gar beunruhigt gewesen sein sollte, so ließ er es sich nicht anmerkte. Er geleitete uns in das Wohnzimmer, wo ein kultivierter, älterer Herr über einer Schachpartie brütete. Ich erkannte ihn sofort wieder. Es war der neugierige Mann, der in der Alten Post am Tisch des Schulleiters gesessen hatte.

»Herr Sigerson und Herr Tristram«, stellte der Hausherr uns vor. »Und das ist mein Freund Heinrich Winter, der Inhaber der Apotheke um die Ecke.«

Er nannte den Beruf in einem Tonfall, der vermuten ließ, dass die beiden Schachspieler die Arbeitsgebiete des jeweils anderen für völlig überflüssig hielten.

»Sehr angenehm! Wir sind uns ja schon einmal kurz begegnet«, sagte Herr Winter erfreut. Seine Stimme war kultiviert, ohne den geringsten Dialektanklang. »Ich fand schon in der Gastwirtschaft, dass Sie gar nicht wie ein privater Ermittler aussehen«, fügte er hinzu, was Holmes als Kompliment zu betrachten schien.

»Möchten Sie wirklich keinen Wein?«, vergewisserte sich der Pfarrer, bevor er wieder am Schachbrett Platz nahm.

»Das ist sehr freundlich von Ihnen, Herr Schmitt, aber wir bleiben nicht lange«, beteuerte Holmes erneut, während wir uns niederließen.

»Herr Schmitt, ich bin gekommen, weil ich eine Bitte an Sie habe«, sagte Holmes. »Wir brauchen morgen dringend Ihre Hilfe, um der Gerechtigkeit endlich zum Sieg zu verhelfen. Alles, was Sie tun müssen, ist, direkt nach Ende des Schulunterrichtes bei Katharina Laub vorbeizuschauen und sie eine halbe Stunde lang zu beschäftigen. Am besten versuchen Sie, die Lehrerin zu dazu zu überreden, dass sie beim Kirchweihfest einen Kleiderbasar zugunsten der Armen organisiert.«

»Habe ich recht gehört? Das Kirchweihfest fällt nicht aus? Du feierst ein Fest, obwohl vor Kurzem drei Mitglieder deiner Gemeinde eines gewaltsamen Todes gestorben sind?«, fragte der Apotheker konsterniert.

Der Pfarrer schien damit keine ethischen Probleme zu haben. »Diese Feste halten die Gemeinde zusammen. Aber wo du es erwähnst: Dich habe ich dort noch nie gesehen«, erwiderte dieser und betrachtete das Schachbrett wie seinen Todfeind.

»Ich gehe nur ungern auf Feste mit vielen Menschen«, gab der Apotheker zu.

»Ich habe diese Kirchweihfeste immer interessant gefunden«, bemerkte Holmes. »Sie bieten reichlich Anschauungsmaterial, um die menschliche Natur in all ihren Facetten zu studieren.«

»Unvorstellbar, was passiert, wenn während des Festes ein weiterer Mord geschieht«, wandte der Apotheker ein und schüttelte nochmals den Kopf. »Ich sehe vor meinem inneren Auge, wie Menschen panisch davonlaufen und dabei Grabsteine umwerfen, Beete zertrampeln und ihre Hunde frei in der Kirche herumlaufen lassen. Dann kommt die Polizei, nimmt alle Teilnehmer fest und verhört selbst die Kleinkinder.«

Und auch die Hunde, hätte ich fast hinzugefügt.

»Vielleicht ist es ganz gut, dass du nicht zum Kirchweihfest kommst. Du würdest den anderen doch nur den Spaß verderben«, sagte Pfarrer Schmitt irritiert und schaute vom Schachbrett hoch. »Aber zurück zu Ihrem Auftrag, Herr Sigerson. Warum soll ich Katharina Laub ablenken?«

Das wollte ich auch gern wissen.

»Ich möchte dem Mörder eine Falle stellen«, entgegnete Holmes.

»Sie haben doch hoffentlich nicht vor, etwas Illegales zu unternehmen?«, fragte der Pfarrer misstrauisch, beugte sich vor, bewegte einen weißen Bauern auf dem Schachbrett und schaute Holmes an. »Das könnte ich gar nicht billigen. Schließlich muss ich als Geistlicher immer ein Vorbild für meine Gemeinde sein.«

»Das habe ich nicht vor«, behauptete Holmes. »Außerdem können Sie später immer noch behaupten, dass Sie rein zufällig die Lehrerin zu diesem Zeitpunkt besucht haben.«

Pfarrer Schmitt wirkte noch immer unentschieden, aber der Apotheker schien Feuer und Flamme zu sein. »Wenn Robert nicht möchte oder es nicht mit seinem Beruf vereinbaren kann, könnte ich doch diese Aufgabe übernehmen …«, begann er mit leuchtenden Augen.

»Danke für das Angebot. Ich werde im Zweifelsfall darauf zurückgreifen«, unterbrach Holmes und erhob sich. »Jetzt möchte ich Sie aber nicht länger von Ihrem Schachspiel abhalten.«

Der Hausherr brachte uns zur Tür, wünschte uns einen schönen Abend und versprach, am folgenden Tag Katharina Laub zum vereinbarten Zeitpunkt zu besuchen.

»Aber natürlich erwarte ich Ihren Gegenbesuch. Sie haben sich noch immer nicht in unserer Kirche sehen lassen«, fügte er mit einem typisch klerikalen Lächeln hinzu, als wir in die frische Nachtluft hinausschritten.

»Ich mache mir nicht viel aus alten Gebäuden«, erwiderte ich heftiger, als ich beabsichtigt hatte, aber mich ärgerte die in dieser Situation unpassende Werbung für seinen Gottesdienst.

Pfarrer Schmitt schien kurz davor, die Türe zuzuschlagen, beherrschte sich aber gerade noch im letzten Augenblick und schloss sie geräuschlos.

»Die katholische Kirche in Mettlach ist ein neues Gebäude, wie der Pfarrer uns selbst neulich mitgeteilt hat«, informierte mich Holmes belustigt.

»Ich schaue sie mir trotzdem nicht an und besuche auch nicht Pfarrer Schmitts Messe«, entgegnete ich entschieden und dachte dann kurz über unser Gespräch mit den beiden so ungleichen älteren Herren nach. »Ob der Pfarrer wohl die Schachpartie gewinnt?«

»Nein, der Apotheker wird ihn in vier Zügen schlagen. Er ist ihm haushoch überlegen«, verkündete Holmes mit großer Selbstverständlichkeit.

25. Das Tagebuch

Der nächste Morgen war so trübe, dass ich mich zweimal nach dem Erwachen umdrehte und weiterschlief, bis ich mich endlich dazu durchrang, das Bett zu verlassen. Als ich die Küche betrat, hatte Holmes längst das Haus verlassen, wahrscheinlich um schon wieder angeln zu gehen. Um halb zwölf kehrte er zurück. Schon bevor er das Haus betrat, hörte ich durch das Fenster Kinder auf der Straße rufen: »Der Engländer hat einen Fisch gefangen!«

Neugierig eilte ich in den Flur und wartete darauf, dass Holmes die Tür öffnete. Auf seinem Rücken baumelte ein Hecht an der Angelschnur, jedoch nur ein recht bescheidenes Exemplar von höchstens zwölf Zoll Länge. Das Hausmädchen, das ebenfalls herbeigeeilt war, beäugte den Fang mit skeptischen Blicken und brachte ihn dann mit spitzen Fingern in die Küche. Obwohl es beileibe kein Riesenwels war, betrachtete ich Holmes' Angelerfolg als gutes Omen. Vielleicht würde unser Aufenthalt an der Saar nun endlich einen glücklichen Abschluss finden. Wir sollten den Hecht beim Abendessen als Vorspeise wiedersehen, wo er zu Fischbällchen verarbeitet in einer Suppe serviert wurde.

Aber bevor wir die Hechtsuppe genießen durften, sollte noch einiges geschehen.

Als wir uns auf den Weg machten, war die Sonne hinter den Wolken herausgekommen und hätte jedes Staubkörnchen auf dem Parkett zur Geltung gebracht, aber der Boden war blitzblank sauber. Wieder einmal musste ich unserer Ermittlung zuliebe auf das Mittagsmahl verzichten, was nicht nur ich selbst, sondern auch die Hausherrin sehr bedauerte.

»Mister Tristram, Alexander vermisst Ihren Englischunterricht«, behauptete sie in der Diele, als wir unsere Mäntel und Hüte von der Garderobe aus Messing nahmen.

»Dazu wird Herr Tristram heute wirklich keine Zeit haben. Wir stehen nämlich kurz davor, endlich den Mörder zu fassen«, antwortete Holmes statt meiner, und wir verließen das Haus.

Ich hätte zu gern gewusst, was genau Holmes im Schilde führte. Wie so oft bei unserer Zusammenarbeit hatte ich momentan das Gefühl, gar nichts zu verstehen, außer dass wir offenbar zum Schulhaus gingen. Holmes konnte doch unmöglich vorhaben, die Wohnung der Lehrerin zu durchsuchen, während sie dort den Pfarrer empfing.

Kurz bevor wir unser Ziel erreichten, kam uns eine kleine Gruppe von Schülern entgegen, darunter der kleine Alexander, der uns verschwörerisch zublinzelte. Wahrscheinlich erzählte er noch immer in der Schule herum, dass er es war, der den ersten Toten identifiziert hatte.

Mit ein paar Schritten Abstand folgten einige Mädchen, darunter Johanna Schmitt, die uns artig grüßte.

Als ich das Schulhaus vor mir sah, erschien mir der unscheinbare Bau wie ein Gefängnis, das niemand freiwillig betrat. Ich fühlte mich unangenehm an meine Schulzeit erinnert und kam mir vor, als hätte man mich vor den Direktor zitiert.

Die Haustür war wieder nicht abgeschlossen, und ich fragte mich, ob es hier keinen Hausmeister gab. Aber wie Holmes schon zuvor bemerkt hatte, nahm man auf dem Land wohl die Sicherheitsfrage nicht besonders ernst. Totenstill war es im leeren Schulgebäude. Wir durften jedoch nicht vergessen, dass sich außer uns zwei Menschen darin aufhielten: Katharina Laub und wahrscheinlich auch der Pfarrer. Tief in meinem Inneren bezweifelte ich, dass es eine gute Idee war, den Geistlichen in die Ermittlungsarbeit eingespannt zu haben. Auf mich wirkte er wie jemand, der es allen recht machen wollte und daher kein Rückgrat hatte. Dass er ein schlechter Schachspieler war, sprach auch nicht gerade für ihn.

Langsam schlich Holmes durch die Diele, konnte aber nicht verhindern, dass die groben Holzdielen unter seinen Füßen knarrten. Vorsichtig schloss ich mich an, ebenfalls ohne Geräusche völlig vermeiden zu können.

Schließlich blieb Holmes vor der letzten Tür direkt neben dem Treppenabsatz stehen. Von oben drangen der Geruch von Rosenkohl und Roter Beete herab.

»Möchten Sie die Klassenzimmer durchsuchen?«, fragte ich ganz leise.

»Nein, die Schulbibliothek. Ich bin zu dem Schluss gekommen, dass man ein Buch am unauffälligsten unter seinesgleichen versteckt«, erwiderte Holmes, der offenbar bereits wusste, wo sich die Bibliothek befand.

Er drückte die Klinke herunter und versuchte, die Tür aufzuziehen, aber sie war verschlossen. Mit gemischten Gefühlen beobachtete ich, wie er seinen Dietrich aus der Jackentasche zog und das Türschloss mit wenigen Handgriffen öffnete. Einerseits bewunderte ich Holmes' Kunstfertigkeit, andererseits konnte ich den Einbruch nicht gutheißen. Vor meinem inneren Auge sah ich, wie Herr Hauschild mich als Wiederholungstäter verhaften und ins Verlies werfen ließ.

Die Tür protestierte mit einem leisen Knarren, bevor sie sich öffnete. Sie gab den Blick frei auf einen kleinen Raum, der fast völlig mit mannshohen Regalen ausgefüllt war, auf denen sich die bunten Rücken mehrerer Hundert Bücher aneinanderreihten. Die Luft im Raum war muffig, es roch nach Bohnerwachs, und die Staubschicht auf den Büchern ließ vermuten, dass die Bibliothek sich keiner besonderen Beliebtheit bei den Schülern erfreute.

Holmes schritt zum einzigen Fenster, das auf den Schulhof hinausging, und riss es auf. Die einströmende Frischluft war eine Wohltat.

»Sollte jemand eintreten, steigen Sie bitte sofort durch das Fenster und ducken sich draußen darunter. Ich brauche Sie als Zeugen«, trug Holmes mir auf, und ich nickte.

Nachdem er sich kurz umgeschaut hatte, steuerte Holmes ein Regal an, auf dem sich Bücher mit den gleichen dunkelblauen und schwarzen Einbänden befanden. Beim Nähertreten erkannte ich, dass es Bibeln, Gesangbücher und Lateinwörterbücher waren. Ob in dieser Schule tatsächlich Latein unterrichtet wurde?

»Wir müssen in jeden einzelnen Band schauen. Ich übernehme die Wörterbücher, Sie die religiösen Werke«, trug Holmes mir auf, und wir machten uns an die Arbeit.

Ich nahm eine abgegriffene Bibel nach der anderen in die Hand und schlug sie auf, stieß aber dabei nicht auf ein Manuskript. Auch mit den Gesangbüchern hatte ich nicht mehr Erfolg.

»Das ist es«, sagte Holmes plötzlich in einem triumphalen Tonfall und hielt eine Lateingrammatik hoch.

Ich eilte zu ihm und sah, dass es in schwarzes Papier eingeschlagen war, sodass es seinen Nachbarn geglichen hatte. Auf den Einband war mit silbernen Lettern *Der kleine Stowasser* geschrieben, aber der Band enthielt einen handschriftlichen Text. Mit kleinen, schwer lesbaren Buchstaben waren die Seiten bis zur Hälfte gefüllt, ab und zu unterbrochen von einem Datum.

»Gut, dass Thomas Laub es nicht in der Wohnung aufbewahrt hat«, murmelte Holmes, während er das Tagebuch durchblätterte.

Plötzlich war über uns im Treppenhaus die Stimme einer Frau zu vernehmen, zuerst ganz leise, dann fast hysterisch. Ihr wurde von der beschwichtigenden Stimme eines Mannes geantwortet. Ich blickte Holmes an, der in der Bewegung innegehalten hatte, aber er bedeutete mir, noch zu warten. Einige Sekunden später knarrten die Stufen der Treppe, dann der Holzboden der Diele, die Haustür wurde geöffnet und vehement zugeschlagen.

Ich wollte gerade vorschlagen, das Schulhaus schleunigst zu verlassen, als erneut Schritte an mein Ohr drangen. Sie schienen sich zu nähern. Als die Tür eines der Klassenzimmer geöffnet wurde, war ich endgültig alarmiert.

»Jetzt sollten Sie verschwinden«, trug Holmes mir mit leiser Stimme auf.

Noch bevor die Tür zur Bibliothek aufgezogen wurde, war ich bereits zum Fenster geeilt, auf den Sims gestiegen und hinuntergesprungen. Aber trotz aller Eile schaffte ich es nur knapp, mich ungesehen zurückzuziehen.

»Als ich die Geräusche hörte, habe ich mir gleich gedacht, dass Sie das sind. Darf ich fragen, was Sie in der Schulbibliothek zu schaffen haben?«, hörte ich die scharfe Stimme von Katharina Laub. Offenbar hatte sie den Pfarrer ohne großes Federlesen wieder vor die Tür gesetzt.

»Ich habe das Tagebuch Ihres Bruders gesucht und es auch gefunden«, verkündete Holmes so laut, dass man es bestimmt auf der anderen Straßenseite hörte.

Diese Neuigkeit verschlug der Lehrerin einen Augenblick lang die Sprache.

»Es tut mir leid, aber ich muss dieses Tagebuch haben. Wenn Sie es mir gegeben haben, können wir einen kleinen Spaziergang machen, und ich erkläre Ihnen alles«, sagte sie dann mit scharfer Stimme.

»Ich werde Ihnen das Tagebuch auf keinen Fall überlassen und mache auch keinen Spaziergang mit Ihnen. Wir werden uns hier unterhalten«, entgegnete Holmes gelassen. »Ich habe übrigens inzwischen Ihre Romane gelesen. Sehr interessant. Vor allem die Unterschiede zwischen ihnen. Haben Sie das gute, das mittelmäßige oder das ganz schlechte Buch geschrieben?«, fragte er dann in einem derart befehlsgewohnten Tonfall, dass die Lehrerin zu meinem Erstaunen tatsächlich antwortete.

»Mein Bruder wollte sich erkenntlich zeigen, weil ich ihn schon so unterstützt habe, und er hat mich damit überrascht, dass er ein Manuskript für mich verfasste«, gab sie zu, ohne zu erwähnen, welches es war. Aber man konnte wohl davon ausgehen, dass Thomas Laub der begabtere Schriftsteller war.

»Ein weiterer Grund, warum Sie über seinen plötzlichen Tod so überaus erschüttert waren«, entgegnete Holmes kalt. »Ich gehe davon aus, dass Sie wissen, wer der Mörder Ihres Bruders ist.«

Mit angehaltenem Atem hatte ich gelauscht und war nun gespannt, was für Enthüllungen noch folgen mochten.

»Ja! Seine Kameraden haben ihn umgebracht. Nur weil er ehrlich und anständig war«, entfuhr es der Lehrerin. »Sie haben beim Graben einen Schatz entdeckt. Mein Bruder war der Einzige, der den Fund melden wollte, wie sich das gehört. Angeblich haben sie ihm ein wertvolles Stück überlassen, um ihn zu korrumpieren. Das ist aber wohl eine Lüge, denn ich habe in seinem Nachlass nichts Derartiges gefunden.«

Es dämmerte mir, dass ausgerechnet Katharina Laub der von uns gesuchte Mörder war.

»Kurz nach dem Tod Ihres Bruders wurde in Ihre Wohnung eingebrochen, wohl auf der Suche nach dem Tagebuch und nach dem Gegenstand, den Ihr Bruder erhalten hatte. Deshalb hatte ich gefragt, ob Sie etwas vermissen«, entgegnete Holmes, bevor er die entscheidende Frage stellte: »Welcher seiner Kameraden hat Ihren Bruder umgebracht?«

»Ich habe im Notizbuch meines Bruders den Namen Lutwinus Theobald gefunden und habe daraufhin den Anwalt aufgesucht. Er wollte mein Schweigen erkaufen, nachdem ich behauptet hatte, über alles Bescheid zu wissen«, polterte die Lehrerin los. »Meiner Meinung nach war er der Schlimmste von allen. Obwohl er reich war, wollte er den Schatz unterschlagen, der bei den Bauarbeiten in seinem Garten gefunden worden ist. Es sei dann zu einer tätlichen Auseinandersetzung gekommen. So nannte es der Anwalt. Mein Bruder wurde dabei zu Boden geschlagen und hat sich das Genick gebrochen.«

»Es war also ein tragischer Unfall oder allenfalls fahrlässige Tötung. Sie hingegen haben zwei Menschen kaltblütig ermordet«, stellt Holmes klar. »Und nur einer von Ihnen hat Ihren Bruder gestoßen.«

»Ich musste die Sache selbst in die Hand nehmen«, verkündete die Lehrerin. »Ein Gericht hätte die beiden wahrscheinlich freigesprochen.«

Endlich hatte sie die Verbrechen gestanden! Oft hatten Täter ein großes Mitteilungsbedürfnis. Fasziniert von der eigenen Intelligenz und Entschlossenheit, waren sie frustriert, dass niemand sie bewunderte.

»Sie hätten die beiden Männer bei der Polizei anzeigen müssen«, widersprach Holmes ungerührt.

»Die Polizei?«, fragte Katharina Laub, als ob das eine absurde Idee wäre. »Sie tappt noch immer völlig im Dunkeln, während Sie mir ständig auf der Spur waren. Wahrscheinlich waren Sie es auch, der den Pfarrer bei mir vorbeigeschickt hat?«

»Wie ist der Leichnam Ihres Bruders in den Wald gelangt?«, fragte Holmes, ohne die Frage zu beantworten.

»Der Anwalt und Josef Bruckner haben ihn dorthin transportiert. Die beiden hatten gehofft, dass man während meiner Abwesenheit meinen Bruder nicht identifizieren würde. Fast wären sie sogar damit durchgekommen. Als ich nach Mettlach zurückkehrte, war Thomas ja bereits in einem anonymen Grab verscharrt worden.«

»Sie werden sich für Ihre Taten verantworten müssen. Vielleicht finden Sie einen wohlgesonnenen Richter«, sagte Holmes, und ich fragte mich, warum er die Frau nicht zur Polizei schaffte. »Falls Sie vorhaben, auch mich aus dem Weg zu räumen, so wird Ihnen das nicht gelingen. Außerdem würde es Ihnen nichts nützen, denn Herr Tristram ist in alles eingeweiht.«

»Ich will das Tagebuch, sonst …« Die Lehrerin beendete den Satz nicht, denn die Tür der Bibliothek öffnete sich in diesem Augenblick.

»Fräulein Laub, Sie wollten mir doch ein Buch für das Wochenende empfehlen«, hörte ich einen etwa neunjährigen Jungen sagen.

Erschrocken über diese unerwartete Wendung erhob ich mich so weit, dass ich gerade über das Fensterbrett spähen konnte. Ich hätte nicht gedacht, dass Katharina Laub so schnell war. Ehe Holmes sie davon abhalten konnte, hatte sie schon das Kind von hinten gepackt und ein Messer aus der Tasche ihrer Schürze gezogen. Mit vor Zorn gerötetem Gesicht hielt sie dem armen Jungen die Klinge an die Kehle.

»Das ist doch alles völlig sinnlos. Wohin wollen Sie fliehen? Begehen Sie nicht noch ein weiteres Verbrechen. Dieses Kind hat niemandem etwas getan«, sagte Holmes beschwichtigend.

Ich konnte nicht mehr länger untätig zuschauen. In gebückter Haltung entfernte ich mich vom Fenster und rannte dann so schnell ich konnte um die Schule.

»Ich habe Sie noch nie mit einer Waffe gesehen und gehe davon aus, dass Sie auch heute unbewaffnet sind«, hörte ich Katharina Laub gerade noch sagen, bevor ich das Ende der Hausmauer erreichte.

Ich durchquerte den Schulhof, schlüpfte durch das Tor auf den Gehweg und rannte dann der Umfassungsmauer des Hofes entlang zum Haupteingang, wo ich fast mit Oberinspektor Trost zusammenstieß, der gerade im Begriff war, den Bau zu betreten. Ihm folgte der junge Polizist, den er aus Trier mitgebracht hatte.

»Katharina Laub hat in der Bibliothek ein Kind als Geisel genommen«, rief ich laut, obwohl er neben mir stand.

Die Tür wurde aufgerissen, die Lehrerin trat mit dem Rücken zur Tür heraus und wurde von den beiden Polizisten mit festem Griff von hinten gepackt. Der jüngere zog ihren rechten Arm nach hinten und drehte ihr das Messer aus der Hand, das mit einem lauten Schlag auf den Boden fiel. Ob die Lehrerin mit diesem Messer Josef Bruckner erstochen hatte?

»Ich konnte Kinder noch nie leiden«, entfuhr es der Lehrerin, nachdem sie den zitternden Jungen losgelassen hatte, der ein paar Schritte zurückwankte und die Geiselnehmerin dann mit weit aufgerissenen hellen Augen entsetzt anstarrte.

»Mein Gott, diese junge Lehrerin steckte hinter allem? Ich hätte ihr nicht einmal einen Ladendiebstahl zugetraut!«, entfuhr es dem jungen Polizisten.

Auch Katharina Laubs Haut war totenbleich, ihre Augen funkelten zornig, und sie atmete schwer, während man ihr Handschellen anlegte. Schaudernd fragte ich mich, wie ich diese Furie jemals als eine etwas unscheinbare, aber intelligente und sympathische junge Frau hatte wahrnehmen können.

26. Abschied von der Saar

Nachdem alle Formalitäten bei der Polizei erledigt waren, machte sich Holmes sofort über das Tagebuch her, das ihm der Hauptkommissar als Dank für seine Hilfe für einen Tag überlassen hatte. Dazu zog Holmes sich in sein Zimmer zurück und war nicht ansprechbar, bevor er das Manuskript zu Ende gelesen hatte.

Am späten Nachmittag berichtete er endlich im Salon, was er bei der Lektüre erfahren hatte. »Katharina Laub hätte keine Angst davor haben müssen, dass jemand das Tagebuch ihres Bruders liest. Er schildert zwar ausführlich seine ständigen Probleme mit seinen Mitmenschen, denen er natürlich die alleinige Schuld für die jeweiligen Konflikte gibt. Aber er erwähnt die Unterschlagung des Fundes nicht, da die datierten Einträge mehrere Tage vor seinem Tod abbrechen. Manche Details des Geschehens können wir also leider nur vermuten. Und Sie wissen, wie ich Mutmaßungen hasse.« Holmes seufzte melodramatisch, bevor er fortfuhr: »Nachdem der Schatz bei der Arbeit an Herrn Theobalds Teepavillon entdeckt worden war, hat offenbar der Anwalt den von Skrupeln geplagten Thomas

Laub mit einem besonders prächtigen Stück zu bestechen versucht, nämlich mit dem goldenen Kelch, der uns hierhergeführt hat. Thomas Laub konnte das aber nicht mit seinem Gewissen vereinbaren und wollte mit Pfarrer Schmitt sprechen. Als der Pfarrer keine Zeit für ihn hatte, hat er dem Geistlichen den Kelch per Post geschickt. Auf der letzten Seite seines Tagebuches schreibt Thomas Laub, dass er bedroht worden sei, ohne jedoch Einzelheiten zu erwähnen. Deshalb war er derart bestrebt, die Sendung am gleichen Tag aufzugeben, dass er es nicht mehr schaffte, ein Schreiben beizulegen. Das wollte er mit der Briefpost nachschicken, wozu er aber nicht mehr gekommen ist. Doch die Adresse auf dem Paket war durch den Regen fast unlesbar geworden, weshalb es von der Post nicht Pfarrer Schmitt, sondern unserem werten Gastgeber, dem Arzt Doktor Schmitt, ausgehändigt wurde.«

»Ob das Begleitschreiben Doktor Schmitt dazu bewegt hätte, das Päckchen an den Pfarrer weiterzureichen?«

»Wir werden es nie erfahren.«

»Ich wäre nie auf die Idee gekommen, einen archäologischen Fund ausgerechnet an Pfarrer Schmitt zu senden«, wunderte ich mich. »Er mag seine Qualitäten als Seelsorger haben, aber in allen anderen Wissenschaftsbereichen scheint er mir völlig unbedarft zu sein.«

»Er sollte nicht als Wissenschaftler herangezogen werden, sondern als moralische Instanz. Vergessen Sie nicht, dass man hier noch katholischer als in Bayern ist«, erklärte Holmes und zog an seiner unvermeidlichen Zigarette.

»Jedenfalls wird der Pfarrer auch dieses Kirchweihfest ohne Katharina Laub auskommen müssen«, bemerkte ich nicht ohne Schadenfreude. »Haben Sie nicht erwartet, dass der Pfarrer seiner ihm heute zugeteilten Aufgabe nicht gewachsen sein würde?«

»Er hat seine Rolle ganz vortrefflich gespielt. Er sollte Katharina Laub nur kurz ablenken, damit wir die Bücherei betreten können. Dann sollte die Lehrerin misstrauisch werden und uns zur Rede stellen. Ich brauchte ihr Geständnis. Mit Indizien hätte man sie nicht verurteilen können«, sagte Holmes und steckte mit dem winzigen Rest seiner Zigarette eine weitere an.

»Wo mögen wohl die übrigen Teile des Schatzes sein?«, überlegte ich und wedelte den Rauch von mir weg, um nicht in Versuchung geführt zu werden.

»Möglicherweise befindet sich noch das eine oder andere Stück im Nachlass von Herrn Theobald. Ich werde der Altertumsbehörde einen diesbezüglichen Tipp geben«, meinte Holmes. »Der junge Josef Bruckner hingegen hat offenbar seinen Anteil in Metz versilbert. Wenn er nichts Illegales vorgehabt hätte, hätte er sich bestimmt nicht geweigert, seine Verlobte bei dem Ausflug mitzunehmen.«

Früher als sonst ließ Doktor Schmitt seine Praxis im Stich und kehrte nach Hause zurück. Man hatte ihm bereits berichtet, dass man Katharina Laub als Mörderin verhaftet hatte. Trotzdem ließ er sich von Holmes alles genau schildern.

Nachdem dieser geendet hatte, ging der Hausherr ein paar Minuten lang mit großen Schritten auf dem weichen Teppich in seinem Salon auf und ab. »Und so jemand unterrichtet unsere Kinder!«, entfuhr es ihm dann, und er blieb abrupt vor dem Armsessel stehen, auf dem Holmes sich niedergelassen hatte und in aller Ruhe eine Zigarette rauchte. »Jetzt, wo alles vorbei ist, wollen Sie unseren Ort verlassen oder versuchen Sie weiterhin, einen Riesenwels zu fangen?«

»Ich fürchte, das ist mir einfach nicht vergönnt«, sagte Holmes todernst. »Ich muss mich wohl mit dem halbwüchsigen Hecht von heute Morgen begnügen und werde mich in Zukunft doch besser meinem eigentlichen Metier widmen, dem Aufdecken von Verbrechen.«

»Dabei werden doch bestimmt in Norwegen Fische einer ganz anderen Größe aus dem Wasser gezogen?«, fragte der Arzt und ließ sich auf einen Sessel fallen, der unter seinem nicht unbeträchtlichen Gewicht ächzte.

Ich war mir nicht sicher, ob er sich über Holmes lustig machte.

»Wir müssen uns noch über den goldenen Becher unterhalten. Eigentlich gehört das gute Stück ja in ein Museum, aber ich möchte Ihnen keinen Ärger machen«, sagte Holmes und blickte unserem Gastgeber fest in die Augen. »Außerdem haben wir sehr viel Zeit und Energie auf den Fall verwendet. Mein Vorschlag ist daher: Entweder Sie zahlen mein übliches Honorar für diesen Zeitraum …«

»Wie soll ich das meiner Gemahlin erklären?«, unterbrach Doktor Schmitt panisch, bevor Holmes auch nur seinen üblichen Tagessatz genannt hatte.

Holmes zuckte nonchalant mit den Schultern. »Das bleibt Ihnen überlassen«, entgegnete er und ließ seine Worte ein paar Sekunden lang wirken, bevor er zum nächsten Schlag ausholte. »Oder Sie überlassen mir den Becher als Bezahlung.«

Wie auch immer der Arzt sich entschied, würde ich bei diesem Arrangement wohl wieder einmal leer ausgehen.

»Und was machen Sie damit?«, fragte Doktor Schmitt gedehnt und lehnte sich auf seinem Sessel vor.

»Ich werde den Kelch über kurz oder lang einem Museum überlassen. Aber keine Sorge, Ihren Namen werde ich dabei aus dem Spiel lassen«, versprach Holmes. »Vorher möchte ich mich aber noch etwas an dem guten Stück erfreuen.«

»Das nennt man Erpressung!«, entfuhr es Doktor Schmitt so empört, dass er vergaß, wegen seiner Frau seine Stimme zu dämpfen, und er blickte sich dann erschrocken um.

»Ich nenne es ein faires Angebot«, widersprach Holmes gelassen.

Der Arzt seufzte melodramatisch, bevor er beschloss, sich von dem Kelch zu trennen, und dann abrupt das Thema wechselte: »Ich werde Sie übrigens auf der Fahrt nach St. Johann begleiten. Mein Freund Theodor hat mir von einer ganz ausgezeichneten Aufführung des Hamlet im Apollo-Theater in Alt-Saarbrücken vorgeschwärmt. Leider kann meine Gattin mit Bühnenstücken ohne Musik so gar nichts anfangen. Aber vielleicht haben Sie ja Interesse, sich das Drama mit uns anzuschauen?«

»Nein, danke. Ich habe genug von Rachetragödien«, entgegnete Holmes entschieden. »Diese Frau ist eine Besessene. Es musste ihr doch klar gewesen sein, dass sie über kurz oder lang gefasst werden würde«, fügte er finster hinzu. »Sie wäre wahrscheinlich nicht einmal davor zurückgeschreckt, wie Macbeth die Mächte der Finsternis zu beschwören, wenn sie an dergleichen geglaubt hätte.«

»Seit wann hatten Sie sie eigentlich in Verdacht?«, fragte ich, aber Holmes blieb mir eine Antwort schuldig.

Die Hausherrin öffnete die Tür und bat ihren Gemahl, zur Feier des Tages einen guten Wein aus dem Keller zu holen. »Sie dürfen auf keinen Fall abreisen, ohne vorher die Saarschleife besucht zu haben«, sagte sie dann zu uns. »Ich bestehe wirklich darauf. Manche Menschen kommen von weit her, nur um sie zu sehen.«

»Das ist eine gute Idee!«, entgegnete ich, bevor Holmes ablehnen konnte.

Holmes äußerte keinen Einwand, sondern er vereinbarte mit der Arztgattin, dass wir am folgenden Morgen einen gemeinsamen Ausflug dorthin machen würden. »Hier kann ich unmöglich länger bleiben. Man isst hier einfach zu oft und zu üppig«, brummte er, als das Ehepaar Schmitt den Salon verlassen hatte.

»Wir haben den Fall endlich gelöst. Aber Sie scheinen sich nicht besonders zu freuen«, bemerkte ich nachdenklich. Um ehrlich zu sein, ging es mir ebenso.

»Sollte ich das?«, fragte Holmes schlecht gelaunt, blies einen Rauchkringel in die Luft und bot mir dann eine Zigarette an.

»Immerhin haben wir den Mörder der beiden Männer gefasst«, entgegnet ich und griff nach der Zigarette. Ich nahm mir aber fest vor, dass es die letzte meines Lebens sein würde.

»Das hätte mir viel früher gelingen sollen. Dann würde zumindest Herr Theobald noch leben«, brummte Holmes.

Im Nachhinein ist mir klar, warum er diesmal so lange gebraucht hat, um den Kriminalfall zu lösen. Seinem streng logisch arbeitenden Verstand waren seelische Abgründe fremd – einer der Gründe, warum er Frauen gegenüber so reserviert war, wenn man von einer wichtigen Ausnahme absah.

Frauen waren Holmes ein Buch mit sieben Siegeln.

Franziska Franke

SHERLOCK HOLMES UND DAS ORAKEL DER RUNEN

Taschenbuch, 304 Seiten
ISBN 978-3-95441-579-3
13,00 EURO

Undercover im Land der Fjorde

Nach dem Sturz in die Schweizer Reichenbachfälle gilt Sherlock Holmes offiziell als tot und reist unerkannt umher, begleitet von seinem Assistenten und Biografen David Tristram. Er nennt sich Sven Sigerson und gibt vor, Norweger zu sein. Und das obwohl er kein Wort norwegisch spricht. Kann das gutgehen?

Die Feuerprobe wartet auf ihn, als ihn ein äußerst bizarrer Fall ausgerechnet nach Norwegen lockt: Dort ist die Stabkirche von Storavik spurlos verschwunden. Der Pfarrer Anders Rasmussen scheint nicht besonders bekümmert zu sein, da ihm eine Runeninschrift im Inneren des Gotteshauses und die heidnischen Schnitzereien ein Dorn im Auge waren. Als er vom Turm der Kirche von Bjørnfjelden in den Tod stürzt, mag Holmes nicht an einen Selbstmord des streitbaren Geistlichen glauben.

»Jetzt muss es endlich mal gesagt werden:
Arthur Conan Doyle ist ein Pseudonym von Franziska Franke.«
(Der Krimi und mehr Blog)

KRIMINALROMAN

KBV